医薬品情報学

【第5版】

山崎幹夫［監修］
望月眞弓・武立啓子・堀 里子［編］

Drug Informatics

東京大学出版会

Drug Informatics, Fifth Edition

Mikio YAMAZAKI, Supervising Editor
Mayumi MOCHIZUKI, Keiko BUTATSU, and Satoko HORI, Editors

University of Tokyo Press, 2021
ISBN978-4-13-062422-0

第 5 版へのまえがき

　1996 年に本書の初版が出版されてから四半世紀が経つ．この間に薬事法は医薬品医療機器等法へと変わり，2006 年には薬学教育モデル・コアカリキュラム（以下，モデル・コアカリキュラム）に基づく薬学教育 6 年制がスタートした．初版から 20 年を経て 2016 年に発刊した第 4 版では，そのモデル・コアカリキュラムの改訂を受けて本書の内容を一新し，とくに臨床研究デザインや生物統計の充実を図った．

　第 4 版以降，2017 年 10 月の GPSP 省令改正，2018 年 10 月の医療用医薬品の販売情報提供活動に関するガイドラインの発出，2019 年 4 月の添付文書記載要領の改正，2019 年 12 月の医薬品医療機器等法改正，2020 年の PubMed 検索の変更など，医薬品情報学に関連する大きな変更が続いた．このため 2016 年以降のさまざまな改正や変更を反映し大幅に内容を見直しすることになり，この度，補訂版ではなく改訂第 5 版として発刊することとした．

　具体的には，最も基本的な医薬品情報源である医薬品添付文書について新記載様式を解説した．またデータベースを含む情報源も新たなものも加えて刷新した．各論では病院・診療所薬局における医薬品情報業務について，「病院における医薬品情報管理の業務基準」が「医薬品情報業務の進め方 2018」に改訂されたことから，これに基づき改めて解説した．医薬品行政と規則・制度について医薬品医療機器等法改正や薬剤師業務に関連する制度改正を反映した．

　本書は，薬学部での教育はもとより，臨床現場の薬剤師，製薬企業の医薬品情報を扱う職種の方々など医薬品情報に関連する多くの人々を対象に想定し，医薬品情報とその業務に関する基本的なファクトを集めて編纂したものである．教科書であることから正確性を期すことに留意したが，日々変化する法・制度や情報源について反映しきれていない点などもあると思う．ご意見，ご叱正があれば是非ともお寄せいただくことをお願いしたい．

　今回，改訂版を発刊することを決めてから数カ月で準備が整ったことは奇跡的なことで，執筆者・編者の皆様，そして東京大学出版会の小松美加さんに心からお礼申し上げる．

　2021 年 1 月

編者を代表して
望月眞弓

第4版へのまえがき

　本書の初版は，今を遡ること20年前の1996年に，医薬品情報を教育研究の対象として取り上げた我が国では最初の教科書として上梓された．本書の特徴は，医薬品情報に関する視点を，医療現場における情報の取り扱いに限局することなく，企業における研究開発にかかわる情報の収集，保険薬局までを含めた医療機関の関係者への伝達と利用，評価，さらには臨床の場での医薬品の使用によって発生した情報の収集と医薬品開発への再利用まで広げた点である．医薬品情報学を薬学領域における重要な教育研究分野として位置づけたことによって注目された．

　幸い，本書の初版は，教育，臨床，企業等，現場での好評を得て短期間の間に刷を重ねたが，医薬品情報の重要性は日を追って高まり，またその後に行われた薬事法（現，医薬品医療機器等法）の改正をはじめとする法制度の改正等を反映させるため，1998年には内容を改訂して第2版とした．さらに2005年には，2006年から薬学教育6年制が開始されるに当たって制定された薬学教育モデル・コアカリキュラムに沿って，構成，内容，執筆者等のすべてにわたる大改訂を加え，第3版を出版した．その後は毎年の小幅な見直しを重ねるとともに，2012年には補訂版を出すなどして対応してきたが，今回，その後の社会情勢の変化，医薬品医療機器等法への改名を含む薬事法の大幅改正，2013年12月の薬学教育モデル・コアカリキュラム改訂などを反映させ，内容を一新した．

　本版においては，特に薬学教育モデル・コアカリキュラム改訂を受け，臨床研究デザインについては観察研究と介入研究に分けて内容を充実させ，生物統計については新たに章立てした．なお，生物統計は，統計学の教科書ではないという本書の性格上，論文などの医薬品情報における統計解析法の適切性を解釈できるという範囲の解説に留めた．また，重要な医薬品情報源である書籍・データベース類については，新しいものも含め臨床現場での活用度の高いものを選び解説した．

　本書は，6年制薬学教育を目指して構成しており，医薬品情報の基礎から応用までの広範囲にわたるため，第1部総論，第2部各論，第3部規則・制度の3部構成となっている．第1部は4年次までに，第2部・第3部は実務実習終了後，5-6年次で教育されることを目安とした．また，現場で活躍する薬剤師の方々にも有用な書籍となるものと期待している．

　編集に当たっては万全を期したつもりであるが，教科書として使用される先生方また読者の方々には忌憚のないご意見やご叱正をいただければ幸いである．今後さらに内容の充実を期していきたい．最後に，短期間に原稿を寄せられ，また編者からの無理な注

文にも快く応じていただいた執筆者の皆様，東京大学出版会の小松美加さん・住田朋久さんに心からの感謝を申し上げる．

 2016 年 3 月

監修者
山崎幹夫

 第 4 版刊行後も，医薬品情報をめぐる状況の進展は著しく，それに対応した様々な法制度・諸制度の改訂や新設などの最新の情報を盛り込み，このたび「第 4 版補訂版」とした．

 2018 年 3 月

第 3 版へのまえがき

　本書の初版は，医薬品情報を教育研究の対象として取り上げた我が国では最初の教科書として，1996 年に上梓された．本書は，医薬品情報に関する視点を，医療現場における情報の取り扱いに限局することなく，企業における研究開発にかかわる情報の収集，保険薬局までを含めた医療機関の関係者への伝達と利用，評価，さらには臨床の場での医薬品の使用によって発生した情報の収集と医薬品開発への再利用まで広げ，医薬品情報学を薬学領域における重要な教育研究分野として位置づけたことによって注目された．

　幸い，本書の初版は，教育，臨床，企業等，現場での好評を得て短期間の間に刷を重ねたが，医薬品情報の重要性は日を追って高まり，またその後に行われた薬事法の改正をはじめとする法制度の改正等を反映させるため，1998 年には内容を改訂して第 2 版を出版した．しかし，社会の情勢はその後も大きな変化を重ね，現時点では，すでに前版の内容を部分的に改訂する作業によっては現在までの状況の変化を確実に反映させることは困難であるとの結論に達した．そこで，これまでの内容についてさらに検討を加え，構成，内容，執筆者等のすべてにわたる大改訂を加え，ここに第 3 版を刊行することとなった．

　本版においては，特に医療制度の変革に伴う諸規定，制度の改正，あるいは，新規法規制の成立によって大きく変化した医薬品情報の内容，伝達・提供のあり方，あるいは新たなる IT 時代を迎えて著しく進展した医薬品情報の収集・評価，伝達・提供の方法について，薬学系大学教員，病院薬剤師，製薬企業関係者，および行政関係者からなる編集委員会において綿密な検討を繰り返し，明確な解釈と対応を行うことを心がけた．

　本書の内容は，6 年制薬剤師教育を目指して構成したため，医薬品情報の基礎から応用までの広範囲にわたる．7 章までは 4 年次までに，8 章以降は実務実習終了後，5-6 年次で教育されることを目安に構成した．また，現場で活躍する薬剤師の方々にも有用な図書となるものと期待している．

　我々としては万全を期したつもりであるが，内容についてはご叱正，ご教示をいただき，さらに充実を期していきたい．短期間に原稿を寄せられ，また編者からの無理な注文にも快く応じていただいた執筆者の皆様，東京大学出版会の小松美加さんに心からの感謝をささげたい．

　　2005 年 7 月

監修者
山崎幹夫

　様々な法制度・諸制度の改訂など医薬品情報をめぐる状況の変化に対応して，最新の情報を盛り込み，「第 3 版補訂版」とした．

　　2012 年 3 月

第2版へのまえがき

　本書の初版が刊行されたのは1996年12月であったが，幸いにも適切な執筆者による時宜を得た内容をもつ教科書として好評を得，短期間の間に3刷を重ねることができた．しかし，医療の現場における医薬品情報の役割が日々その重要性を増しつつあることに伴い，薬事法の改正をはじめ，医薬品添付文書の新記載要領に基づく改訂，GLP, GCP, GPMSPの改定・法制化，諸制度の内容・名称の変更など，医薬品情報をめぐる状況にはかなりの変化が見られ，その結果，本書の内容にも改訂を必要とする部分を生じた．

　そこで，正確性と迅速性を鉄則とする情報の取扱いを主題とする本書としては，最新の情報を盛り込んだ改訂第2版を出版することになった．本改訂版が，本書を利用して下さる皆さんにとってさらにお役に立つことを信じ，また医薬品情報学が，学部，大学院における薬学教育，医療の現場における薬物治療，企業における創薬活動等に欠かすことのできない基礎学として広く認識されるため，本書がその一助として役立つことを念じたい．

　進捗の著しい現状に対する当然の対応とはいっても，改訂版の作成にご協力をいただいた執筆者の方々，諸制度の改正にともなう本書の記述内容，特に用語等につき詳細な校閲をして下さった厚生省医薬安全局安全対策課桂栄美氏，それに改訂に同意をして下さった東京大学出版会，同編集部の小松美加さんに心からの感謝をささげたい．

　　1998年5月

編集者代表
山崎幹夫

まえがき

　20世紀は医療のかたちを大きく変えた世紀であった．そして，その変革に最も大きな役割を果たしたのは医薬品であった．

　くすりが人類誕生の昔から疾病や傷害をいやすために利用されてきたことは事実であるが，実は，いま我々が医療の場で利用している医薬品のおよそ90%以上は，20世紀の後半，この40-50年の間に開発され，世に出たものである．

　1940年代に実用化されたペニシリンをはじめとする抗生物質は，それまでは難治とされた多くの感染症の治療を可能にした．また，1960年以降に開発された多くの医薬品は，かつての対症療法薬の範囲を脱し，生体内でいとなまれるさまざまな反応に関与する酵素や薬物受容体に直接的に影響を与える原因療法薬に変わった．さらに最近では，生体成分そのものがバイオテクノロジーによって生産され，遺伝子すら疾病の治療に利用されるようになった．

　このような医薬品の変化が医療の進歩に大きく貢献したことは事実として，この事実が，一方では医薬品の使い方を著しく難しくしたことを我々は改めて強く認識しなければならない．

　同時に，社会の情勢も変わった．21世紀の初頭には，日本の高年齢人口はピークを迎える．当然の結果として疾病構造も変化し，かつては受診率においても病因別死亡率においても圧倒的大勢を占めていた感染症に代わって，現在では，いわゆる成人病の比率が年々著しい増加をみせている．成人病治療薬には長期にわたって服用するものが多く，また，高齢者には複数の診療科にまたがって受診する患者が多くなることから，長期服用に伴う副作用や併用に伴う相互作用による弊害など，新しい問題が生まれている．

　医薬品には，開発された時点ではまだ十分に評価されることがないという宿命がある．医療の場において適正に使用され，所期の効果をあげ，目的を達したときに，はじめて有効性・安全性を含めた十分な評価が下される．その意味で，医薬品の評価は適正使用によって定まるといっても過言ではないだろう．

　1993年に提出された厚生省薬務局長の諮問委員会「21世紀の医薬品のあり方に関する懇談会」の最終報告も，医薬品の適正使用の重要性が今後ますます高まることを指摘し，医薬品は情報と一体となって，はじめて適正に使用され，その目的を達成できるとして，その具体策の提案を行っている．

　ひるがえって，薬学教育においては，これまで医薬品を適正に管理し，使用するために必要な教育・研究が万全であったとはいいがたい．特に，医薬品の適正使用に最も重要である医薬品情報の収集，伝達，活用，評価については，これまでに教育・研究の対象とし

て取り上げられたことはほとんどなかったといってよい．

　本書は，これからの医療を支える薬学の役割のなかで，ますます重要性を増すであろう医薬品情報に関するすべてを薬学領域におけるひとつの学問分野としてとらえ，教育研究の素材として最も適当なかたちを考え，編集されたものである．これまでにも医薬品情報に関して書かれた成書はあるが，本書の特徴は，その視点を現場における情報の取り扱いに限局することなく，情報の収集に関わる企業での研究開発の段階から，医療関係者そして患者への情報の伝達と活用，さらには評価からフィードバックにまで広げたところにある．各章の内容には若干の重複があるが，重要な事項を強調するため，繰り返し説明をする意味で重複を残した部分があることをご理解の上，ご活用いただきたい．薬学部および医療に関連する学部・大学院の学生に対する教科書としてのみならず，病院および開局薬剤師，医師，製薬関連企業における開発担当者・MR，厚生関係行政担当者など，広く医薬品に関わる分野の方々に参考にしていただければ，と願っている．

　医薬品の適正使用への貢献を課題として，薬学教育において医薬品情報学の果たす教育・研究の領域の範囲と内容を提示した教科書はこれまでに例がなく，それなりの役割を果たすであろうとの自負はあるが，同時に編者の独断に基づく誤りも少なくないと思われる．また，執筆者の方々には本書の主旨をご理解いただき執筆をお引き受けいただいたが，各章間の調整などに手間取り，執筆から刊行までに思いがけず長い時間がかかってしまったこと，1冊の本としての統一をはかるために原稿にかなり手を入れさせていただいたことを編者として心からのお礼とともにお詫びを申し上げたい．大方の叱正，教示を賜り，さらに内容の向上につとめたい．

　　　1996 年 10 月

編集者代表
山崎幹夫

目次

第 5 版へのまえがき　望月眞弓
第 4 版へのまえがき　山崎幹夫
第 3 版へのまえがき　山崎幹夫
第 2 版へのまえがき　山崎幹夫
まえがき　山崎幹夫
本書の使い方・凡例

序論

1章　医薬品適正使用と医薬品情報　望月眞弓　2

1-1. 医薬品の目的　2　　1-2. 医薬品の適正使用　3
1-3. 医薬品の基本情報　3　　1-4. 医薬品情報の発生と伝達・提供　5
1-5. 医薬品情報に関わる職種　6
　　演習問題　6

第1部　総論

2章　医薬品の研究開発の流れと情報　成川 衛　8

2-1. 医薬品の研究開発　8
　2-1-1. 医薬品の研究開発の流れ　8　　2-1-2. 探索研究と最適化研究　9
　2-1-3. 非臨床評価　10　　2-1-4. 物性・品質に関する検討　10
　2-1-5. 臨床評価　10　　2-1-6. 承認審査　11
　2-1-7. 薬価基準への収載，発売　11　　2-1-8. 市販後安全対策　12
2-2. 医薬品の開発過程で収集される情報と承認申請資料　12
　2-2-1. 新薬の承認申請資料の構成　12
　2-2-2. コモンテクニカルドキュメント（CTD）　13
　2-2-3. 開発過程で実施される試験の概要　14
2-3. 医薬品開発の特徴　17
　2-3-1. 新薬開発に要する期間，費用とその成功率　17

  2-3-2．新薬開発の国際化　17
 2-4．後発医薬品等の開発　18
  2-4-1．後発医薬品の開発と承認申請資料　18　　2-4-2．生物学的同等性試験　18
  2-4-3．バイオ後続品　19
  演習問題　19

3章　市販後の調査と情報 ……………………………………………浅田和広・熊野伸策　20

 3-1．市販後の調査の意義　20
 3-2．日本の PMS 制度　21
  3-2-1．再審査制度　22　　3-2-2．再評価制度　23
  3-2-3．副作用・感染症報告制度　23
 3-3．市販後の活動に関する基準　24
 3-4．安全性情報の収集　25
 3-5．市販後に行う調査および試験からの情報の収集　27
  3-5-1．使用成績調査　27　　3-5-2．製造販売後データベース調査　28
  3-5-3．製造販売後臨床試験　28
 3-6．情報の評価・分析・対応　29
  3-6-1．安全性情報の評価・対応・分析　29
  3-6-2．市販後に行う調査および試験から得られた情報の評価・分析・対応　31
 3-7．市販後に得られた適正使用情報の提供・伝達　32
 3-8．医薬品リスク管理計画制度　32
 3-9．市販後の調査が目指すゴール　34
  演習問題　34

4章　医薬品情報の主な情報源 ………………………………………………………　35

 4-1．医薬品情報源の分類と特徴　　加藤裕久　35
  4-1-1．一次資料　35　　4-1-2．二次資料　36　　4-1-3．三次資料　36
  4-1-4．それぞれの医薬品情報源の活用　37
 4-2．医薬品添付文書　　加藤裕久　38
  4-2-1．医療用医薬品添付文書　39　　4-2-2．要指導・一般用医薬品添付文書　48
 4-3．医薬品インタビューフォーム（IF）　　加藤裕久　49
  4-3-1．医薬品インタビューフォーム（IF）の概要　50
  4-3-2．IF の活用　53
 4-4．各種三次資料の解説　　若林　進　53
  演習問題　64

5章 医薬品情報の収集と検索 ……………………………… 井上 彰・武立啓子　65

- 5-1. 情報へのアプローチ　65
  - 5-1-1. 二次資料とデータベース　65　　5-1-2. 三次資料とデータベース　67
  - 5-1-3. その他のデータベース　67
- 5-2. 情報検索の種類　68
  - 5-2-1. 事実検索　68　　5-2-2. 文献検索　70　　5-2-3. 遡及検索　70
  - 5-2-4. 逐次検索　70
- 5-3. 情報検索のプロセス　71
  - 5-3-1. 主題の理解と確認　71　　5-3-2. 検索範囲の決定　71
  - 5-3-3. 検索手段と情報源の選定　72
  - 5-3-4. コンピュータ検索におけるキーワードの設定　72
  - 5-3-5. 検索式の作成，検索の実行　73
- 5-4. PubMed を用いた検索例　74
- 5-5. 規制情報や承認審査報告書などの検索　79
  - 演習問題　80

6章 医薬品情報の評価 ……………………………… 望月眞弓・橋口正行　81

- 6-1. 一次資料の評価　81
  - 6-1-1. 批判的吟味の対象項目　82　　6-1-2. 研究デザインの評価　82
  - 6-1-3. 被験者の選択と割付け　83　　6-1-4. 症例数の設定根拠　83
  - 6-1-5. 評価指標　84　　6-1-6. 追跡率　84　　6-1-7. 結果の提示とデータ解析　85
  - 6-1-8. 臨床的有意と外的妥当性　85　　6-1-9. 論文の批判的吟味の実例　86
- 6-2. インパクトファクターによる雑誌の評価　93
- 6-3. 三次資料の評価　94
  - 演習問題　95

7章 医療現場における医薬品情報の加工と提供 …………… 堀 里子・澤田康文　96

- 7-1. 医薬品情報の加工　96
  - 7-1-1. 加工の必要性　96　　7-1-2. 加工の手順　97
- 7-2. 医療現場における能動的な情報提供と受動的な情報提供　98
- 7-3. 医療従事者に向けた情報提供　98
  - 7-3-1. 能動的な情報提供　98
  - 7-3-2. 個別の薬物治療における能動的および受動的な情報提供　99
- 7-4. 患者に向けた医薬品情報の提供　101
  - 7-4-1. 能動的な情報提供　101
  - 7-4-2. 個別の薬物治療における能動的および受動的な情報提供　101

- 7-5. 情報の再構築　103
  - 7-5-1. 医薬品の比較・評価のための情報の再構築　103
  - 7-5-2. 具体例：薬物動態学的手法を用いた情報の再構築　103
- 7-6. 情報の共有と新しい情報の構築　107
  - 演習問題　109

8章　生物統計の基礎と実践　　山村重雄　110

- 8-1. 臨床研究で用いられる変数　110
- 8-2. 母集団と標本　111
- 8-3. データの分布の中心　112
- 8-4. データの分布（分散，標準偏差，変動係数）　113
- 8-5. 標準誤差と信頼区間　113
- 8-6. 仮説検定　114
- 8-7. 代表的な確率分布関数　116
- 8-8. パラメトリックな検定とノンパラメトリックな検定　118
- 8-9. 母平均の差の検定　118
  - 8-9-1. 対応のない t 検定と Wilcoxon の順位和検定　118
  - 8-9-2. 対応のある t 検定と Wilcoxon の符号付順位検定　120
- 8-10. χ^2 検定（比率の検定）　121
  - 8-10-1. χ^2 検定（独立性の検定）　122
  - 8-10-2. Fisher の直接確率法　123
- 8-11. 相関係数と回帰分析：線形回帰分析とロジスティック回帰分析　123
  - 8-11-1. 相関と回帰　123　　8-11-2. 線形回帰分析　124
  - 8-11-3. ロジスティック回帰分析　125
- 8-12. 生存時間分析と生存時間曲線　126
  - 8-12-1. 生存時間曲線（カプラン・マイヤー曲線）　126
  - 演習問題　128

9章　臨床研究デザインと解析　130

- 9-1. 臨床研究の目的とデザイン　　佐藤嗣道　130
  - 9-1-1. 臨床研究の目的　130　　9-1-2. 臨床研究の原則　130
  - 9-1-3. 臨床研究の分類と代表的手法　131
  - 9-1-4. 臨床研究で用いられる指標　132
  - 9-1-5. 臨床研究におけるバイアスと交絡　134
- 9-2. 観察研究　　佐藤嗣道　137
  - 9-2-1. 観察研究での主な疫学研究デザイン　137
  - 9-2-2. 副作用の因果関係の評価　143

9-3. 介入研究　　小野俊介　145
　9-3-1. 臨床試験計画の立案において留意すべき点　145
　9-3-2. 優越性試験と非劣性試験　151　　9-3-3. 臨床試験実施上の留意点　152
　9-3-4. 臨床試験の統計解析における留意点　154
　演習問題　155

10章　EBMの実践と医薬品情報　　真野泰成　157

10-1. EBMの概念　157
　10-1-1. EBMとは　157　　10-1-2. EBMの要素　157
10-2. EBM実践のプロセス　158
　10-2-1. EBM実践の5つのステップ　158
　10-2-2. ステップ1　問題の定式化　158
　10-2-3. ステップ2　問題解決のための情報収集　159
　10-2-4. ステップ3　得られた情報の批判的吟味　161
　10-2-5. ステップ4　情報の患者への適用　162
　10-2-6. ステップ5　ステップ1～4の評価　163
10-3. EBMの実践例　163
　10-3-1. ステップ1　問題の定式化　164
　10-3-2. ステップ2　問題解決のための情報収集　164
　10-3-3. ステップ3　得られた情報の批判的吟味　164
　10-3-4. ステップ4　情報の患者への適用　165
　10-3-5. ステップ5　ステップ1～4の評価　166
10-4. メタアナリシス　166
　10-4-1. メタアナリシスとは　166　　10-4-2. コクラン共同計画　167
　10-4-3. メタアナリシスの手順　167
　10-4-4. フォレストプロットを用いたメタアナリシスの結果解釈　169
　10-4-5. メタアナリシスの留意点　170
　演習問題　171

11章　薬剤経済学の実践　　坂巻弘之　173

11-1. 医療技術評価と医療経済評価，薬剤経済学　173
11-2. 薬剤経済学の考え方　174
11-3. アウトカムの種類と分析手法　175
11-4. QOLと質調整生存年 QALY　175
11-5. 費用効果分析における判断基準　177
11-6. 費用の種類と分析の立場　177
11-7. 分析のためのデータの収集・研究デザイン　179
11-8. まとめ　180
　演習問題　181

第2部 各論

12章 病院・診療所薬局における医薬品情報 …………………… 冨田隆志　184

12-1. 医薬品情報の収集と評価，整理および加工　185
 12-1-1. 医薬品情報業務で頻用される資材・書籍類　185　　12-1-2. 医学論文　186
 12-1-3. ウェブサイト　186　　12-1-4. 製薬企業，卸売企業の情報提供　186
12-2. 医薬品に関する情報の伝達・周知　187
 12-2-1. 医療従事者への情報提供　188　　12-2-2. 薬剤師への情報提供　189
 12-2-3. 患者への情報提供　189
12-3. 医薬品に関する質疑応答　189
12-4. 医薬品の適正使用や安全管理に係る各種委員会への参画　190
12-5. 病棟担当薬剤師などとの連携・支援　191
12-6. 医薬品の製造販売後調査などへの関与　191
12-7. 薬剤師およびその他の医療従事者に対する教育　192
12-8. 医薬品情報関連の情報科学に関する研究　192
12-9. 地域における医薬品情報業務の連携　193
 演習問題　193

13章 薬局における医薬品情報 …………………………………… 出石啓治　194

13-1. 医薬品に繋がる患者情報の記録　195
13-2. オンライン服薬指導での情報提供　196
13-3. 患者の使用医薬品情報収集の重要性　197
13-4. 医薬品情報に繋がる処方箋の臨床検査値表示　198
13-5. 医薬品情報から判断する疾病　199
13-6. 医薬品情報における副作用の伝達　200
13-7. 後発医薬品に関する医薬品情報　201
13-8. 要指導・一般用医薬品，健康食品に関する情報　202
13-9. 地域での医薬品情報の共有　203
13-10. DEM事業での医薬品情報　204
 演習問題　204

14章　製薬企業における医薬品情報　　浅田和広　205

14-1. 製薬企業と医薬品情報の関わり方　205
　14-1-1. 研究開発，承認申請（薬事）　206　　14-1-2. 医薬品の製造，品質保証　207
　14-1-3. 市販後の各部門　207
14-2. 製薬企業が発信する医薬品情報　211
　14-2-1. 医療用医薬品添付文書　211　　14-2-2. 情報伝達　212
　14-2-3. その他医薬品の適正使用のための資材　214
　14-2-4. 各種資材と情報提供の考え方　215
　演習問題　216

15章　医薬品卸売販売業における医薬品情報　　松浦 聡・浅野貴代　217

15-1. 医薬品卸売販売業　217
　15-1-1. 医薬品流通における医薬品卸の役割　217
　15-1-2. 医薬品卸を取り巻く状況　218　　15-1-3. 医薬品卸の基本的機能　218
　15-1-4. MS，管理薬剤師の役割　219
15-2. 医薬品卸と医薬品情報関連法制度の変遷　219
15-3. 医薬品卸の情報提供　220
　15-3-1. 医療用医薬品の販売情報提供活動ガイドラインとMSによる情報提供　220
　15-3-2. 問い合わせの対応　221　　15-3-3. 情報誌，インターネット　221
15-4. 安全管理業務　222
　15-4-1. 安全管理情報の収集　222　　15-4-2. 安全管理情報の伝達　222
　15-4-3. 回収　223　　15-4-4. 市販直後調査　223
　演習問題　224

16章　医薬品行政と医薬品情報　　渡邊伸一　225

16-1. 医薬品行政の医薬品情報における位置付け・役割　225
16-2. 医薬品行政における医薬品情報の収集　226
　16-2-1. 承認審査業務における医薬品情報の収集　226
　16-2-2. 安全対策業務における医薬品情報の収集　226
16-3. 医薬品行政における医薬品情報の評価・加工　227
　16-3-1. 承認審査業務における医薬品情報の評価・加工　227
　16-3-2. 安全対策業務における医薬品情報の評価・加工　228
16-4. 医薬品行政における医薬品情報の提供　230
　16-4-1. 承認審査業務における医薬品情報の提供　230
　16-4-2. 安全対策業務における医薬品情報の提供　230
　演習問題　231

17章 日本薬剤師会と医薬品情報　　　橋場 元　232

17-1. 日本薬剤師会とは　232
17-2. 日薬の医薬品情報活動　233
　17-2-1. 医薬品情報の評価　233　　17-2-2. 会員からの情報収集とその評価　234
　17-2-3. 医薬品情報の提供手段　235
17-3. 都道府県薬剤師会とネットワーク　237
　演習問題　237

18章 情報センター（情報機関）と医薬品情報　　　榊原統子　238

18-1. 情報センターの役割と使命　238
18-2. 情報センターの概要　238
18-3. 情報センターが扱っている主な医薬品情報　242
　演習問題　246

19章 医薬品情報と国際化　　　富永俊義　248

19-1. 医薬品の国際化と医薬品情報　248
19-2. 情報の共有と国際的ハーモナイゼーション　248
　19-2-1. 規制当局に提出する書類のハーモナイゼーション　249
　19-2-2. 情報を記載する用語のハーモナイゼーション　252
　19-2-3. 規制当局に資料を報告する際の様式（フォーマット）のハーモナイゼーション　253
19-3. 規制当局間の情報共有の努力　253
19-4. 規制当局の公開情報発信の努力　254
　演習問題　255

第3部　規則・制度

20章 医薬品情報に関わる法制度　　　赤羽根秀宜　258

20-1. 医薬品の製造販売承認に関する法制度　258
　20-1-1. 製造販売業の許可　258　　20-1-2. 医薬品の承認　258
　20-1-3. 後発医薬品　259
20-2. 医薬品の製造販売承認後の法制度　260
　20-2-1. 再審査制度　260　　20-2-2. 再評価制度　260　　20-2-3. GPSP　260
　20-2-4. 副作用・感染症報告制度　260　　20-2-5. 医薬品リスク管理計画　261
　20-2-6. 医薬関係者等の情報の共有　261
　20-2-7. 薬剤師による服薬指導および継続的な服薬状況の把握　262

20-2-8. 国民の責務　262
20-3. 医薬品の広告　262
20-4. 患者情報の利用　263
　20-4-1. 個人情報の保護に関する法律　263　　20-4-2. 院内掲示等による同意　264
　20-4-3. 守秘義務　264
20-5. 著作権　265
　　演習問題　265

演習問題解答　267
和文索引　268
欧文索引　274
執筆者一覧　276

*各章末の演習問題のとりまとめは，大島新司が担当した．

本書の使い方・凡例

＊各章の構成

- 学習のポイント；　章や節の冒頭に，そこで学習すべき重要なポイントを箇条書きで示した．
- キーワード；　本文中のキーワードを各ページに脚注として示した．
- ボックス；　本文中で解説するには詳しすぎる内容の用語や，より専門的な内容について，ボックス内に解説した．
- 演習問題；　各章末に，各章の内容の基本をきちんと把握できたかどうかを確認するための演習問題を付した．正誤問題や計算問題についての解答は巻末にまとめてある．

＊本書で用いた用語の使い分けについて

- 医薬品，薬剤，薬，薬物

　原則として「医薬品」を用いたが，調剤関連の話のときは「薬剤」を，また，まだ治験段階で医薬品の承認を受けていないものを指す場合は「薬」「薬物」を用いた．

- 医療従事者，医薬関係者，医療関係者

　医療従事者：直接医療に携わる医師・薬剤師・看護師等を指す．

　医薬関係者：薬事法などの制度・規制の中で使用される用語で，基本的には医師・歯科医師・薬剤師を指す．

　医療関係者：医療従事者を含み，製薬企業・卸販売業まですべての医療に関わる者を指す．

序論

1 医薬品適正使用と医薬品情報　望月眞弓

1章 医薬品適正使用と医薬品情報

望月眞弓

> **学習のポイント**
> ❶医薬品に必須の情報は何か.
> ❷医薬品情報の発生から伝達・提供までの流れを理解する.
> ❸医薬品情報に関わる職種には何があるか.

1-1. 医薬品の目的

医薬品は「医薬品,医療機器等の品質,有効性及び安全性の確保等に関する法律」(以下,「医薬品医療機器等法」という)(ボックス参照)の第2条で次のように定義されている.

①日本薬局方に収められている物
②人又は動物の疾病の診断,治療又は予防に使用されることが目的とされている物であって,機械器具等(機械器具,歯科材料,医療用品,衛生用品並びにプログラム及びこれを記録した記録媒体)でないもの
③人又は動物の身体の構造又は機能に影響を及ぼすことが目的とされる物であって,機械器具等でないもの

簡単にいい換えると,人または動物の疾病の診断,治療または予防に使われるもので,機械などではないもの,ということになる.本章では人を対象とした医薬品について,その適正使用と情報の関係について説明する.

> **ボックス**
>
> **医薬品医療機器等法**
>
> 2014年11月25日付けで施行された法律.従来は薬事法と呼ばれてきたが,法律の範囲が医薬品から医療機器,再生医療等製品に至る広範囲に及ぶことから,「医薬品,医療機器等の品質,有効性及び安全性の確保等に関する法律」と改名され,略称として「医薬品医療機器等法」と呼ばれることとなった(薬機法と呼ばれることもある).医薬品,医薬部外品,化粧品,医療機器,体外診断用医薬品,再生医療等製品について,品質,有効性および安全性の確保,ならびにこれらの使用による保健衛生上の危害の発生および拡大の防止のために必要な法律である.また,指定薬物の規制や,医療上必要性の高い医薬品,医療機器および再生医療等製品の研究開発を促進することも目的としている.

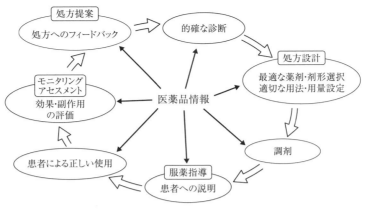

図 1-1. 医薬品適正使用のサイクル

1-2. 医薬品の適正使用

　医薬品には作用と副作用という両面がある．これは患者の立場から見ると，ベネフィットとリスクと置き換えることができる．医薬品を使用する際には常にこのベネフィットとリスクのバランスを考えて，患者に対して使うかどうかを判断しなければならない．そして使う際には，リスクを最小に，ベネフィットを最大に得られるように注意して使用しなければならない．これを医薬品の適正使用という．

　医薬品の適正使用において，医師や薬剤師等は，使ってはいけない患者には使わないなどのようにリスクを予測し，事前に最善の策を講じるとともに，副作用の早期発見・重篤化の回避に努め，患者に対しては服用方法や副作用対応のための情報を提供する．さらに，医薬品の効果が適切に得られないことによる患者の不利益を回避するため，適切な投与量の設定や服薬遵守の指導を行う．

　図1-1は厚生省（当時）薬務局長の私的諮問機関の「21世紀の医薬品のあり方に関する懇談会」の報告書で提案された「医薬品の適正使用のサイクル」である．図1-1ではこの適正使用のサイクルのどのステップに医薬品情報が関わるかを著者の判断で示した．処方設計，調剤，服薬指導，患者による正しい使用，モニタリング・アセスメント，処方提案にいたるすべてのステップに医薬品情報が関わっており，医薬品情報がないとこのサイクルは円滑に回らないことを著者は強調したい．

1-3. 医薬品の基本情報

　医薬品は化合物として，名称とともに分子量や外観などの物理化学的性質を表す情報を持っている．しかし，それらを知っているだけでは単なる物質としての存在であって，医薬品とはならない．

（キーワード）　ベネフィット・リスクバランス，医薬品の適正使用のサイクル，医薬品の基本情報

表 1-1. 医薬品の基本情報

名　称	薬理学的情報
規格・単位・剤形	薬効薬理
効能・効果	安全性薬理
適応疾患名または症状	副次的薬理
重症度, 罹病期間	薬物動態学的情報
用法・用量	有効血中濃度
用量反応関係	薬物速度論的パラメータ
投与時間	吸収, 分布, 代謝, 排泄
投与速度	物理化学的情報
使用上の注意	色, 味, 臭い
禁　忌	溶解性, pH, 浸透圧比
相互作用	安定性, 保存条件
副作用	崩壊性, 溶出性

　医薬品が医薬品としての機能を発揮するには，何に効くのか（効能・効果），1回にどのくらいの量を使うのか（用法・用量），どんなリスクがあるか（副作用），使うと危険がある患者はどんな患者か（禁忌），一緒に使うと危ない薬はないか（相互作用）などの様々な医薬品情報が必要になる．表 1-1 に医薬品に必須の基本情報を挙げた．医薬品の適正使用にはこれらの基本情報が欠かせない．

　まずはじめは「名称」である．名称には一般名と商品名がある．一般名は化合物に共通の名称で，日本では JAN（Japanese Accepted Name）として定められている．一方，商品名は剤形・規格も含めた，製薬企業が個々に定めた名称である．通常は商標として登録されている．名称の類似性が原因で起こる医療事故も多く，名称は非常に重要な情報である．「規格・単位・剤形」は製剤を構成する重要な要素であり，患者に適した薬剤を選択するには必須の情報である．「効能・効果」には適応疾患や症状が該当する．疾患の重症度や罹病期間によって効果の得られ方が異なることもあり，それらの点も含めて効能・効果は考えなければならない．「用法・用量」には1回量，1日の使用回数，使用時期などがあり，さらに注射剤では投与速度なども含まれる．用法・用量が不適切であると効果が得られないばかりか副作用に繋がることにもなる．「使用上の注意」には禁忌，相互作用，副作用などがあり，リスクの回避に不可欠な情報である．「薬理学的情報」は効果を裏付ける情報や副作用を予測するために重要な情報で，最も薬学的な情報といえる．「薬物動態学的情報」は，医薬品の有効成分の体内への吸収，分布，代謝，排泄の情報である．吸収や代謝過程が明らかになることで，副作用や相互作用の予測が可能になる．また，血中濃度の推移から有効性を確保し，副作用を防ぐための用法・用量に関連する情報も得られる．「物理化学的情報」は，主に品質や製剤設計に関連する情報である．味や臭いは錠剤の粉砕後の使用感と，pH や浸透圧比は点眼剤や注射剤の刺激性と関連する．

　以上，医薬品の基本情報について説明した．これらの情報は医薬品の開発から製造販売後の各段階で各種の試験に基づいて創出され，関係者に提供される．

1-4. 医薬品情報の発生と伝達・提供

図 1-2 に各種の医薬品情報の発生について医薬品開発の流れとともに示す．

新規物質が創製されるとまず物性研究がされ，ここでいわゆる物理化学的性質が明らかとなり，製剤設計などに利用される．続く非臨床試験の過程では薬理学的情報や，毒性試験の結果，動物での体内動態などの情報が得られ，これらはヒトでの有効性や安全性の検討の基礎情報となる．効能・効果や用法・用量は，治験のデータに基づいて創られるが，これらは厚生労働省が承認する事項となっており，その内容は製薬企業が勝手に変更することはできない．使用上の注意は，非臨床試験や治験の結果から設定されるが，製造販売後（市販後）の使用実態下で得られた情報によって補強される．特に，新医薬品には図 1-2 に示す 5 つの課題（治験だけでは不十分な点という意味で 5 つの Toos と呼ばれることがある）があるため，対象患者の数が限られている治験では見られなかった副作用が製造販売後に発見されたり，長期投与での成績や特定の患者群（妊婦，小児，高齢者など）での成績が収集されたりする．そのため，製造販売後の情報も非常に重要である．

これらの情報は，医薬品添付文書（4-2. 参照），医薬品インタビューフォーム（4-3. 参照），新医薬品の「使用上の注意」の解説（表 3-4，表 4-11 参照）などの文書として製薬企業から医療関係者に提供される．患者に対しては，薬剤情報提供書，患者向医薬品ガイドなどを通じて情報提供される（表 4-11 参照）．なお，製造販売承認時の審査状況に関する情報は，審査報告書，申請資料概要として独立行政法人医薬品医療機器総合機構（PMDA; Pharmaceuticals and Medical Devices Agency）から提供されている（表 4-11

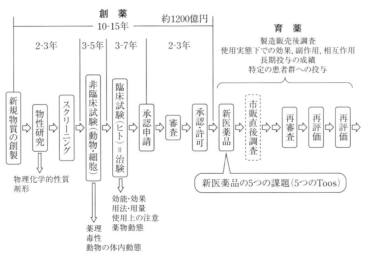

図 1-2. 医薬品開発と情報の発生

> キーワード　5つの課題

参照).

　医薬品情報は，医療の進歩や製造販売後調査等を通じて新たな情報が追加され日々変化する．製薬企業はこうした情報を適時適切に医薬品添付文書等に反映するとともに医療関係者に提供しなければならない．そして，医療関係者は常にアンテナを張り，新しい情報に関心を持つことが大切である．

1-5. 医薬品情報に関わる職種

　医薬品情報に関わる職種は，製薬企業，行政，医療現場など幅広い職域に存在する．
　製薬企業では，研究部門，臨床開発部門，市販後（製造販売後）調査管理部門，安全管理部門，学術部門，お客様相談窓口，医薬情報担当者（MR; Medical Representative）などが医薬品情報に関わっている．
　行政では，厚生労働省の医薬・生活衛生局医薬品審査管理課・医薬安全対策課，PMDAなどが医薬品情報に関わる主な部門となる．
　医療現場では，薬局や病院薬剤部などが医薬品情報を統括する立場であり，特に病院では薬剤管理指導業務や病棟薬剤業務実施加算の要件として，医薬品情報室の設置等が義務付けられている．
　以上の医薬品情報に関わる各職種がそれぞれの職責を適切に果たして，初めて医薬品の真の価値を患者が享受することができる．医薬品は医薬品情報なくして医薬品としては成立し得ないことを私たちは強く認識しておかなければならない．

演習問題

問1　効能・効果，用法・用量は医薬品開発のどの段階の情報から設定されるか．また，これは医療の進歩に基づいて製薬企業の判断で変更することができるか．
問2　製薬企業から医療関係者に提供される代表的な医薬品情報源を3種類挙げよ．

第1部 総論

- 2 医薬品の研究開発の流れと情報　成川 衛
- 3 市販後の調査と情報　浅田和広・熊野伸策
- 4 医薬品情報の主な情報源　加藤裕久・若林 進
- 5 医薬品情報の収集と検索　井上 彰・武立啓子
- 6 医薬品情報の評価　望月眞弓・橋口正行
- 7 医療現場における医薬品情報の加工と提供　堀 里子・澤田康文
- 8 生物統計の基礎と実践　山村重雄
- 9 臨床研究デザインと解析　佐藤嗣道・小野俊介
- 10 EBMの実践と医薬品情報　真野泰成
- 11 薬剤経済学の実践　坂巻弘之

2章 医薬品の研究開発の流れと情報

成川 衛

> **学習のポイント**
> ❶ 医薬品の研究開発は，医薬品候補物質の探索・創製，動物試験等による非臨床評価，臨床試験による評価など，多くの労力と長い時間を必要とする．
> ❷ 医薬品を流通させるためには，法律（医薬品医療機器等法）に基づき，個々の品目ごとに製造販売の承認を取得する必要がある．その際，研究開発の過程で収集された各種試験の成績が承認申請資料として提出され，審査される．
> ❸ 近年，新薬の開発は国際化が進展し，医薬品に関する情報の諸外国との相互利用が急速に進んでいる．

本章では，2-1.で医薬品（新薬）の研究開発の流れとその内容を概観し，2-2.では，そのような研究開発の過程で得られる情報に着目しながら，新薬の製造販売承認のための申請資料について説明する．2-3.では，医薬品開発の特徴となるトピックをいくつか取り上げ，また，2-4.において，近年，その使用促進に向けた種々の取り組みがなされている後発医薬品を巡る状況を解説する．

2-1. 医薬品の研究開発

2-1-1. 医薬品の研究開発の流れ

新規医薬品候補物質の探索・創製から，非臨床評価，臨床評価の過程を経て，それが医薬品として承認され医療の場に供されるまでの研究開発の流れを図2-1に示す．1つ

> **ボックス**
>
> 医薬品の研究開発とは？
>
> 医薬品の研究開発とは，一般には，医薬品候補物質の種の発見または創製に始まり，動物実験や臨床試験の実施，それらのデータに基づいた審査・承認，医薬品としての発売までを指す．これらのほか，現在または将来に人々がどのような疾病に苦しみ，それに対してどのような治療法を欲しているのかといった医療ニーズの把握，個別の医薬品とは直接関係しない疾病動物モデルの構築や製剤技術の検討といった活動も，広義には医薬品の研究開発に含まれる．

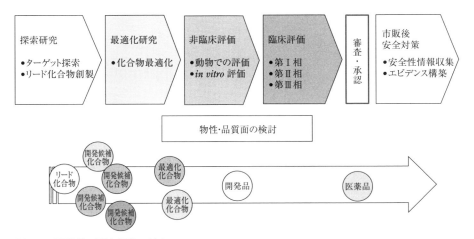

図 2-1. 医薬品の研究開発の流れ

の医薬品の研究開発の出発点をどこにとるかは難しいが，ここでは創薬ターゲットの探索を出発点と考える（ボックス参照）．

2-1-2. 探索研究と最適化研究

　一般に，医薬品の効果は，人の生体内のターゲット（標的）分子（酵素や受容体など医薬品が結合する分子）の機能を促進または抑制することによって発揮される．ターゲット分子は多くの場合はタンパク質であり，これを探すことをターゲット探索という．なお，抗菌薬では，対象とする菌にあるターゲット分子を探すことになる．

　次いで，そのターゲットに作用して薬効を示す候補物質（リード化合物）の探索が行われる．化合物ライブラリーと呼ばれる数多くの化合物の中から，種々の手法を用いてリード化合物が選択・創製される．まずは関連する受容体との結合能や酵素活性阻害などの生化学的なスクリーニング，次いで細胞・組織や摘出臓器を使ったスクリーニング，最終的には疾患モデル動物を用いた評価という段階を踏むのが通常である．これらのプロセスの効率化のため，自動化されたロボットなどを使って，膨大な化合物ライブラリーの中から，ターゲットに対して活性を持つ化合物を短時間で選別するハイスループットスクリーニング（HTS; High Throughput Screening）と呼ばれる技術を採用する製薬企業も多い．また，タンパク質の立体構造に基づく薬剤設計（SBDD; Structure-Based Drug Design）の手法も発展してきている．

　こうして選択されたリード化合物自体がそのまま医薬品になるわけではなく，リード化合物を基に種々の化学修飾を施した多くの候補化合物が合成される．それらについて，薬効，毒性，動態，物性などの観点から評価を行い，より医薬品として適した化合物が半ば試行錯誤の上で選択されていく．この過程をリード化合物の最適化という．

キーワード　医薬品の研究開発，リード化合物

2-1-3. 非臨床評価

最適化された化合物について，将来の医薬品としての承認取得を目指した本格的な非臨床評価（動物試験など）が始まる．これを目的・内容ごとに分類すると，薬物の薬理作用を検討する薬理試験，薬物投与後の生体内での動き（吸収，分布，代謝，排泄）を検討する薬物動態試験，種々の面からの薬物の毒性を検討する毒性試験がある（試験の詳細は 2-2-3. 2）参照）．

これらの非臨床評価の過程を経て，将来の医薬品として相応しい性質を持った候補物質が選定され，臨床評価の段階に進むことになる．

2-1-4. 物性・品質に関する検討

上述の最適化研究や非臨床評価と並行して，医薬品の物性・品質に関する検討も進められていく．物質の構造決定から始まり，その物理的化学的性質の検討，不純物・分解物等の探索などが行われるとともに，コストや環境への負荷なども考慮したより効率的な製造方法の検討，効果の最大化や取り扱いの向上を目指した製剤化の検討なども継続的に行われる．また，原薬および製剤の品質をチェックするための項目（規格および試験方法）の設定に向けた検討，保存時の安定性を確認するための試験も行われる．

2-1-5. 臨床評価

新薬の開発過程において，動物実験を繰り返し実施し，薬効や作用機序，毒性などの評価を慎重に積み重ねていったとしても，その効果と安全性に関する最終的な判断は人（患者）を対象とした試験に拠らざるを得ない．動物実験あるいは初期の臨床試験で有望な結果が得られた医薬品候補物質について，その後の大規模な臨床試験で，予想とは異なる結果が得られたという例は多い．一方で，製造販売承認を得るための臨床試験，すなわち治験は人（患者）を対象に実施されるものであり，人々の理解と協力なしには成り立たない．このため，非臨床評価の段階において被験物質の安全性や期待される効果を精度よく見極め，また先行する臨床試験結果を吟味した上で，綿密な計画を立案し，被験者の方々の人権，安全を確保しながら臨床試験が実施されることが重要である．このことを関係者は理解し，行動しなければならない．臨床試験の実施にあたっては，GCP（Good Clinical Practice，医薬品の臨床試験の実施の基準）やその他，「医薬品，医療機器等の品質，有効性及び安全性の確保等に関する法律」（以下，「医薬品医療機器等法」という，「薬機法」とも略される）に定められた規定の遵守が求められる．

新薬の臨床開発は，第Ⅰ相，第Ⅱ相，第Ⅲ相とステップを踏んで，小規模で探索的な試験から，より大規模で検証的な試験へと移行しながら進められていく．

キーワード 臨床開発

2-1-6. 承認審査

　医薬品とほかの製品との流通上の決定的な違いは，医薬品は，品目ごとに製造販売の承認を得ない限り販売できないということである．これまでに述べた種々の試験研究は，一義的には，医薬品候補物質を「医薬品」として世に出すために行われるものであり，承認申請資料の基となるものである．承認申請者（製薬企業）は，医薬品医療機器等法に基づく種々のルールに則って試験を実施し，情報（データ）を収集し，結果を申請資料としてまとめて国に承認申請を行う．その後，所要の審査を経て製造販売の承認を取得したものが「医薬品」として流通できることになる．

　医薬品の製造販売の承認は厚生労働大臣*によって行われるが，審査業務の実質的な部分は，医薬品医療機器等法において厚生労働大臣から委託を受けた独立行政法人医薬品医療機器総合機構（PMDA; Pharmaceuticals and Medical Devices Agency）が行っている．申請者から承認申請が行われると，まずはPMDA内の専門職員による審査が行われる．その際には，治験が行われた医療機関でのGCPの遵守状況などの確認が行われるとともに，外部専門家の意見聴取も行われる．これらの過程を経て，PMDAでの審査結果を取りまとめた審査報告書が厚生労働省に送付される．厚生労働省では，当該報告書を基に薬事・食品衛生審議会に対して承認の可否などについて諮問を行い，了解が得られれば大臣によって承認されることになる．（承認拒否事由については16-3-1. 参照．）

　*一部の一般用医薬品（OTC医薬品）などは都道府県知事に承認権限が移譲されている．

　これらの個々の新薬の審査報告書などの文書は，承認後にPMDAのウェブサイト（https://www.pmda.go.jp/）で公表される（表4-11参照）．

　なお，ひとたび承認された医薬品について，その後，新たな効能・効果を追加したり，用法・用量を見直したりしようとする場合には，すでに承認されている効能・効果や用法・用量を変更するための承認を得る必要がある．このためには，変更に必要なデータを添付して承認事項を一部変更するための承認申請を行い，審査を受けなければならない．

2-1-7. 薬価基準への収載，発売

　医薬品医療機器等法に基づく製造販売承認を受けた医療用医薬品については，感染症予防のためのワクチンなど「疾病の治療」に用いるものとはみなされない一部の医薬品を除き，承認後，厚生労働大臣が定める薬価基準に収載され，保険償還の対象となった上で販売が開始される．

キーワード　承認審査

2-1-8. 市販後安全対策

医薬品は，ひとたび承認されれば，その後は漫然と使い続ければよいというものではない．臨床試験（治験）によって承認時までに得られる情報には，対象患者数，投与期間，患者の多様性といった観点から自ずと限界がある（図3-1参照）．このため，製造販売後（市販後）に医療の場における安全性に関する情報などを継続して収集し，必要な安全対策を講じていくことは，よい医薬品を長く安全に使用していく上で重要な活動となる．

新薬については，承認時までに得られた情報等に基づいて，個々の医薬品ごとに「医薬品リスク管理計画（RMP; Risk Management Plan）」が定められ，それに従った市販後リスク管理のための活動が継続されていく．

2-2. 医薬品の開発過程で収集される情報と承認申請資料

2-2-1. 新薬の承認申請資料の構成

医薬品の承認の可否を判断するための審査は「書類審査」であり，これは申請者（製薬企業）から提出された資料（承認申請資料）に基づいて行われる．医薬品医療機器等法には，承認を受けようとする者は申請書に臨床試験の試験成績に関する資料その他の資料を添付して申請しなければならないと規定されており，同法施行規則に承認申請資料の項目が示されている（表2-1）．このうち，ロ，ハは申請医薬品の物性・品質に関する資料，ニ～ヘが非臨床試験成績に関する資料，トが臨床試験成績に関する資料に大別できる．

ひとくちに「新薬」といっても，新しい有効成分を含有する場合（新有効成分含有医薬品）のほか，既存の医薬品に新たな効能・効果を追加する場合，既存の医薬品について剤形や投与経路を変更する場合など，いくつかの種類がある．これらすべての新薬の

表2-1. 医薬品の承認申請資料の項目

イ.	起原又は発見の経緯及び外国における使用状況等に関する資料
ロ.	製造方法並びに規格及び試験方法等に関する資料
ハ.	安定性に関する資料
ニ.	薬理作用に関する資料
ホ.	吸収，分布，代謝及び排泄に関する資料
ヘ.	急性毒性，亜急性毒性，慢性毒性，遺伝毒性，催奇形性その他の毒性に関する資料
ト.	臨床試験等の試験成績に関する資料
チ.	添付文書等記載事項に関する資料

（医薬品医療機器等法施行規則 第40条）

キーワード 市販後安全対策，承認申請資料

承認申請時に表 2-2 に示したすべての資料の提出が必要となるわけではなく，必要な資料は承認申請の内容に応じて判断される．

　申請資料を作成する際に実施される種々の試験の方法やその結果を報告書としてまとめる際の留意事項について，これまでに多くのガイドラインが作成され，公表されている．ガイドラインの中には，医薬品規制調和国際会議（ICH; International Council for Harmonisation of Technical Requirements for Pharmaceuticals for Human Use）（19 章参照）における日本，米国および EU などの間での合意に基づく国際調和ガイドラインも多く含まれる．

2-2-2. コモンテクニカルドキュメント（CTD）

　近年，医薬品開発の国際化が進む中，ICH において，各国の規制当局に提出される承認申請資料の構成・まとめ方に関するガイドライン作りが進められ，2001 年に，コモンテクニカルドキュメント（CTD; Common Technical Document，医薬品の承認申請のための国際共通化資料）に関するガイドラインが公表された．この CTD ガイドラインは，各規制当局に提出される承認申請資料に関する共通の様式を示すものであり，これにより，申請者（製薬企業）における承認申請資料の編集作業の重複が軽減され，また，電子申請の準備が容易になること，規制当局間の情報交換が容易になることなどが期待されている．

　CTD は，5 つの部から構成される（図 2-2）．

　第 1 部には，各国／地域の規制や状況に応じて作成した文書が配置される．日本の場合は，承認申請書，各種証明書類，添付文書案，同種同効品一覧表などがこれに該当する．

　第 2 部から第 5 部までは，すべての国／地域への申請において共通となるような資料

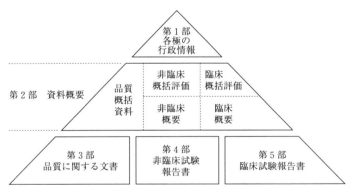

図 2-2. **CTD の概念図**
（平成 13 年 6 月 21 日医薬審発第 899 号厚生労働省審査管理課長通知「新医薬品の製造又は輸入の承認申請に際し承認申請書に添付すべき資料の作成要領について」から一部改変）

キーワード　コモンテクニカルドキュメント（CTD）

が配置される．すなわち，これらの資料をCTDガイドラインに従って作成することで，日本，米国およびEUのいずれの規制当局に対しても受け入れ可能な様式の資料が作成されることとなる．第2部には，品質，非臨床試験，臨床試験に関する申請資料の概要文書（サマリー）が配置される．第3部は申請医薬品の品質に関する文書，第4部は各種の非臨床試験の報告書，第5部は臨床試験の報告書がそれぞれ添付される．

CTDは，従来は紙媒体で作成され，規制当局に提出されていたが，現在は電子的に作成・提出されるようになっている．これを電子化コモンテクニカルドキュメント（eCTD）という．eCTDの採用により，申請書類の削減や作業の効率化が図られてきた．

2-2-3. 開発過程で実施される試験の概要

表2-1に示した承認申請資料の項目に対応する各種試験や資料の概要を表2-2に示す．ここでは，これらの中から医薬品の開発過程で実施される主な試験を取り上げ，その概要を説明する．

1) 安定性試験

医薬品を長期間保存したときの安定性を調べるための試験を安定性試験という．ここから得られる情報は，医薬品の有効期間や貯蔵方法（遮光保存，冷所保存など）を定める際に使われる．

通常，医薬品には3年間という有効期間が設定されるが，この有効期間は長期保存試験と呼ばれる試験結果に基づいて判断される．長期保存試験では，25℃・60％相対湿度といった条件下で医薬品を長期間保存し，定期的に有効成分の定量や分解物の検索な

表 2-2．承認申請資料の項目に対応する試験・資料の概要

施行規則に示されている資料名	具体的な試験や資料の内容
イ．起原又は発見の経緯及び外国における使用状況等	申請医薬品の起原や発見の経緯，諸外国での開発・承認状況，既存の類似医薬品との添付文書情報の比較検討など
ロ．製造方法並びに規格及び試験方法等	申請医薬品の構造の決定，物理的・化学的な性質，製造方法，規格及び試験方法など
ハ．安定性	申請医薬品の長期保存時の安定性，苛酷な条件下での安定性など
ニ．薬理作用	効力を裏づける試験（薬効薬理試験），副次的薬理試験，安全性薬理試験など
ホ．吸収，分布，代謝及び排泄	動物や *in vitro* 試験系を用いた体内動態の検討など
ヘ．急性毒性，亜急性毒性，慢性毒性，遺伝毒性，催奇形性その他の毒性	単回投与・反復投与時の毒性評価，遺伝毒性試験，がん原性試験，生殖発生毒性試験など
ト．臨床試験等の試験成績	様々な臨床試験（第Ⅰ相，第Ⅱ相，第Ⅲ相）
チ．添付文書等記載事項に関する資料	添付文書の記載事項など

どを行う．

安定性試験には，このほか，加速試験，苛酷試験がある．加速試験は，40℃・75%相対湿度のように少し厳しい環境下で医薬品を保存し，長期間保存時の化学的変化を予測したり，流通期間中に起こり得る貯蔵方法からの短期的な逸脱の影響を評価する．苛酷試験では，加速試験よりも苛酷な保存条件（温度，湿度，光）を用いて行われ，分解生成物や分解経路・機構の解明などに利用される．

2）非臨床試験

2-1-3.で触れたように，医薬品評価のために行われる動物や in vitro 系を用いた試験として，薬理試験，薬物動態試験，毒性試験がある．以前は「前臨床試験」という用語（臨床試験の前に実施される試験という意味）が使われたが，必ずしもすべての動物試験等が終わった後に臨床試験が開始されるわけではない（すなわち臨床試験と時期的に並行して実施される動物試験もある）ことから，最近では「非臨床試験」と呼ばれる．

薬理試験は，効力を裏付ける試験，副次的薬理試験，安全性薬理試験に分けられる．効力を裏付ける試験は「薬効薬理試験」とも呼ばれ，疾患モデル動物や in vitro 試験系などを用いて，被験物質が期待する治療標的に対する効力を有しているかどうかの評価，作用機序の解明・確認が行われる．副次的薬理試験は，期待しない治療標的に関する被験物質の作用を検討するために行われる試験である．安全性薬理試験は，被験物質の生理機能に対する潜在的な望ましくない薬力学的作用を検討する試験であり，生命維持に重要な影響を及ぼす器官系（中枢神経系，心血管系，呼吸系），その他の器官系への被験物質の作用が評価される．

薬物動態試験は，動物に投与された被験物質の吸収（Absorption），分布（Distribution），代謝（Metabolism），排泄（Excretion）を調べる試験である．これらの英語の頭文字をとって ADME と略される．被験物質の血中濃度推移のほか，各種臓器・組織への分布（経時変化を含む）や胎盤・胎児・乳汁中への移行性，代謝経路および主な代謝酵素，排泄経路などについて調べられる．これらの情報は，動物における毒性試験・薬理試験の計画および結果の解釈に役立つとともに，人での体内動態の予測，薬物間相互作用の検討において重要である．

毒性試験には，その目的・内容によって様々な試験がある．一般的には，単回投与毒性試験（被験物質を1回投与した際の毒性を評価），反復投与毒性試験（2週間，4週間，3カ月間，6カ月間など被験物質を繰り返し投与した際の毒性を評価），遺伝毒性試験（被験物質による遺伝的な傷害の有無を評価），がん原性試験（被験物質によるがん誘発の可能性を評価），生殖発生毒性試験（被験物質の哺乳類の生殖発生への影響（受胎能・初期胚発生，胚・胎児発生，出生児・母体機能など）を評価）などが行われる．

毒性試験および安全性薬理試験（特に，生命維持に重要な影響を及ぼす器官系への試

キーワード 非臨床試験

験）については，その実施にあたり，GLP（Good Laboratory Practice，医薬品の安全性に関する非臨床試験の実施の基準）の遵守が求められる．

3）臨床試験

2-1-5．で述べたように，新薬の臨床評価の過程では，通常，第Ⅰ相，第Ⅱ相，第Ⅲ相というステップを踏んで，様々な目的・内容の臨床試験（治験）が行われ，開発が進められていく．

医薬品候補物質（被験薬）を初めて人に試みる段階が第Ⅰ相である．第Ⅰ相の最初の試験では，通常，健康な成人志願者に対して少量の被験薬が1回投与される．その後，計画に沿って徐々に高い用量が用いられ，副作用の有無などが慎重にチェックされる．次いで反復投与試験に移行し，やはり低い用量から，被験薬を3日間あるいは7日間など繰り返し投与し，安全性の確認が行われる．これらと併せて被験薬の血中濃度の測定なども行われ，体内動態の検討が行われる．これらの試験は「臨床薬理試験」と呼ばれる．

第Ⅱ相では，目的とする疾患の患者を対象に種々の試験が実施される．通常，第Ⅱ相の初期の試験では，比較的少数の患者を対象に，被験薬の効果の探索と安全性の評価が行われる．その後，試験の規模（患者数や投与期間）が拡大され，適切な投与量や適応疾患の範囲の探索などが行われる．この段階で行われる試験は「探索的試験」と呼ばれるものが多い．

第Ⅲ相では，それまでの試験結果を基に，目的とする疾患の患者を対象とした大規模な試験が実施され，被験薬の有効性，安全性に関するより強固なエビデンスを示すためのデータが収集される．また，長期投与時の安全性を評価するための試験，適応疾患を有する患者の中でも一部特殊なバックグラウンドを有する患者を対象とした試験なども実施され，被験薬についてより広範な有効性，安全性データが収集される．この段階で行われる試験は「検証的試験」と呼ばれるものが多い．

特に検証的試験においては，比較対照群（プラセボ群や既存の実薬群など）を置き，試験の信頼性を高めるための基本的技法として無作為化（ランダム化）および盲検化の手法がとられることが通常である．比較試験において，被験薬の効果（または安全性）が対照薬よりも優れることを示すための試験を「優越性試験」といい，被験薬が対照薬に劣らないことを示すための試験を「非劣性試験」という（9章参照）．

キーワード 臨床試験

2-3. 医薬品開発の特徴

2-3-1. 新薬開発に要する期間,費用とその成功率

新薬の探索・最適化研究が開始された後,動物実験や臨床試験を経て,医薬品として世の中に出るまでには,8-15年程度の時間を要するといわれている.

日本製薬工業協会の調査において,日本で1つの新薬を開発するための費用について,日本の製薬企業の売上高上位10社における平均研究開発費用は,2002年では588億円であったが,2010年では1262億円に増大したことが報告されている.また,過去の研究過程(2014-2018年度の5年間)において合成された約60万の化合物(低分子)のうち,後の非臨床試験の実施に移行した化合物は150とのことである.このうち,臨床試験段階に進み,最終的に承認を取得したものは26であった.累積成功率はおよそ2万数千分の1となる(表2-3).

2-3-2. 新薬開発の国際化

以前は,日本で新薬の承認を得るためには,国内で日本人患者を対象に臨床試験を実施し,その成績を承認申請資料として提出するという状態が一般的であった.今日では,ICHにおける医薬品の承認申請資料の国際的な相互利用の促進に向けた活動の成果を受け,外国で実施された臨床試験のデータも日本での承認申請資料として積極的に活用するという考え方に変わってきている.以後,米国や欧州で先行して実施された大規模な臨床試験のデータと,日本国内で実施した比較的小規模な試験(「ブリッジング試験」と呼ばれる)のデータを組み合わせ(これにより当該外国データの日本人・日本の医療への適用可能性を判断する),日本での大規模な試験実施を省略して承認申請を行う医薬品が増加した.

さらに最近では,1つの大規模な臨床試験に米国,欧州,日本,その他の地域から多数の医療機関(患者)が参加し,共通の試験計画書(プロトコール)に基づいて試験を行い,データを統合して解析し,医薬品の有効性,安全性を評価しようとする試験(国

表2-3. 新薬開発の成功率(低分子化合物)

	化合物数	前の段階から移行した確率	累積成功率
合成化合物数	58万2573	—	—
非臨床試験開始	150	1:3884	1:3884
臨床試験開始(日本)	62	1:2.42	1:9396
承認取得	26	1:2.38	1:2万2407

(日本製薬工業協会調べ(研究開発委員会メンバーのうち内資系企業の集計):DATA BOOK 2020,一部改変)

キーワード　新薬開発の国際化

際共同試験）が活発に行われるようになってきた．日本でも，このような国際共同試験のデータに基づいて承認された新薬が増えている．新薬開発は本格的な国際化の時代を迎えている．

2-4. 後発医薬品等の開発

2-4-1. 後発医薬品の開発と承認申請資料

　後発医薬品（ジェネリック医薬品）については，新薬として開発・承認された先発医薬品と「生物学的に同等」な製剤として開発され，承認されるという性格から，新薬で提出が必要となる承認申請資料の多くが不要とされ，通常は，申請する後発医薬品の製造方法，規格および試験方法，安定性（加速試験），先発医薬品との生物学的同等性に関する資料のみの提出が求められる．このため，開発に要するコストが大幅に軽減され，先発医薬品に比べて薬価も低額に設定される．このような背景のもと，近年，医療費（薬剤費）抑制の観点から，後発医薬品の使用促進に向けた様々な政策がとられている．

　新薬が承認されると，その内容に応じて再審査期間が指定される（新有効成分を含有する新薬は8年間，希少疾病用医薬品は10年間など）．承認を取得した企業は，再審査期間が終了した後，速やかに，市販後に得られた情報を取りまとめて再審査の申請を行い，その安全性，有効性について再確認を受ける．日本では，この再審査期間が新薬のデータ保護期間の役割も果たしており，承認された新薬が再審査期間中にある場合は，後発医薬品の承認申請を行うことができないこととなっている．

2-4-2. 生物学的同等性試験

　2つの異なる製剤（後発医薬品と先発医薬品）間の生物学的同等性を評価する試験を生物学的同等性試験という．通常，健康な成人志願者を対象に，クロスオーバー法によって試験が行われ（図2-3），両製剤の血中濃度推移が比較される．試験で得られたデータから算出された薬物動態パラメータ（AUC*, C_{max}）が生物学的同等性の判断基準

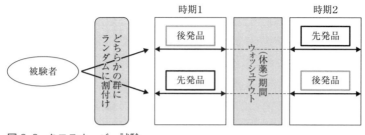

図2-3．クロスオーバー試験

キーワード　後発医薬品（ジェネリック医薬品）

を満たす場合に，両製剤は生物学的に同等と判断される．これにより，後発医薬品が先発医薬品と治療学的にも同等な製剤であると判断されることになる．

*Area Under the plasma concentration time Curve：血中濃度—時間曲線下面積．

2-4-3. バイオ後続品

近年，バイオテクノロジー応用医薬品（組換え DNA 技術を用いて製造されるタンパク質製剤など，以下，「バイオ医薬品」という）の研究開発が進み，日本でもすでに多くの製品が上市されている．これを追う形で，また，バイオ医薬品に関する製造方法および解析技術等の進歩にも伴い，バイオ医薬品の後発品の開発が進められている．これを「バイオ後続品（バイオシミラー）」という．

バイオ医薬品については，複数の機能部位から構成されるといった複雑な構造，生物活性，不安定性，免疫原性等の品質上の特性から，これまでの化学合成医薬品の場合と異なり，後発品として開発された医薬品について先行バイオ医薬品との有効成分の同一性を実証することが困難である．このため，バイオ後続品は「既に承認を与えられているバイオテクノロジー応用医薬品（先行バイオ医薬品）と同等／同質の医薬品」と定義され，その承認申請資料について，従来の後発医薬品とは異なる取り扱いがなされている．具体的には，バイオ後続品については，その製造方法，品質特性などについて，より詳細な分析データが必要とされ，また，必要に応じて薬理試験，体内動態（吸収・分布・代謝・排泄）試験，毒性試験も実施される．また，臨床試験において，薬物動態の他，薬力学（Pharmacodynamics）的作用や臨床効果を指標とした先行バイオ医薬品との比較が必要となる場合も多い．

演習問題

問1　医薬品の研究開発の流れについて簡潔に説明しなさい．
問2　医薬品の研究開発の特徴を費用の面，時間の面からまとめなさい．
問3　医薬品開発のために行われる非臨床試験の中から1つの試験名を挙げ，その目的と内容について述べなさい．
問4　臨床試験のうち，検証的試験の特徴について簡潔に述べなさい．
問5　臨床試験（治験）と市販後における医薬品使用環境の違いについて説明しなさい．
問6　ICH（医薬品規制調和国際会議）の活動の目的について簡潔に述べなさい．
問7　国際共同試験について説明しなさい．
問8　後発医薬品と先発医薬品（新薬）の開発手法の違いを簡潔に述べなさい．
問9　バイオ後続品の特徴について，従来の後発医薬品との違いを踏まえて説明しなさい．

キーワード　バイオ後続品

3章 市販後の調査と情報

浅田和広・熊野伸策

学習のポイント

❶ PMS制度には，再審査制度，再評価制度および副作用・感染症報告制度がある．
❷ 安全対策の一環として，医薬品リスク管理計画（RMP）制度が導入された．
❸ 安全性情報の情報源としては，副作用・感染症自発報告，文献・学会情報，外国からの情報，市販直後調査，市販後に行う調査および試験がある．
❹ 市販後に行う調査および試験には，使用成績調査（一般使用成績調査，特定使用成績調査，使用成績比較調査），製造販売後データーベース調査，製造販売後臨床試験がある．
❺ 副作用症例の評価は，予測性，重篤性および因果関係の観点から行う．
❻ 製薬企業から提供する主な適正使用情報には，医薬品添付文書，医薬品インタビューフォームおよび医薬品製品情報概要がある．

3-1. 市販後の調査の意義

　医薬品は「くすり」という「物」に「情報」が付加されて，初めてその機能が発揮される．医薬品は十数年かけて，基礎研究，非臨床試験，臨床試験（治験）を経て，品質，有効性および安全性について検討した上で，製造販売承認申請を行い，厚生労働省の審査を受けて承認されて市販される．承認前に行われる治験では，新薬の有効性を正確に早期に把握するために，被験者の選択を厳密に行い，綿密な試験デザインのもとで実施される．また，治験は成人患者を対象にすることが多い．したがって，そこから得られる情報には限界があり（ボックス参照），製造販売後（以下，「市販後」ともいう）も引き続き情報収集に努める必要がある．

　図3-1に承認前の治験と市販後に行う調査および試験の違いを示す．新薬はいったん販売されると，成人だけでなく，小児，高齢者，妊産婦等にも使用される可能性がある．また，合併症を有する患者では合併症の治療薬等を含む併用薬が使用される可能性がある．また，生活習慣病の治療薬であれば，投与期間も長期になる．さらに治験時のような専門医だけでなく，一般臨床医も使用する．したがって，これらの治験には組み入れ

キーワード　治験

> **ボックス**
>
> 治験の限界　5つのToos
>
> 治験において有効性・安全性（有用性）の確認を行うが，以下のような限界があり，5つのToosと言われている．
> - too few：症例数が少ない（まれな副作用は検出できない）
> - too narrow：特殊な患者が除外されている（腎機能障害，肝機能障害，妊婦等）
> - too median-aged：年齢が制限（高齢者や小児は除外されている）
> - too simple：投与方法が単純（多剤併用等の情報は得られない）
> - too brief：投与期間が短い（長期投与の有用性は得られない）
>
> Rogers AS: *Drug Intell. Clin. Pharm.*, **21**, 915-920（1987）

承認前の臨床試験（治験）

1) 症例数が少ないため（1000例程度），安全性評価に限界がある
2) 診療の実態とは異なる条件設定
   ① 成人主体で，小児，妊産婦は通常，組み込まれない
   ② 合併症や併用薬の制限
   ③ 投与期間が短い（長くても半年程度）
3) 代用指標による有効性評価
   ① 脂質低下薬であれば脂質低下
   ② 抗がん剤であれば腫瘍縮小効果
4) 専門医による評価

市販後の調査・試験から得られる情報

1) 症例数が多いため，未知あるいは重篤な副作用の検出が可能
2) 治験では対象にならない対象に投与
   ① 小児，妊産婦，高齢者が含まれる
   ② 肝・腎機能障害患者等の合併症のある患者にも使用されるため，併用薬も多彩
   ③ 投与期間が長い（数年から数十年投与）
3) 真の指標による有効性評価
   ① 脂質低下薬であれば心筋梗塞等の心血管イベントや死亡率
   ② 抗がん剤であれば，QOL（Quality of Life：生活の質）や生存率
4) 一般臨床医を含む評価

図3-1．承認前の臨床試験（治験）と市販後に行う調査および試験の対比

られることの少ない患者を含む多様な患者に使用した際の有効性および安全性を確認するために，市販後の調査や試験を実施する必要がある．特にまれな副作用や重篤な副作用は，症例数の少ない治験時ではなく，市販後に多数の患者に使用されて初めて見出されることが多いので，市販後も引き続き監視しなければならない．

以上のように，新薬の有効かつ安全な使用に関する情報（適正使用情報）を収集し，評価・分析を行い，必要に応じて適正使用情報を適時・適切に医師・薬剤師等に提供・伝達することにより，新薬の有用性は高まってくる．

3-2．日本のPMS制度

日本のPMS（Post Marketing Surveillance，製造販売後調査）制度は，1980年改正施行の薬事法により40年以上，再審査，再評価および副作用・感染症報告の3制度か

キーワード　市販後調査・試験

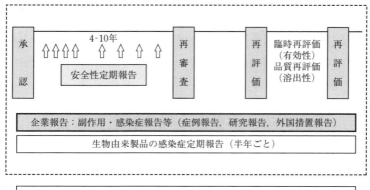

図 3-2. 日本の PMS 制度

ら成り立っている（図 3-2）．これにより，市販後における医薬品の有効性，安全性および品質の確保を図っている．近年では，2013 年 4 月以降の承認申請品目から，医薬品リスク管理計画（RMP; Risk Management Plan）制度が導入され，医薬品の安全性と有効性を体系立てて評価して市販後の対策を立てるとともに定期的に見直すようになった（3-3. 参照）．

3-2-1. 再審査制度（医薬品医療機器等法第 14 条の 4）

再審査は，承認後一定期間（通常 8 年間），医薬品の有効性，安全性に関する情報を収集することにより，承認時に得られた新薬の品質，有効性，安全性を再確認し厚生労働大臣の承認を受けるものである．再審査期間中は，副作用自発報告や市販後に行う調査および試験等から，国内外の安全性に関する情報を収集し，評価・分析を行い，必要に応じて医薬品添付文書の「使用上の注意」の改訂などの措置を講じる．

さらに，再審査期間中，最初の 2 年間は半年ごとに，それ以降は 1 年ごとに安全性定期報告を行い，必要に応じて安全確保措置をとる．なお，ICH（19 章参照）に基づき，全世界的に安全性情報をまとめた PBRER（Periodic Benefit-Risk Evaluation Report，定期的ベネフィット・リスク評価報告）（以前は PSUR（Periodic Safety Update Report，定期的安全性最新情報））を安全性定期報告の添付資料として提出する．

> **ボックス**
>
> **PSUR, PBRER**
>
> 1996 年の ICH E2C により PSUR が日米欧で導入された．PSUR は全世界における安全性情報を集積するとともに，安全対策の実施状況もまとめた安全性に関する定期的な報告であった．2012 年の ICH E2C（R2）により PBRER が PSUR に代わって導入された．PBRER は，従来の安全性（リスク）の評価に加え，ベネフィットの評価も行い，当該医薬品のベネフィット／リスクのバランスを評価する定期的な報告となった．

3-2-2. 再評価制度（医薬品医療機器等法第14条の6）

再評価は，すでに承認を受け市販されている医薬品について，現在の医学・薬学の水準からその品質，有効性および安全性を見直しするものである．言い換えれば，再評価とは古い薬の見直しである．再評価制度には，有効性・安全性等を再評価する薬効再評価と，品質（溶出性）を再評価する品質再評価がある．再評価制度には再審査，再評価，その他厚労省による何らかの評価が行われた時点から5年経過した成分について見直しを行い必要があれば再評価を行う定期的な再評価と，必要があると思われる品目について行う臨時の再評価がある．

最近では2015年にプロナーゼ（散剤を除く），およびリゾチーム塩酸塩（外用剤を除く）で再評価が行われた結果，有用性が認められず承認取り消しとなっている．

上述のように，再審査・再評価の審査結果によっては，有用性が否定され，その医薬品の承認が取り消される，あるいは「効能・効果」「用法・用量」の一部が削除・変更されることがある．

3-2-3. 副作用・感染症報告制度（医薬品医療機器等法第68条の10第1項）

副作用・感染症報告は次の3つからなりたっており，必要なものについて医薬品医療機器等法に定められた期限内（表3-1）に独立行政法人医薬品医療機器総合機構（PMDA; Pharmaceuticals and Medical Devices Agency）へ報告するよう義務付けられている．

①医師，歯科医師，薬剤師等（以下，「医薬関係者」という）から企業に報告される副作用や感染症（以下，「副作用等」という）に関する症例報告（自発報告や市販後の調査や試験からの症例）．

②医学文献や学会報告等からの副作用，感染症や有効性否定に関する研究報告．

③同一成分に関する外国でとられた製品の回収や販売中止等の重大な安全性に関する措置報告．

なお，感染症報告とは，たとえば血液製剤によるウイルス感染（HIVや肝炎ウイルス），ウシ由来のBSE（Bovine Spongiform Encephalopathy，ウシ海綿状脳症，いわゆる狂牛病）と関連のあるといわれるクロイツフェルト・ヤコブ病などのように生物由来製品による感染症のことをいう．近年，これらの生物由来の感染症が社会問題化されたことから，生物由来製品に関しては，当該生物由来製品やその原料や材料による感染症に関する最新の文献等から得られた知見に基づいて評価を行い，半年ごとに感染症定期報告を行うことになっている（医薬品医療機器等法第68条の24第1項）．

また，医薬関係者等から直接，PMDAへ報告する医薬品・医療機器等安全性情報報告制度があり，保健衛生上の危害の発生または拡大を防止するために医薬関係者等が必

キーワード 再審査制度，安全性定期報告，PSUR，PBRER，再評価制度，感染症報告

表 3-1. 市販後の副作用・感染症報告制度（対象と期限）

予測性			使用上の注意等から発生が予測できない（未知）		使用上の注意等から発生が予測できる（既知）	
国内・国外			国内症例	外国症例	国内症例	外国症例
副作用	死亡		15日+FAX等	15日	15日	—
	重篤	新医薬品で承認後2年以内	15日	—	15日	
		市販直後調査				
		上記以外	15日	15日	30日	—
	非重篤		定期報告		—	
重篤（死亡を含む）な副作用等の発生傾向の予測できない変化					15日	15日
重篤（死亡を含む）な副作用等の発生傾向の変化が保健衛生上の危害の発生又は拡大のおそれを示すもの						
感染症	重篤（死亡を含む）		15日+FAX等			
	非重篤		15日+FAX等	—		
研究報告*			30日			
外国での措置報告			15日+FAX等		15日+FAX等	

—：報告対象外
*：以下のことを示す研究報告：①重大な疾病，障害もしくは死亡が発生するおそれがある，②副作用・感染症の発生傾向が著しく変化，③承認の効能・効果を有しない．

要であると認めたときは，副作用や感染症について報告を行うよう，医薬品医療機器等法で義務付けられている（医薬品医療機器等法第68条の10第2項）．さらに，患者あるいはその家族からPMDAに報告する制度も2019年3月から始まっている．

3-3. 市販後の活動に関する基準

2005年の改正薬事法の全面施行に伴い，これまでの製造承認制度は製造販売承認制度へ移行した．それに伴い，製造販売業者等は，総括製造販売責任者，安全管理責任者および品質保証責任者のいわゆる製造販売業三役の設置と，それに基づいて「医薬品，医薬部外品，化粧品，医療機器及び再生医療等製品の製造販売後安全管理の基準」（GVP; Good Vigilance Practice）（表3-2）による市販後安全管理体制が強化され，「医薬品，医薬部外品，化粧品及び再生医療等製品の品質管理の基準（GQP; Good Quality Practice）」による市場への出荷における品質管理が必要になった．したがって，安全性情報の収集，評価・分析および対応は，GVPに基づいて実施することになる．

一方，市販後の調査や試験の実施については，「医薬品の製造販売後の調査及び試験の実施の基準（GPSP; Good Post-marketing Study Practice）」（表3-2）が制定され，

キーワード　GVP, GQP, GPSP

表 3-2. GVP 省令および GPSP 省令の要点

GVP 省令
　製造販売業者の許可要件として製造販売業の種類毎に制定されている.
　※ここでは処方箋医薬品（第一種製造販売業者）に関する GVP 省令の要点を示す.
　1）販売部門から独立した安全者管理統括部門の設置
　2）総括製造販売責任者の監督下で安全管理責任者の設置
　3）安全管理実施責任者の設置（主として営業部門支店責任者）
　4）安全管理業務手順書の作成・管理と遵守（安全管理情報の収集・検討・措置・実施, 医薬品リスク管理計画（市販直後調査含む）, 自己点検, 教育訓練, 記録の保存等）
　5）業務手順書に基づいて安全管理業務を定期的に点検し改善措置の要請・実施（自己点検）

GPSP 省令
　製造販売後に調査や試験を実施する場合の遵守事項として制定されている.
　1）販売部門から独立した製造販売後調査等管理責任者の設置
　2）製造販売後調査等業務手順書の作成・管理と遵守（一般使用成績調査, 特定使用成績調査, 使用成績比較調査, 製造販売後データベース調査, 製造販売後臨床試験, 自己点検, 教育訓練, 委託, 記録の保存等）
　3）製造販売後臨床試験は GCP 省令を遵守して実施
　4）業務手順書に基づいて製造販売後調査等業務を定期的に点検し改善措置の要請・実施（自己点検）, 製造販売後臨床試験については GCP 監査

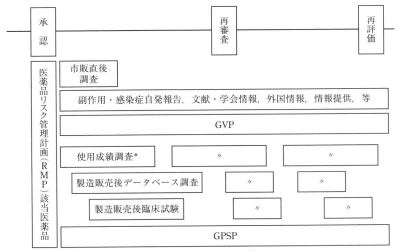

＊一般使用成績調査, 特定使用成績調査, 使用成績比較調査
図 3-3. 市販後の情報収集と GVP, GPSP 省令

それに基づいて実施することになる（図 3-3）.

3-4. 安全性情報の収集

　安全性情報の収集は, 主として以下の方法により行われている.

キーワード　副作用・感染症自発報告

1) 副作用・感染症自発報告（ボックス参照）

医療機関等の医薬関係者等から自発的に報告される副作用等症例に関する情報を収集するもので，発現頻度は把握できないが，まれな副作用や重篤な副作用を収集するための情報源である．

2) 文献・学会情報

副作用等の症例報告や薬物相互作用に関する報告は，自発報告以外にも医学・薬学関係の雑誌や学会等に掲載あるいは発表されることが多い．したがって，文献データベースの検索等により，これらの国内外の文献・学会情報を系統的に調査することが必要になる．また，感染症定期報告については，生物由来製品による感染症に関する情報が文献や学会で公表される前に，インターネット上あるいはマスコミに掲載されることがあるので，それらも情報源とする必要がある．

さらに，2018年4月施行の「臨床研究法」により，製薬企業から提供された研究資金等により実施される「特定臨床研究」によって発現した副作用等，研究結果（文献，学会報告）も情報源となる．

3) 外国からの情報

外国の規制当局や提携企業から，安全性に伴う製品の廃棄，回収やドクターレター（日本の緊急安全性情報に相当）等の重大な措置に関する情報，外国症例報告やPBRER等を収集する．

4) 市販直後調査

新薬の発売後6カ月間，医療機関を定期的に訪問し，繰り返し説明して新薬の適正使用を促すとともに，医師に重篤な副作用を漏れなく報告するよう，協力依頼するものである．調査というよりも短期集中的な自発報告の強化である．

5) 市販後に行う調査および試験

後述する使用成績調査（一般使用成績調査，特定使用成績調査，使用成績比較調査），製造販売後データベース調査や製造販売後臨床試験からも副作用症例が多数収集される．

> **ボックス**
>
> 自発報告（Spontaneous Reports）
>
> 企業，規制当局，またはほかの組織（たとえばWHO等）に対する医療専門家または一般使用者による，医薬品を投与された患者における副作用に関する自発的な報告．臨床試験や調査等で収集された製薬企業等からの依頼に基づく報告（Solicited Reports）は自発報告に該当しない．

キーワード　文献・学会情報，外国からの情報，市販直後調査

3-5. 市販後に行う調査および試験からの情報の収集

医薬品の有効性および安全性の確保のために，市販後に行われる調査および試験には，図 3-3，表 3-3 にあるように，観察研究である使用成績調査（一般使用成績調査，特定使用成績調査，使用成績比較調査）と製造販売後データベース調査，ならびに介入研究である製造販売後臨床試験の 3 つがあり（ボックス参照），GPSP（製造販売後臨床試験は GCP も）に基づいて適正に実施し，得られたデータの信頼性を確保しなければならない．

> **ボックス**
>
> **観察研究と介入研究**（9 章参照）
>
> 観察研究とは，日常診療下の使用実態通りにデータを集めて，仮説の検出や確認を行うものである．多様な患者集団から発現頻度の低い副作用や重篤な副作用等を収集するには多数の症例が必要であるので，観察研究が適している．
> 一方，介入研究とは，研究目的に応じて特定の治療や検査を実施して仮説を検証するもので，実験的研究ともいわれる．一定の条件の患者集団を無作為に被験薬投与群と非投与群に割り付けて有効性を確認する比較臨床試験は，介入研究の代表例である．

3-5-1. 使用成績調査

医療機関から診療の使用実態下において収集した情報を用いて，医薬品の副作用による疾病等の種類別の発現状況ならびに品質，有効性および安全性に関する情報の検出または確認のために行う調査である．以下の通り分類される．

1）一般使用成績調査

患者の条件を定めることなく行う使用実態下の調査であり，その調査目的は，副作用の発現状況（発現頻度）の把握ならびに，有効性や安全性に影響を及ぼす要因の把握で

表 3-3. GPSP における調査と試験の区分

	介入／非介入	中分類	小分類
製造販売後調査・試験	観察研究	使用成績調査	一般使用成績調査*
			特定使用成績調査
			使用成績比較調査*
		製造販売後データベース調査*	
	介入研究	製造販売後臨床試験	

*改正 GPSP（2017 年 10 月公布，2018 年 4 月施行）により定義された．

キーワード 一般使用成績調査

ある．なお，以下の使用成績比較調査を除く．

2) 特定使用成績調査

特定使用成績調査は，治験時において十分な検討が行われていない患者群に対する調査であり，代表的なものとして次の2つがあげられる．

①特別な背景を有する患者における調査： 小児，高齢者，妊産婦，腎機能障害または肝機能障害を有する患者等，特別な背景を有する患者における有効性および安全性等に関する情報の検出または確認を行う．

②長期使用の患者における調査： 承認時を上回る期間で調査を行い，長期使用例で有効性および安全性等に関する情報の検出または確認を行う．

3) 使用成績比較調査

調査対象とする医薬品を使用する患者の情報と当該医薬品を使用しない患者の情報とを比較する調査である．

3-5-2. 製造販売後データベース調査

PMDA の MID-NET や医療情報データベース取扱業者が提供する医療情報データベースを用い，医薬品の副作用による疾病等の種類別の発現状況ならびに，品質，有効性および安全性に関する情報の検出または確認のために行う調査である．

医療情報データベースとは，一定の期間において収集される診療録その他の診療に関する記録，診療報酬請求書，疾病登録等の集合体（データベース）でコンピュータを用いて検索できるように体系的に構成したものである．

医療機関（医師等）に直接依頼する調査に比べ，診療情報の欠損や間違いがなく，医師による有効性・安全性の評価の偏りがない客観的な使用情報が得られることが期待できる反面，新医薬品は販売開始後に十分な使用患者がいないため情報が乏しい．

3-5-3. 製造販売後臨床試験

製造販売後臨床試験は，治験，使用成績調査や特定使用成績調査等で検出された情報を検証するため，あるいは使用実態下では得られない適正使用情報の収集のために行うもので，GPSP に加えて「医薬品の臨床試験の実施の基準」（GCP; Good Clinical Practice）を遵守して実施するものである．

①腎機能障害を有する患者等特別な背景を有する患者での適正な使用方法を確立するための試験（例：腎機能障害患者における薬物動態試験）

②長期使用による延命効果，QOL の改善等について薬剤疫学的手法により検証する

キーワード 特定使用成績調査，使用成績比較調査，製造販売後データベース調査，製造販売後臨床試験

ための試験（例：抗がん剤の延命効果，脂質低下薬の心筋梗塞の予防効果）
③新医薬品の臨床評価ガイドライン等に基づいて有効性，安全性を検証するための試験（例：再評価のためのプラセボとの二重盲検比較試験），等．

3-6. 情報の評価・分析・対応

3-6-1. 安全性情報の評価・対応・分析

1) **有害事象と副作用の定義**

　有害事象（AE; Adverse Event）とは，医薬品が投与された患者に生じたあらゆる好ましくない，あるいは意図しない徴候（臨床検査値異常を含む），症状または病気のことであり，当該医薬品との因果関係を問わない．有害事象のうち，当該医薬品との因果関係を否定できないものを薬物有害反応（ADR; Adverse Drug Reaction），すなわち副作用という．

2) **副作用情報のデータ処理**

　製薬企業では情報の評価を円滑に実施するために，入手した情報をコンピュータ上のデータベースに加工して格納する．収集した情報を蓄積し共有化するためには，情報処理の標準化と正確で客観的な処理が必須である．

　従来，当局へのICSR（Individual Case Safety Report，個別症例安全性報告）は，日本では医薬品副作用・感染症症例票，米国ではMedWatch書式，欧州ではCIOMS書式（ボックス参照）を用いて実施され，製薬企業間での情報交換もこの書式が用いられてきた．ICH（19章参照）では1997年のE2Bガイドライン（ICSRの情報交換を行う場合のデータ項目に関するガイドライン），1999年にはE2B-M2仕様（ICSRを伝送するためのデータ項目およびメッセージ仕様）が合意された．また，データ処理に用いる副作用等の用語辞書であるMedDRA（Medical Dictionary for Regulatory Activities, ICH国際医薬用語集）（19-2-2.参照）と，その運用のためのマニュアル（MedDRA用語選択考慮事項，MedDRA Term Selection: Points to Consider）も提供され，E2Bガイドラインに準拠したICSRの規制当局への報告は米国，欧州でも実施されている．

　日本では2003年10月から，副作用症例報告等はこのE2B書式およびその電子化仕様を用いて作成したICSRの電子ファイルでの提出が開始され，2019年4月以降はE2B（R3）という仕様（XML）で電子的に提出されている．

　キーワード　有害事象，副作用，ICSR，MedDRA

> **ボックス**
>
> CIOMS (The Council for International Organizations of Medical Sciences, 国際医学団体協議会)
> WHOとユネスコの援助のもとに1949年に設立された国際的な非政府組織.医療の向上,医の倫理の普及活動等をし,作業グループで提言された医薬品の安全性確保に関する種々の提言はICHを通じて実現されている.

3) 評価・分析

副作用自発報告や市販後に行う調査および試験等から収集された副作用個別症例の評価にあたっては,予測性,重篤性および因果関係について評価を行い,安全対策のための措置を講じる.

①予測性: 副作用の予測性,すなわち「既知・未知」の判断については,医薬品添付文書の「使用上の注意」の記載の有無を基準に行う.「使用上の注意」に記載されていても,その性質,症状の程度または発生傾向が記載内容と一致していないものは「未知」として扱う.たとえば,「使用上の注意」に副作用として「肝炎」が記載されていても,「劇症肝炎」が発現した場合には「未知」になる.

②重篤性と重症度: 重篤な副作用とは,下記のように定義されている.

　a) 死亡
　b) 障害
　c) 死亡につながるおそれのある症例
　d) 障害につながるおそれのある症例
　e) 治療のために入院または入院期間延長が必要とされる症例
　f) a) から e) までに掲げる症例に準じて重篤である症例
　g) 後世代における先天性の疾患または異常

たとえば,「頭痛」は重症であっても一般に生命に危険を及ぼすものではないので,重篤にはならないが,「ショック」は軽度であっても処置しないと生命に危険があるので「重篤」とする.

③因果関係: 因果関係の評価にあたっては,医薬品と有害事象発生の関係について,以下のような事項を考慮に入れて検討する.

　a) 当該医薬品の投与中・後の副作用発現
　b) 再投与により副作用の再発
　c) 確認試験での陽性
　d) 投与中止で副作用軽減または消失
　e) 既知の副作用
　f) 薬理作用・毒性で説明可

キーワード 予測性,重篤性,因果関係

g）原疾患・合併症の影響

h）併用薬や併用療法の影響

当該医薬品と副作用の因果関係を判定するためには，まず当該医薬品の投与中・後の発現が副作用の絶対条件であり，投与前の発現なら副作用から除外される．その後の因果関係の判定には様々な方法があり，b）からh）の項目を組み合わせたアルゴリズムを用いたり，項目を点数化するなどがある（代表的なアルゴリズムは表9-4参照）．なお，日本では判定区分については，「確実（関係あり），たぶん（関係）あり，可能性あり，たぶん（関係）なし，（関係）なし，不明」といった分類を行い，有害事象のうち「関係なし」以外を副作用とするのが一般的である．

副作用等の情報を個別に検討していると，安全性情報を見逃す危険性がある．最近では集積したICSRのデータベースに対してデータマイニングにより危険シグナルを検出（シグナル検出）して検討することによって，より早期に安全対策を可能とする方法も検討されている．

3-6-2. 市販後に行う調査および試験から得られた情報の評価・分析・対応

1）一般使用成績調査

調査全体を通した副作用発現頻度（副作用発現症例数／調査症例数）や有効率（無効率）についてまとめ，必要に応じて承認時までの臨床試験成績と比較する．また，安全性や有効性に影響を及ぼす患者背景因子（性，年齢，投与量，使用理由，等）についても集計・解析を行う．さらに未知の副作用，重篤な副作用の有無等についても確認し，安全性に影響を及ぼす患者背景因子と併せて「使用上の注意」の改訂の是非について検討する．

2）特定使用成績調査

調査の目的に沿って，有効性，安全性について調査結果をまとめる．特別な背景を有する患者における調査においては，たとえば，使用成績調査等のほかの患者集団と対比して，調査対象の患者集団に特徴的な副作用発現頻度の変化や特異な副作用の発現が見られたかどうかを確認する．長期使用の調査においては，たとえば，使用成績調査等の短期使用の患者集団と対比して，長期使用したことによる副作用発現や効果の減弱が見られるかどうか確認する．その上で，安全性に関して特記すべき事項があれば，「使用上の注意」の改訂の是非についても検討する．

3）使用成績比較調査

調査対象とする医薬品を使用する患者の情報と当該医薬品を使用しない患者の情報とを比較・検討する．これにより，当該医薬品を使用した患者の安全性および有効性が，

キーワード　「使用上の注意」の改訂

当該医薬品の効果であるか原疾患，合併症等の影響によるものかを確認し，「使用上の注意」の改訂の是非について検討する．

4) 製造販売後データベース調査

製造販売業者は，製造販売後データベース調査実施計画書に基づき，PMDA の MID-NET や医療情報データベース取扱業者の情報を利用し，当該医薬品の使用状況や検査情報等について集計・解析を行い，当該医薬品の有効性や安全性を評価し，「使用上の注意」の改訂等の安全対策の是非について検討する．

5) 製造販売後臨床試験

それぞれの試験に応じて，試験目的が達成されたかどうか確認し，その上で有効性あるいは安全性に関する対応を検討する．たとえば，腎機能障害患者における薬物動態試験であれば，薬物動態パラメータを健康成人と対比して，腎機能患者で医薬品の腎排泄の遅延が認められれば「使用上の注意」の改訂の是非について検討する．再評価のためのプラセボとの二重盲検比較試験であれば，その結果を再評価申請資料に反映する．

3-7. 市販後に得られた適正使用情報の提供・伝達

市販後の調査から得られた適正使用情報を適時・適切に医療機関に提供・伝達することにより，医薬品の有効かつ安全な使用を促進し，その有用性を高めることになる．

製薬企業から医療機関に提供・伝達する主な適正使用情報について，基本情報と市販後に得られる情報に分けて表3-4に示した．また，製薬企業以外から提供・伝達する適正使用情報として，PMDA のホームページに多数の情報が掲載されている（表4-11に詳述）．

3-8. 医薬品リスク管理計画制度

以上，市販後における医薬品情報，特に安全性情報の収集と評価・対応，提供・伝達の制度であるが，いずれも副作用等が発生した後の事後対策の要素が強かった．薬害肝炎検討会に基づく医薬品制度改正検討部会等の提言により，医薬品リスク管理計画（RMP）が導入され，2013年4月以降に承認申請する医薬品から適用された（図3-4）.

RMP は，研究・開発時の情報，諸外国での使用情報，同類薬剤の情報等を基に個々の医薬品のリスクを分析し，その中で重要なものを安全性検討事項（SS; Safety Specification）として特定し，SS に対して安全性監視計画とリスク最小化計画を立案し策定するものである．安全性検討事項は「重要な特定されたリスク」「重要な潜在的リスク」

キーワード 医薬品リスク管理計画，安全性検討事項，安全性監視計画，リスク最小化計画

表 3-4. 製薬企業が医療機関に提供・伝達する適正使用情報

	情報の種類	内容
基本情報	医療用医薬品添付文書	医薬品の品質，有効性，安全性に関する情報をまとめた基本情報
	医薬品インタビューフォーム	添付文書を補完する裏付け情報をまとめた薬剤師向け解説書
	医療用医薬品製品情報概要	医薬品適正使用のために作成された簡潔かつ総合的な情報
	新医薬品の「使用上の注意」の解説	販売開始時に作成する「使用上の注意」の設定理由および副作用の経過・措置等に関する解説書
市販後情報	再審査結果通知	再審査申請資料の審議結果に関する情報，有用性が否定されることはほとんどなく，「使用上の注意」の改訂に関する情報が多い
	再評価結果通知	再評価申請資料の審議結果に関する情報，医薬品の有効性否定（承認取り消し）あるいは一部効能の削除が見られることがある
	緊急安全性情報（イエローレター）	緊急に安全対策上の措置をとる必要があると判断された場合，厚生労働省からの配布指示に基づき，製薬企業が作成する情報，企業は医療機関の適切な部署に1カ月以内に情報が到着していることを確認する
	安全性速報（ブルーレター）	緊急安全性情報に準じ，一般的な使用上の注意の改訂情報よりも迅速な安全対策措置をとる必要があると判断された場合に，厚生労働省からの配布指示に基づき，製薬企業が作成する情報，企業は医療機関の適切な部署に1カ月以内に情報が到着していることを確認する
	「使用上の注意」改訂のお知らせ	副作用や相互作用等の「使用上の注意」の追加・改訂に関する情報，医薬・生活衛生局安全対策課長通知による改訂は通知発出後速やかに医療機関に情報伝達，通常自主改訂の場合も含め1カ月を目安に伝達を行う

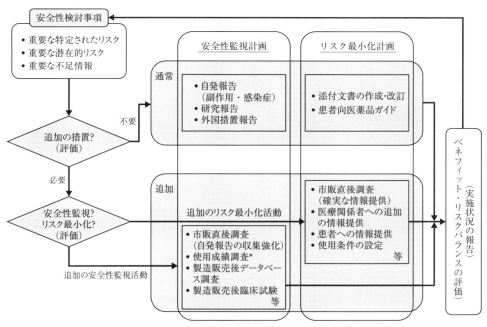

図 3-4. 医薬品リスク管理計画（RMP）（PMDA の HP より改変）
*一般使用成績調査，特定使用成績調査，使用成績比較調査

「重要な不足情報」に分類される．「安全性監視計画」は，前述した副作用自発報告の収集，調査・試験などによりリスクの発現状況を監視する．「リスク最小化計画」はリスクの発現をできる限り抑えるために医療関係者，患者等へ情報提供する活動である．最も基本的には医薬品添付文書による情報提供であるが，それ以外にも品目に応じた安全対策が立案される．

RMPは行政と企業の間で策定されるが，その適切な実施には医療関係者や患者の参加が必須である．そのためRMPはPMDAのホームページに掲載され，広く周知を図っている．

3-9. 市販後の調査が目指すゴール

薬事法が改正されて医薬品医療機器等法となり，製薬企業にとって医薬品の安全性確保（GVP）と品質管理（GQP）が許可要件となり，企業責任が強化されるとともに，市販後に行う調査および試験の基準（GPSP）についても見直された．また，ICHの場においても，市販後の安全性情報の取扱いやそのための安全性監視計画等について，国際的な整合性が求められている．

これらの状況が相俟って，市販後も引き続き情報の収集に努め，その結果を適正に評価・分析し，適正使用情報として医療関係者に適時，適切にフィードバックし，医薬品の有効性，安全性および品質を確保することが重要であり，そのために医薬品リスク管理計画制度が導入された．市販後に得られた適正使用情報を活用して医薬品の有用性を高めることは，製品ライフサイクルの維持・延長，すなわち「育薬」に貢献することになる．

演習問題

問1 PMS制度の3本柱をあげ，各々について簡単に説明しなさい．
問2 医薬品リスク管理計画（RMP）の3つの要素をあげ，各々について簡潔に説明しなさい．
問3 安全性情報を収集する際に情報源にはどのようなものがあるか，例をあげなさい．
問4 市販後に行う調査と試験について，その目的と内容を簡単に説明しなさい．
問5 副作用評価のための3要素をあげ，各々について簡単に説明しなさい．
問6 製薬企業から提供される適正使用情報にはどのようなものがあるか，例をあげなさい．
問7 有害事象と副作用の違いについて述べなさい．
問8 次の略号と関係のある基準を線で結びなさい．

GQP　　医薬品の臨床試験の実施の基準
GCP　　医薬品，医薬部外品，化粧品，医療機器及び再生医療等製品の製造販売後安全管理の基準
GVP　　医薬品の製造販売後の調査及び試験の実施の基準
GPSP　医薬品，医薬部外品，化粧品及び再生医療等製品の品質管理の基準

キーワード　育薬

4章 医薬品情報の主な情報源

4-1. 医薬品情報源の分類と特徴

加藤裕久

> **学習のポイント**
> ❶ 医薬品情報源は加工の程度により，一次資料，二次資料，三次資料に分類される．
> ❷ 一次資料の代表例は原著論文や学会報告である．
> ❸ 二次資料の代表例はMEDLINEや医学中央雑誌などの文献検索データベースである．
> ❹ 三次資料の代表例には教科書とともに医薬品添付文書や医薬品インタビューフォームがある．

　医薬品情報源はその加工度の低い順に一次資料，二次資料そして三次資料に分類される．表4-1にそれぞれの医薬品情報源の概要と特徴を示す．

　効率よく医薬品情報を調査するには，まず初めに信頼できる適切な三次資料から使用する．必要に応じて原著論文などのオリジナル情報を入手するには，これらの一次資料を検索できる二次資料である文献検索データベースを利用する．

4-1-1. 一次資料

　一次資料は新規性の高いオリジナルの研究成果をまとめた原著論文や学会発表，特許公報などで，医薬品情報の加工度は低く速報性は高い．多くの一次資料は国内外の学会誌や専門誌などの定期刊行物に掲載されるが，インターネット配信されるものも増えつつある．医薬品に関する原著論文が掲載されている代表的な雑誌を表4-2に示す．

表4-1. 医薬品情報源の一次資料，二次資料，三次資料の概要

分類	主な資料	特徴	加工度	速報性
一次資料	原著論文，学会報告，特許公報など	オリジナルの情報	低↓高	高↓低
二次資料	文献検索データベース（MEDLINE，医中誌データベース，EMBASEなど）	一次資料の検索を可能とした加工情報		
三次資料	総説，教科書，辞典，医薬品添付文書，公定書，医薬品インタビューフォーム，診療ガイドライン	一次資料を吟味し整理・統合した情報		

キーワード　一次資料，二次資料，三次資料

表4-2. 医薬品に関する原著論文が掲載されている代表的な雑誌

雑　誌　名	発　行　元
薬学雑誌	日本薬学会
医療薬学	日本医療薬学会
医薬品情報学	日本医薬品情報学会
薬剤学	日本薬剤学会
臨床薬理	日本臨床薬理学会
日本病院薬剤師会誌	日本病院薬剤師会
日本薬剤師会雑誌	日本薬剤師会
American Journal of Health-System Pharmacy	American Society of Health-System Pharmacists
Annals of Pharmacotherapy	Harvey Whitney Books Co.
The Lancet	Elsevier Ltd.
The Journal of the American Medical Association	JAMA & Archives Journals
British Medical Journal	BMJ Publishing Group
The New England Journal of Medicine	Massachusetts Medical Society

　原著論文は，背景，目的，方法，結果，考察，結論の形式で記載され，新規性の高いオリジナルの研究成果について，既研究論文を引用しつつ客観的に論述されていなければならない．多くは学会誌に投稿されるが複数査読制のある審査を受けていることが望ましい．1つの原著論文だけからの情報では結果が偏る可能性があるので，複数の原著論文を比較検討する必要がある．原著論文の質を客観的に評価するには，研究成果の正確性を吟味する内的妥当性の評価と非直接性（外的妥当性）の観点から行う（6章参照）．

　学会報告は研究成果の一部であったり，学会などでの審査を受けずに報告されることもあるので，その信頼性については注意が必要である．

4-1-2. 二次資料

　国内外の一次資料の原著論文や学会報告などをすべて確認することは，不可能といってよい．そこで一次資料をデータベース化して効率よく電子検索することができるようにしたのが，二次資料である．二次資料は，原著論文を書誌事項（著者名，タイトル，雑誌名，巻，号，ページ，発行年）や検索語（キーワード）などを付けて整理したもので，要旨やPDFで全文を読むこともできる．代表的な二次資料の電子検索システムを表4-3に示す．PubMedなどのように無料で利用できる検索サイトもあるが，有料のものが多い．

4-1-3. 三次資料

　三次資料は加工度の高い資料であり，収集した一次資料を元に特定のテーマについてまとめられたものである．教科書，診療ガイドライン（以下，ガイドライン），公定書，医薬品添付文書や医薬品インタビューフォームなどが含まれる（表4-1）．医薬品添付文書や医薬品インタビューフォームなども製薬企業が多くの一次資料を利用して作成した三次資料といえる．

表 4-3. 代表的な二次資料の電子検索システム

電子検索システム	主データベース	分野	作成元
PubMed	MEDLINE	世界の医学・薬学・看護学全般	米国国立医学図書館
TOXLINE in PubMed	TOXLINE	世界の副作用・中毒・毒性・環境化学全般	米国国立医学図書館
Embase	EMBASE と上記 MEDLINE を統合したデータベース	世界の医学・薬学・看護学・関連する生物化学	Elsevier
SciFinder Scholer	CAS データベース	世界の化学全般	米国化学会
BIOSIS previews	BIOSIS	世界の生物学全般	Biological Abstracts Inc.
医中誌 Web	医中誌データベース	日本の医学・薬学・看護学全般	医学中央雑誌刊行会
JDreamⅢ	JMEDPlus	世界の科学技術・医学・薬学	科学技術振興機構

　教科書や専門書などの三次資料の利用は評価の定まった事項の検索，すぐに回答が必要な場合などに適するが，執筆者の考えが色濃く出る傾向がある．執筆者の専門領域とテーマが一致しているか，新しい論文も引用しているか，発行年は新しいか，版を重ねているかなどを考慮し，その信頼性を判断することも重要である（6-3. 参照）．

　三次資料の中には，ガイドラインを電子検索できるような二次資料的な要素を含む「医療情報サービス Minds」などもある．なお，EBM（Evidence-Based Medicine）でよく利用される「The Cochrane Library」は，治療に関する質の高いエビデンスを網羅的に収集，統合し，メタアナリシスを行ったシステマティックレビューである．

4-1-4. それぞれの医薬品情報源の活用

　臨床現場における医薬品情報の調査においては，一般的にはまず信頼できる三次資料を使って調べる．三次資料で適切な情報が得られない場合や最新情報を得たい場合，そして過去の研究内容を網羅的に調査する必要がある場合などは，二次資料を使って調べ一次資料を入手する．特に三次資料は加工度が高いため，最新の知見が記載されていない場合があるので注意する．たとえば，ガイドラインは多くの学会が作成しているが，改訂期間はおおむね3年間程度なので，最新情報が得られない可能性がある．学会のホームページに最新のガイドラインが掲載されている場合もあるので確認する必要がある．多くのガイドラインは診療上の問題点を系統的に抽出し文献検索と精査を行い，エビデンスレベルを決定している．診療内容を推奨グレードで勧告し，標準治療を推奨しているのが一般的なガイドラインである（10-2-5. GRADE システム参照）．

　現在，医薬品情報はインターネットの検索エンジンを利用して膨大な情報が入手可能であるが，その中から適切な情報を得るには工夫が必要である．信頼性のある情報を確保するためには，インターネット情報を配信するサイトの信頼性が重要となる．厚生労働省などの公的機関等の信頼性の高いサイトの情報を入手するためには，表 4-4 に示す

キーワード　PubMed，医中誌 Web

表 4-4. 信頼性の高いインターネット情報を配信する
サイトのドメイン名

ドメイン名	サイト名	
go.jp	governmental	政府機関
lg.jp	local government	地方公共団体
ac.jp	academic	大学
or.jp	organization	非営利団体

ドメイン名が参考となる.

4-2. 医薬品添付文書

加藤裕久

> **学習のポイント**
> ❶医薬品添付文書は,「医薬品,医療機器等の品質,有効性及び安全性の確保等に関する法律(以下,「医薬品医療機器等法」という)」で定められた公的文書である.
> ❷医薬品添付文書は医薬品の適正な使用に必要な品質,有効性,安全性に関する最新かつ正確な情報が集約されている基本文書である.
> ❸医薬品添付文書は,承認されるまでの情報に基づいて作成され,製造販売後の副作用や感染症に関する情報および調査等で得られた医薬品情報により,随時改訂される.
> ❹医薬品添付文書には,医療用医薬品添付文書と要指導・一般用医薬品添付文書がある.
> ❺医療用医薬品の添付文書の記載要領が 2017 年 6 月に改正され,2019 年 4 月 1 日より施行された.

　医薬品添付文書は,医薬品医療機器等法(第 52・53・54 条)で定められた公的文書で,医療用医薬品添付文書は医療関係者へ,要指導・一般用医薬品添付文書は患者および一般消費者向けへ,当該医薬品の基本的な情報を提供するための最も重要な基本的文書である.医薬品医療機器等法では,「医薬品は,これに添付する文書又はその容器若しくは被包(添付文書等)」と記載されている.製薬企業が作成し,それぞれの医薬品の包装ごとに添付されている.最新の医薬品添付文書は独立行政法人医薬品医療機器総合機構(PMDA; Pharmaceuticals and Medical Devices Agency)や各製薬企業のホームページから入手することができる.
　2021 年 8 月 1 日より添付文書は製品への同梱が廃止され,電子的な方法による提供が基本となる(このため,近い将来には添付文書という呼称を使わなくなる可能性がある

キーワード　ドメイン名,医薬品添付文書,独立行政法人医薬品医療機器総合機構(PMDA)

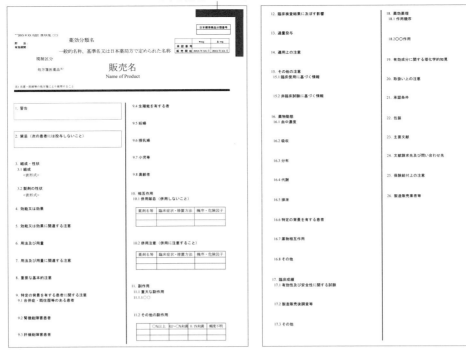

図 4-1. 医療用医薬品の添付文書項目一覧（医薬品・医療機器等安全性情報 No.344 より）

が，現時点では明確でないため，本書では添付文書を用いる）．ただし，一般用医薬品等の消費者が直接購入する製品は，使用時に添付文書情報の内容を直ちに確認できる状態を確保する必要があるため，紙媒体が同梱される．

医療用医薬品添付文書には，新医薬品の研究開発段階で得られた非臨床および臨床成績に関する情報が，図 4-1 の項目に従い記載されている．さらに，製薬企業に当該医薬品に関する品質，有効性，安全性に関する重要な情報が得られた場合には，添付文書は速やかに改訂される．

医薬品添付文書の記載内容は，基本的には各製薬企業が作成するが，医療現場で医薬品が適正に使用されるために必要な情報を提供する目的から，厚生労働省が記載要領を定め必要に応じて製薬企業を指導している．医薬品添付文書の作成について，新医薬品の場合は製造販売承認申請時に製薬企業から提出された医薬品添付文書案を薬事・食品衛生審議会が審査している．一方，使用上の注意については市販後において副作用および感染症報告の集積時，再審査および再評価終了時などに改訂されることがあり，改訂の際には，情報提供開始前に PMDA に届け出る．

4-2-1. 医療用医薬品添付文書

医療用医薬品は医療機関等で医師・歯科医師による処方箋あるいは指示によって使用される医薬品である．医療用医薬品添付文書（図4-1）の主な項目の解説を表4-5に示す．

表 4-5. 医療用医薬品添付文書に記載されている項目と解説

項　　目	解　　説
作成又は改訂年月	作成又は改訂の年月及び版数が記載される． 再審査結果又は再評価結果の公表，効能又は効果の変更又は用法及び用量の変更に伴う改訂の場合は，その旨が併記される．
日本標準商品分類番号	日本標準商品分類により中分類以下詳細分類まで記載される．明らかに異なる効能・効果を有する場合には，複数併記される（表 4-6）．
承認番号，販売開始年月	承認番号が記載される（表 4-7）．承認を要しない医薬品にあっては，承認番号に代えて許可番号が記載される．
貯法，有効期間	貯法及び有効期間は，製剤が包装された状態での貯法及び有効期間を製造販売承認書に則り記載される． 日本薬局方又は医薬品医療機器法第 42 条第 1 項の規定に基づく基準（「法定の基準」）の中で有効期間が定められたものは，その有効期間が記載される．
薬効分類名	医薬品の薬効又は性質を正しく表すことのできる分類名が記載される．使用者に誤解を招くおそれのある表現は避ける．
規制区分	毒薬，劇薬，麻薬，向精神薬，覚せい剤，覚せい剤原料，習慣性医薬品，特例承認医薬品及び処方箋医薬品の区分が記載される．
名　　称	日本薬局方外医薬品にあっては，承認を受けた販売名が記載される．販売名の英字表記がある場合は，併記される． 法定の基準が定められている医薬品にあっては，基準名が併せて記載される．それ以外の医薬品であって，一般的名称がある場合には，その一般的名称が併記される． 日本薬局方に収められている医薬品にあっては，日本薬局方で定められた名称を記載し，販売名がある場合は併記される．
警　　告	致死的又は極めて重篤かつ非可逆的な副作用が発現する場合，又は副作用が発現する結果極めて重大な事故につながる可能性があって，特に注意を喚起する必要がある場合に記載される．添付文書の冒頭に，赤字，赤枠で記載され，添付文書の右肩に赤帯で付与される（図 4-1）．
禁　　忌	患者の症状，原疾患，合併症，既往歴，家族歴，体質，併用薬剤等からみて投与すべきでない患者が記載される．なお，投与してはならない理由が異なる場合は，項を分けて記載される． 原則として過敏症以外は設定理由を［　］内に簡潔に記載される．
組成・性状	「組成」は，有効成分の名称（一般的名称があるものにあっては，その一般的名称）及びその分量（有効成分が不明なものにあっては，その本質及び製造方法の要旨）を，原則として製造販売承認書の「成分及び分量又は本質」欄に則り記載される．医薬品添加剤については，原則として製造販売承認書の「成分及び分量又は本質」欄における有効成分以外の成分について，注射剤（体液用剤，人工灌流用剤，粉末注射剤を含む．）にあっては名称及び分量，その他の製剤にあっては名称がをそれぞれ記載される．細胞培養技術又は組換え DNA 技術を応用して製造されるペプチド又はタンパク質を有効成分とする医薬品にあっては，産生細胞の名称が記載される．添加物に起因する副作用を発現することがあるので注意が必要である．微小管阻害薬のパクリタキセル注射液に添加されているポリオキシエチレンヒマシ油（商品名：クレモホール EL）による過敏症が代表的な例である．

キーワード　医療用医薬品添付文書

項　　　　目	解　　　　説
組成・性状 （続き）	「製剤の性状」は，識別上必要な色，形状（散剤，顆粒剤等の別），識別コードなどが記載される．放出速度を調節した製剤にあっては，その機能を製造販売承認書の「剤形分類」に則り記載される．水性注射液にあっては，pH及び浸透圧比を，無菌製剤（注射剤を除く）にあっては，その旨が記載される．
効能又は効果	承認を受けた効能又は効果が正確に記載される． 承認を要しない医薬品にあっては，医学薬学上認められた範囲の効能又は効果であって，届出された効能又は効果が正確に記載される． 再審査・再評価の終了した医薬品にあっては，再審査・再評価判定結果に基づいて記載される．
効能又は効果に関連する注意	承認を受けた効能又は効果の範囲における患者選択や治療選択に関する注意事項が記載される．なお，原則として，「禁忌」に該当するものは記載不要である．
用法及び用量	承認を受けた用法及び用量が正確に記載される． 承認を要しない医薬品にあっては，医学薬学上認められた範囲の用法及び用量であって，届出された用法及び用量が正確に記載される． 再審査・再評価の終了した医薬品にあっては，再審査・再評価判定結果に基づいて記載される．
用法及び用量に関連する注意	承認を受けた用法及び用量の範囲であって，特定の条件下での用法及び用量並びに用法及び用量を調節する上で特に必要な注意事項が記載される．
重要な基本的注意	重大な副作用又は事故を防止する上で，投与に際して必要な検査の実施，投与期間等に関する重要な注意事項が簡潔に記載される．
特定の背景を有する患者に関する注意	特定の背景を有する患者に関する注意について，効能又は効果等から臨床使用が想定される場合であって，投与に際して他の患者と比べて特に注意が必要である場合や，適正使用に関する情報がある場合に記載される． 投与してはならない場合は「禁忌」にも記載される． 特定の背景を有する患者に関する注意事項を記載した上で，使用者がリスクを判断できるよう，臨床試験，非臨床試験，製造販売後調査，疫学的調査等で得られている客観的な情報が記載される． 「合併症・既往歴等のある患者」は，合併症，既往歴，家族歴，遺伝的素因等からみて，他の患者と比べて特に注意が必要な患者であって，「腎機能障害患者」から「高齢者」までに該当しない場合に記載される． 「腎機能障害患者」は薬物動態，副作用発現状況から用法及び用量の調節が必要である場合や，特に注意が必要な場合にその旨を，腎機能障害の程度が考慮して記載される．透析患者及び透析除去に関する情報がある場合には，その内容が簡潔に記載される．腎機能障害の程度は，クレアチニンクリアランス，推定糸球体濾過量（eGFR）等の具体的な指標が可能な限り記載される． 「肝機能障害患者」は薬物動態，副作用発現状況から用法及び用量の調節が必要である場合や，特に注意が必要な場合にその旨を，肝機能障害の程度が考慮して記載される．肝機能障害の程度は，Child-Pugh分類等の具体的な指標が可能な限り記載される． 「生殖能を有する者」は患者及びそのパートナーにおいて避妊が必要な場合に，その旨を避妊が必要な期間とともに記載される．投与前又は投与中定期的に妊娠検査が必要な場合に，その旨が記載される．性腺，受精能，受胎能等への影響について注意が必要な場合に，その旨が記載される． 「妊婦」は胎盤通過性及び催奇形性のみならず，胎児曝露量，妊娠中の曝露期間，臨床使用経験，代替薬の有無等を考慮し，必要な事項が記載され

項　　目	解　　説
特定の背景を有する患者に関する注意（続き）	る．注意事項は，「投与しないこと」，「投与しないことが望ましい」又は「治療上の有益性が危険性を上回ると判断される場合にのみ投与すること」を基本として記載される． 「授乳婦」は，乳汁移行性のみならず，薬物動態及び薬理作用から推察される哺乳中の児への影響，臨床使用経験等を考慮し，必要な事項が記載される．母乳分泌への影響に関する事項は，哺乳中の児への影響と分けて記載される．注意事項は，「授乳を避けさせること」，「授乳しないことが望ましい」又は「治療上の有益性及び母乳栄養の有益性を考慮し，授乳の継続又は中止を検討すること」を基本として記載される． 「小児等」は低出生体重児，新生児，乳児，幼児又は小児（「小児等」）に用いられる可能性のある医薬品であって，小児等に特殊な有害性を有すると考えられる場合や薬物動態から特に注意が必要と考えられる場合にその旨を，年齢区分が考慮して記載される． ① 新生児とは，出生後4週未満の児とする． ② 乳児とは，生後4週以上，1歳未満の児とする． ③ 幼児とは，1歳以上，7歳未満の児とする． ④ 小児とは，7歳以上，15歳未満の児とする． 「高齢者」は薬物動態，副作用発現状況から用法及び用量の調節が必要である場合や特に注意が必要な場合に，その内容が簡潔に記載される．高齢者とは65歳以上を目安とし，必要に応じて75歳以上の年齢区分に関する情報も記載される．
相互作用	他の医薬品を併用することにより，医薬品又は併用薬の薬理作用の増強又は減弱，副作用の増強，新しい副作用の出現又は原疾患の増悪等が生じる場合で，臨床上注意を要する組合せが記載される．これには物理療法，飲食物等との相互作用についても重要なものを含む． 血中濃度の変動により相互作用を生じる場合であって，その発現機序となる代謝酵素等に関する情報がある場合は，前段にその情報が記載される． 「併用禁忌」は「禁忌」にも記載される．併用禁忌にあっては，相互作用を生じる医薬品が互いに禁忌になるよう整合性を図る． 記載に当たっては，まず相互作用を生じる薬剤名又は薬効群名を挙げ，次いで相互作用の内容として，臨床症状・措置方法，機序・危険因子等が簡潔に記載される．また，相互作用の種類（機序等）が異なる場合には項を分けて記載される． 「併用禁忌」の記載に当たっては，薬剤名として一般的名称及び代表的な販売名が記載される． 「併用注意」の記載に当たっては，薬剤名として一般的名称又は薬効群名が記載される．薬効群名を記載する場合は，原則として，代表的な一般的名称が併記される． 相互作用の検討手順（アルゴリズム）を図4-3に示す．
副作用	医薬品の使用に伴って生じる副作用が記載される． 副作用の発現頻度を，精密かつ客観的に行われた臨床試験等の結果に基づいて記載される．副作用の発現頻度の記載に当たって，自発報告や製造販売後調査等で集積し，発現頻度が不明な場合は「頻度不明」と記載される．ただし，希少疾病医薬品等で臨床試験データが極めて限られている場合であって，製造販売後調査等による副作用の発現頻度を記載することが特に有用な場合に限り，引用元を明記した上で，その発現頻度が記載される． 後発医薬品及びバイオ後続品における副作用の発現頻度の記載に当たっては，医薬品を用いて精密かつ客観的に行われた臨床試験等の結果がある場合は，その結果に基づき記載すること．医薬品を用いた発現頻度が不明な場合は，原則として，先発医薬品又は先行バイオ医薬品に準じて記載される．

項　　　目	解　　　説
副作用 （続き）	「重大な副作用」は副作用の転帰や重篤性を考慮し，特に注意を要するものが記載される．副作用の事象名を項目名とし，初期症状（臨床検査値の異常を含む．），発現機序，発生までの期間，リスク要因，防止策，特別な処置方法等が判明している場合には，必要に応じて記載される．海外のみで知られている重大な副作用についても，必要に応じて記載される．類薬で知られている重大な副作用については，同様の注意が必要と考えられる場合に限り記載される． 「その他の副作用」は発現部位別，投与方法別，薬理学的作用機序，発現機序別等に分類し，発現頻度の区分とともに記載される．海外のみで知られているその他の副作用についても，必要に応じて記載される．
臨床検査結果に及ぼす影響	医薬品を使用することによって，臨床検査値が見かけ上変動し，かつ明らかに器質障害又は機能障害と結びつかない場合に記載される．
過量投与	過量投与時（自殺企図，誤用，小児等の偶発的曝露を含む．）に出現する中毒症状が記載される．観察すべき項目や処置方法（特異的な拮抗薬，透析の有用性を含む．）がある場合には，併せて記載される．
適用上の注意	投与経路，剤形，注射速度，投与部位，調製方法，患者への指導事項など，適用に際して必要な注意事項が記載される． 記載に当たっては，「薬剤調製時の注意」，「薬剤投与時の注意」，「薬剤交付時の注意」又はその他の適切な項目をつけて具体的に記載される．「薬剤調製時の注意」には，薬剤調製又は調剤時の注意が記載される．薬剤調製者が曝露を避けるための防護具（眼鏡，手袋，マスク等）の使用はこの項目に含められる．「薬剤投与時の注意」には，投与経路，剤形，注射速度，投与部位等に関する注意事項が記載される．「薬剤交付時の注意」には，患者への指導事項が記載される．患者が薬剤を保管する際の注意事項はこの項目に含められる．
その他の注意	「臨床使用に基づく情報」は評価の確立していない報告であっても，安全性の懸念や有効性の欠如など特に重要な情報がある場合はこれを正確に要約して記載される．「臨床使用に基づく情報」の記載に当たっては，発がん性や死亡率等の評価が確立していない情報であっても，疫学研究等に基づき可能な限り客観的に「……との報告がある」と記載される． 「非臨床試験に基づく情報」はヒトへの外挿性は明らかではないが，動物で認められた毒性所見であって，特に重要な情報が簡潔に記載される． 「非臨床試験に基づく情報」の記載に当たっては，臨床曝露量と比較した安全域が考慮して記載される．
薬物動態	原則として，ヒトでのデータが記載される．ヒトでのデータが得られないものについては，これを補足するために非臨床試験の結果が記載される．非臨床試験の結果を記載する場合には動物種を，また $in\ vitro$ 試験の結果を記載する場合にはその旨がそれぞれ記載される． 「血中濃度」は健康人又は患者における血中薬物濃度及び主要な薬物動態パラメータが記載される（ただし，「特定の背景を有する患者」に該当するものを除く．）．単回投与・反復投与の区別，投与量，投与経路，症例数等が明示される． 「吸収」はヒトでのバイオアベイラビリティ，食事の影響等の吸収に関する情報が記載される． 「分布」は組織移行，蛋白結合率等の分布に関する情報が記載される． 「代謝」は代謝酵素，その寄与等の薬物代謝に関する情報を記載し，主要な消失経路が代謝による場合は，その旨がわかるように記載される． 「排泄」は未変化体及び代謝物の尿中又は糞便中の排泄率等の排泄に関する情報が記載され，主要な消失経路が排泄による場合は，その旨がわかる

項　　目	解　　説
薬物動態 （続き）	ように記載される． 「特定の背景を有する患者」は特定の背景を有する患者における血中薬物濃度，主要な薬物動態パラメータ等が記載される．腎機能障害・肝機能障害・小児等・高齢者等の区分が記載される． 「薬物相互作用」は原則として，「相互作用」に注意喚起のある薬物相互作用について，臨床薬物相互作用試験の結果が記載される．必要に応じて，相互作用の機序・危険因子について，ヒト生体試料を用いた in vitro 試験等のデータを補足する．臨床薬物相互作用試験の結果を記載する場合には，相互作用の程度が定量的に判断できるよう，血中濃度や主要な薬物動態パラメータの増減等の程度が数量的に記載される．「相互作用」に注意喚起のない薬物相互作用については，併用される可能性の高い医薬品など特に重要な場合に限り，その概要が記載される． 「その他」は「血中濃度」から「薬物相互作用」までの項目に該当しないが，TDM（therapeutic drug monitoring）が必要とされる医薬品の有効血中濃度及び中毒濃度域，薬物動態（PK）と薬力学（PD）の関係等の薬物動態に関連する情報が記載される．
臨床成績	「有効性及び安全性に関する試験」は精密かつ客観的に行われ，信頼性が確保され，有効性及び安全性を検討することを目的とした，承認を受けた効能又は効果の根拠及び用法及び用量の根拠となる主要な臨床試験の結果について，記載される．試験デザイン（投与量，投与期間，症例数を含む．），有効性及び安全性に関する主要な結果を，承認を受けた用法及び用量に従って簡潔に記載される．副次的評価項目については，特に重要な結果に限り簡潔に記載される． 「製造販売後調査等」は希少疾病医薬品等の承認時までの臨床試験データが極めて限定的であって，「有効性・安全性に関する試験」を補完する上で特に重要な結果に限り，記載される．原則として，医薬品の製造販売後の調査及び試験の実施の基準に関する省令（平成 16 年厚生労働省令第171 号）に準拠して実施された結果が記載される． 「その他」は「有効性・安全性に関する試験」及び「製造販売後調査等」の項目に該当しないが，精密かつ客観的に行われた，有効性評価指標以外の中枢神経系，心血管系，呼吸器系等の評価指標を用いた特に重要な臨床薬理試験（QT/QTc 評価試験等）等の結果について，記載される．投与量，症例数，対象の区別（健康人・患者，性別，成人・小児等）が記載される．
薬効薬理	承認を受けた効能又は効果の範囲であって，効能又は効果を裏付ける薬理作用及び作用機序が記載される． 「作用機序」として，作用機序の概要が簡潔に記載される．作用機序が明確でない場合は，その旨を記載して差し支えない． 効能又は効果を裏付ける薬理作用を適切な項目をつけて記載する． ヒトによる薬効薬理試験等の結果を記載する場合には，対象の区別（健康人・患者，性別，成人・小児等）が記載される． 非臨床試験の結果を記載する場合には動物種が記載される．また，in vitro 試験の結果を記載する場合にはその旨が記載される． 配合剤における相乗作用を表現する場合には，十分な客観性のあるデータがある場合に限り記載される．
有効成分に関する理化学的知見	一般的名称，化学名，分子式，化学構造式，核物理学的特性（放射性物質に限る．）等が記載される．ただし，輸液等の多数の有効成分を配合する医薬品にあっては，主たる有効成分を除き，記載を省略して差し支えない．
取扱い上の注意	開封後の保存条件及び使用期限，使用前に品質を確認するための注意事項

項　　目	解　　説
取扱い上の注意 （続き）	など，「貯法及び有効期間」以外の管理，保存又は取扱い上の注意事項が記載される． 日本薬局方に収められている医薬品又は法定の基準が定められている医薬品であって，取扱い上の注意事項が定められているものは，その注意事項が記載される．
承認条件	承認条件を製造販売承認書に則り記載される．ただし，市販直後調査については，この限りではない．
包　装	包装形態及び包装単位を販売名ごとに記載される．製品を構成する機械器具，溶解液等がある場合は，その名称が記載される． 包装形態の記載に当たっては，アンプル，バイアル，シリンジ，ボトル，バッグ等の別が記載される．容器の材質又は性質は必要に応じて記載される．包装内に乾燥剤を含む場合，その旨が記載される． 包装単位の記載に当たっては，包装形態に応じた単位ごとの個数，重量，容量等が記載される．バラ包装品にあってはその旨が記載され，シート包装にあっては1シートあたりの個数等及びシート数がわかるように記載される． 機械器具の記載に当たっては，注射針にあってはゲージ数が併記される． 溶解液等の記載に当たっては，容量等が併記される．
主要文献	各項目の記載の裏付けとなるデータの中で主要なものについては主要文献として記載される．
文献請求先及び問い合わせ先	文献請求先及び問い合わせ先の氏名又は名称，住所及び連絡先（電話番号，ファクシミリ番号等）が記載される．
保険給付上の注意	保険給付の対象とならない医薬品や効能又は効果の一部のみが保険給付の対象となる場合は，その旨が記載される． 薬価基準収載の医薬品であって，投与期間制限の対象になる医薬品に関する情報のほか，保険給付上の注意がある場合に記載される．
製造販売業者等	製造販売業者等の氏名又は名称及び住所が記載される．

注）データの取扱い：
① 非臨床試験データ
　非臨床試験のデータは国内，国外の如何を問わず同等に扱うものとする．障害の詳しい内容，投与量，投与期間・投与経路・投与回数等の投与方法及び動物種等が極めて重要な情報である場合には，これらを（　）書きされることがある．
② 疫学研究データ
　重要な疫学研究データがある場合には，調査手法を併記した上で記載される．
③ 他剤との比較データ
　他剤との比較データ（生物学的同等性試験を含む．）を記載する場合には，十分な客観性のある比較データであって，重要な情報である場合に限り記載される．
医療用医薬品等の添付文書等の記載要領について（平成29年6月8日付け薬生発0608第1号厚生労働省医薬・生活衛生局長通知）および医療用医薬品の添付文書等の記載要領の留意事項について（平成29年6月8日付け薬生安発0608第1号厚生労働省医薬・生活衛生局安全対策課長通知）を一部改訂

　なお，医療の進歩や高齢化，IT技術の進歩など，医療を取り巻く状況が大きく変化していることから，厚生労働省は医療用医薬品の添付文書の記載要領を改正することを決定した（「医療用医薬品の添付文書等の記載要領について」2017年6月8日付け薬生発第1号厚生労働省医薬・生活衛生局長通知）．
　主な改正内容は，(1)「原則禁忌」の廃止，(2)「慎重投与」の廃止，(3)「高齢者への投与」，「妊婦，産婦，授乳婦等への投与」，「小児等への投与」の廃止，(4)「特定の背景を有する患者に関する注意」の新設である（図4-2）．2019年4月1日から実施し，

表 4-6. 日本標準商品分類番号の記載例（アマンタジン塩酸塩）

分類		分類番号	商品項目名（薬効分類名）	アマンタジン塩酸塩					
				87117（精神活動改善剤）		871161（パーキンソン症候群治療剤）		87625（抗A型インフルエンザウイルス剤）	
中分類		87	医薬品及び関連製品	87		87		87	
小分類		3桁	作用部位又は目的，薬効	神経系及び感覚器官用医薬品	871	神経系及び感覚器官用医薬品	871	病原生物に対する医薬品	876
詳細分類	細分類	4桁	成分又は作用部位	中枢神経系作用薬	8711	中枢神経系作用薬	8711	化学療法剤	8762
	細々分類	5桁	用途	精神神経用剤	87117	抗パーキンソン剤	87116	抗ウイルス剤	87625
	6桁分類	6桁	成分			アマンタジン製剤	871161		

表 4-7. 承認番号の記載例（イレッサ錠 250；ゲフィチニブ）

イレッサ錠 250： 　2　14　00　AM　Y　00188
　　　　　　　　　A　B　C　D　E　F

A：年号　　　　［2→平成］（1→昭和）（3→令和）
B：年　　　　　［14→14年］
C：承認官庁　　［00→厚生労働大臣承認］（01→北海道，13→東京都…）
D：物品区分　　［AM→医療用医薬品］（AP→一般用医薬品，BZ→医療機器…）
E：承認区分　　［Y→輸入承認］（Z→製造承認）
F：一連番号　　［188→188番目/年］

イレッサ錠 250：「平成 14 年の 188 番目に厚生労働大臣承認により輸入承認を受けた医療用医薬品」

2005 年 4 月 1 日以降に製造販売承認されたものは，承認の種類の符号等の一部が変更されている．

ボックス

医薬品の名称

医薬品には，有効成分に対して付けられる一般名と，製品に対して付けられる販売名がある．

「一般名」は，通常，開発者からの申請に基づき WHO（世界保健機関）で決められる（国際一般的名称，INN; International Non-proprietary Name）．日本で用いられる際には，これが日本語（カタカナ）に訳されて使用される（JAN; Japanese Accepted Name）．命名に際しては，薬効・作用機序に応じたステム（薬理学的なグループを示す接頭または接尾語）が用いられる（たとえば「アンジオテンシン II 受容体拮抗薬」は「-サルタン（-sartan）」のように）．

「販売名」は，製品ごとに，承認取得者（製造販売企業）によって名付けられる．先発医薬品の販売名は，原則として「ブランド名＋剤形＋規格」の形をとる．後発医薬品については，一般名を基本にした命名法，すなわち「一般名＋剤形＋規格＋会社名（屋号）」が販売名として用いられる．

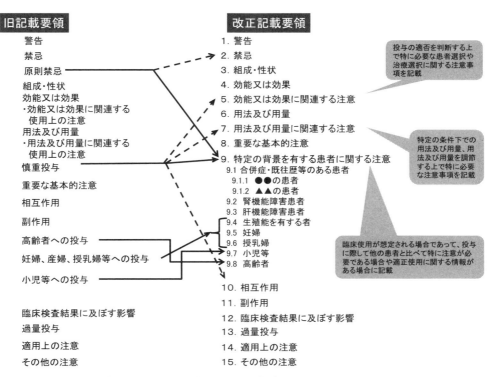

図 4-2. 旧記載要領と改正記載要領での添付文書の項目比較（医薬品・医療機器等安全性情報 No.344 より）
注）矢印は旧記載要領に基づく添付文書から改正記載要領に基づく添付文書への移行先を示しているが，これ以外の項への移行や，削除する例もあり得る．

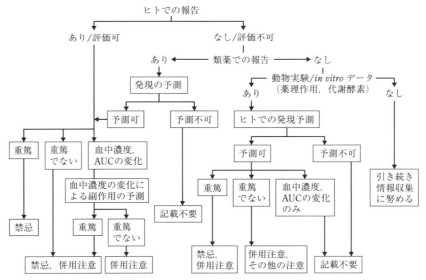

図 4-3. 医薬品添付文書の「相互作用」の検討手順（アルゴリズム）

　その後 5 年間の経過措置期間が設定されている．経過措置期間中は，旧記載要領に基づく添付文書と改正記載要領に基づく添付文書の両方が医療現場に混在することから，医療用医薬品の添付文書の取り扱いには注意を必要とする．

4-2-2. 要指導・一般用医薬品添付文書

　要指導医薬品（ボックス参照）・一般用医薬品は，一般消費者が自己の判断で使用するものであることから，適正な使用と安全確保を図る必要がある．そのため要指導・一般用医薬品の添付文書は見やすくわかりやすい記載内容である必要がある（図4-4）．具体的には平易な表現で簡潔に記載され，図表やイラストを用いるなどの工夫がなされている．

　要指導・一般用医薬品の記載順は重要性に応じ，「製品の特徴」の次に「使用上の注意」があり，その中に「してはいけないこと」，「相談すること」，「その他の注意」を記載している．特徴的なのは「消費者相談窓口」を記載し，一般消費者の便宜を図ってい

```
添付文書の必読および保管に関する事項

① 改訂年月
② 添付文書の必読保管に関する事項
③ 販売名および薬効名
④ 製品の特徴

　⑤ 使用上の注意
　　1. してはいけないこと
　　2. 相談すること
　　3. その他の注意

⑥ 効能または効果
⑦ 用法および用量
⑧ 成分および分量
⑨ 保管および取扱い上の注意
⑩ 消費者相談窓口
⑪ 製造販売業者の氏名または名称および住所
```

図4-4．要指導・一般用医薬品の添付文書項目一覧

ボックス

要指導医薬品

要指導医薬品は一般用医薬品とは区分が異なり，人体に対する作用が著しくないもの，薬剤師等からの情報により需要者が選択して使用するもの，適正使用のために薬剤師の対面による情報の提供および薬学的知見に基づく指導が必要なもの，厚生労働大臣が指定するものである．毒薬や劇薬が含まれる．
インターネット販売ルールの変更により新たに区分されたもので，薬剤師の対面販売による情報提供と指導が義務付けられているため，インターネット販売はできない．

キーワード　要指導・一般用医薬品添付文書

> **ボックス**
>
> **医薬品副作用被害救済制度**
>
> 医薬品副作用被害救済制度は，PMDAの重要な業務の1つとして1980年5月1日に創設された．医薬品を適正に使用したにもかかわらず発生した副作用により，入院治療が必要な程度の重篤な疾病や障害などの健康被害を受けた方の迅速な救済を図ることを目的として医療費，医療手当，障害年金などの救済給付を行う公的な制度である．本制度でいう「医薬品」とは，厚生労働大臣による医薬品の製造販売業の許可を受けて製造販売された医療用医薬品および要指導・一般用医薬品である．ただし，抗がん剤，免疫抑制剤等の一部に対象除外医薬品があるので注意する．救済給付の必要費用は，医薬品の製造販売業者がその社会的責任に基づいて納付する拠出金が原資となっている．

る．外箱には効能・効果や用法・用量，成分や使用期限のほかに，一般消費者により広く周知するために，「医薬品副作用被害救済制度」（ボックス参照）の問い合わせ先を表示している．

参考文献
1) 医薬品・医療機器等安全性情報 No.344（2017年6月）
2) 「医療用医薬品の添付文書等の記載要領について」（平成29年6月8日付け薬生安発0608第1号厚生労働省医薬・生活衛生局長通知）
3) 「医療用医薬品の添付文書等の記載要領の留意事項について」（平成29年6月8日付け薬生安発0608第1号厚生労働省医薬・生活衛生局安全対策課長通知）

4-3. 医薬品インタビューフォーム（IF）

加藤裕久

学習のポイント

❶ 医薬品インタビューフォーム（IF）は，日本病院薬剤師会が策定した記載要項に準じて，製薬企業が作成し提供する．

❷ IFは医薬品添付文書の情報を補完する三次資料で，医薬品の管理，処方設計，調剤，適正使用，薬学的患者ケア等に必要な情報が提供されている．

❸ 薬剤師はIFを評価，加工し，個々の患者に応じた情報を提供する．

❹ IFの電子媒体（PDF）は，PMDAのホームページの医療用医薬品の添付文書サイトで閲覧できる．

❺ 後発医薬品のIFは，日本ジェネリック製薬協会の作成に関する情報も参考に作成されている．

キーワード 医薬品インタビューフォーム（IF）

4-3-1. 医薬品インタビューフォーム（IF）の概要

IF（図 4-5）は，医療用医薬品添付文書の情報を補完する三次資料である．IF は病院薬剤師により生まれた情報源で，製薬企業の医薬情報担当者らにインタビューし，情報収集するためのものである．IF は薬剤師等の医療従事者にとって日常業務に必要な情報（品質管理，処方設計，処方監査，調剤鑑査，医薬品の適正使用，薬学的患者ケア等）が集約された総合的な個別の医療用医薬品の解説書として，日本病院薬剤師会が記載要領を策定し，各製薬企業が作成および提供している学術資料と位置付けられている．IF は医療用医薬品添付文書に記載された情報の背景や根拠情報を中心に，開発の経緯，製品の治療学的・製剤学的特性，有効成分・製剤の安定性，定量法等の詳細情報，詳細な臨床成績，安全性（使用上の注意等）の解説，医療用医薬品添付文書に記載されていない毒性（非臨床試験結果等），医薬品の管理に関する事項，海外における臨床支援情報等の医療用医薬品添付文書を補完する情報媒体（三次資料）である（表 4-8）．

医療用医薬品の添付文書の記載要領の改定に伴い，2018 年に日本病院薬剤師会が医

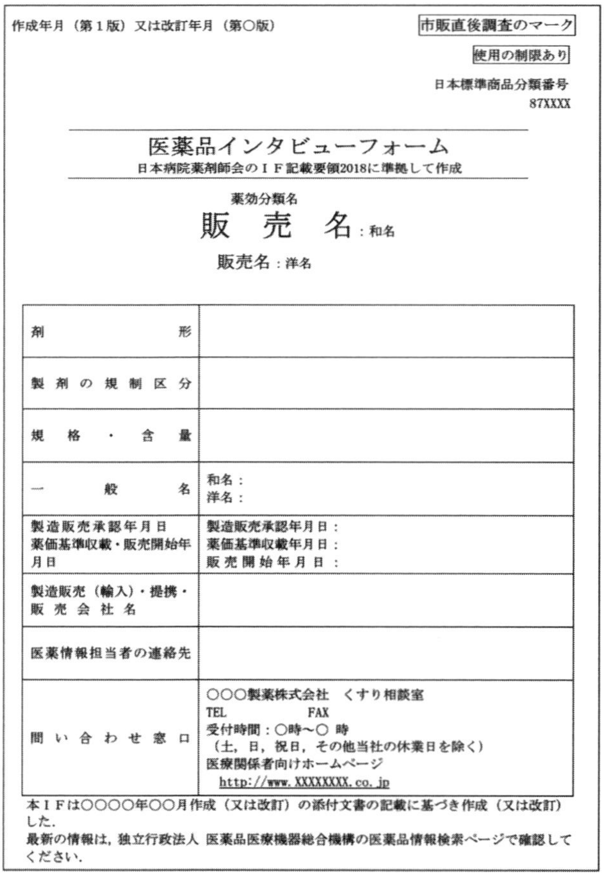
作成年月（第 1 版）又は改訂年月（第○版）

市販直後調査のマーク

使用の制限あり

日本標準商品分類番号
87XXXX

医薬品インタビューフォーム
日本病院薬剤師会のＩＦ記載要領2018に準拠して作成

薬効分類名
販　売　名：和名
販売名：洋名

剤形	
製剤の規制区分	
規格・含量	
一般名	和名： 洋名：
製造販売承認年月日 薬価基準収載・販売開始年月日	製造販売承認年月日： 薬価基準収載年月日： 販売開始年月日：
製造販売（輸入）・提携・販売会社名	
医薬情報担当者の連絡先	
問い合わせ窓口	○○○製薬株式会社　くすり相談室 TEL　　　FAX 受付時間：○時～○ 時 （土，日，祝日，その他当社の休業日を除く） 医療関係者向けホームページ http://www.XXXXXXXX.co.jp

本ＩＦは○○○○年○○月作成（又は改訂）の添付文書の記載に基づき作成（又は改訂）した．
最新の情報は，独立行政法人 医薬品医療機器総合機構の医薬品情報検索ページで確認してください．

図 4-5. 医薬品インタビューフォーム（IF）の表紙（見本）

表 4-8. 医薬品インタビューフォーム（IF）の構成（本編）

Ⅰ．概要に関する項目
　1．開発の経緯
　2．製品の治療学的特性
　3．製品の製剤学的特性
　4．適正使用に関して周知すべき特性
　5．承認条件及び流通・使用上の制限事項
　6．RMP（医薬品リスク管理計画）の概要
Ⅱ．名称に関する項目
　1．販売名
　2．一般名
　3．構造式又は示性式
　4．分子式及び分子量
　5．化学名（命名法）又は本質
　6．慣用名，別名，略号，記号番号
Ⅲ．有効成分に関する項目
　1．物理化学的性質
　2．有効成分の各種条件下における安定性
　3．有効成分の確認試験法，定量法
Ⅳ．製剤に関する項目
　1．剤　形
　2．製剤の組成
　3．添付溶解液の組成及び容量
　4．力　価
　5．混入する可能性のある夾雑物
　6．製剤の各種条件下における安定性
　7．調製法及び溶解後の安定性
　8．他剤との配合変化（物理化学的変化）
　9．溶出性
　10．容器・包装
　11．別途提供される資材類
　12．その他
Ⅴ．治療に関する項目
　1．効能又は効果
　2．効能又は効果に関連する注意
　3．用法及び用量
　4．用法及び用量に関連する注意
　5．臨床成績
Ⅵ．薬効薬理に関する項目
　1．薬理学的に関連ある化合物又は化合物群
　2．薬理作用
Ⅶ．薬物動態に関する項目
　1．血中濃度の推移
　2．薬物速度論的パラメータ
　3．母集団（ポピュレーション）解析
　4．吸　収
　5．分　布
　6．代　謝
　7．排　泄
　8．トランスポーターに関する情報
　9．透析等による除去率
　10．特定の背景を有する患者
　11．その他
Ⅷ．安全性（使用上の注意等）に関する項目
　1．警告内容とその理由
　2．禁忌内容とその理由
　3．効能又は効果に関連する使用上の注意とその理由
　4．用法及び用量に関連する使用上の注意とその理由
　5．重要な基本的注意とその理由
　6．特定の背景を有する患者に関する注意
　7．相互作用
　8．副作用
　9．臨床検査結果に及ぼす影響
　10．過量投与
　11．適用上の注意
　12．その他の注意
Ⅸ．非臨床試験に関する項目
　1．薬理試験
　2．毒性試験
Ⅹ．管理的事項に関する項目
　1．規制区分
　2．有効期間
　3．包装状態での貯法
　4．取扱い上の注意
　5．患者向け資材
　6．同一成分・同効薬
　7．国際誕生年月日
　8．製造販売承認年月日及び承認番号，薬価基準収載年月日，販売開始年月日
　9．効能又は効果追加，用法及び用量変更追加等の年月日及びその内容
　10．再審査結果，再評価結果公表年月日及びその内容
　11．再審査期間
　12．投薬期間制限に関する情報
　13．各種コード
　14．保険給付上の注意
Ⅺ．文　献
　1．引用文献
　2．その他の参考文献
Ⅻ．参考資料
　1．主な外国での発売状況
　2．海外における臨床支援情報
ⅩⅢ．備　考
　1．調剤・服薬支援に際して臨床判断を行うにあたっての参考情報
　2．その他の関連資料

表4-9. 医薬品インタビューフォーム（IF）作成時の留意点（抜粋）

1. 日本病院薬剤師会が策定した医薬品インタビューフォーム記載要領2018に従う．
2. IFには少なくとも添付文書，新医薬品の「使用上の注意」の解説に記載された情報は全て網羅する．
3. 医薬品医療機器等法，知的財産権，製造物責任法，医薬品等適正広告基準，製薬協コード・オブ・プラクティス，添付文書等の記載要領，医療用医薬品製品情報概要等に関する作成要領，対照薬の提供及び譲受に関する申し合わせ等を参考に作成する．
4. 原則として製剤の投与経路別（内用剤，注射剤，外用剤）に作成する．
5. IF作成の手引きに示されている項目名は，変更せずにそのまま記載する．

薬品インタビューフォーム記載要領2018を公開した．医薬品インタビューフォーム記載要領2018では，2019年4月以降に承認となる新医薬品で添付文書新記載要領に対応した添付文書を公開する場合には，この新しい記載要領でのIFの作成が求められている．医薬品インタビューフォーム記載要領2018の主な変更点は次の通りである．

①概要： 適正使用に関して周知すべき特性や資材類，流通や使用上の制限事項に関する記載を充実，医薬品リスク管理計画の概要の転載，巻頭に略語表の記載
②製剤： 外観や同梱物，形態および取り扱いについての記載を充実
③治療： 用法用量の設定根拠に関する記載を充実，使用成績調査（一般使用成績調査，特定使用成績調査，使用成績比較調査），製造販売後データベース調査，製造販売後臨床試験についての記載の充実
④薬物動態： 活性代謝物に関する記載を明示
⑤管理的事項： 各種コード類，留意事項通知等に関連する記載内容の明確化

さらに，医薬品インタビューフォーム記載要領2018（2019年更新版）が公開され，備考の項目に中項目「調剤・服薬支援に際して臨床判断を行うにあたっての参考情報」を設け，その中に小項目として「(1) 粉砕」および「(2) 崩壊・懸濁性及び経管投与チューブの通過性」を参考情報として新設した．

また日本製薬工業協会医薬品評価委員会PV部会では，日本病院薬剤師会が策定した記載要領に対応した製薬企業向けの「医薬品インタビューフォーム作成の手引き（改訂版）令和2年5月改訂（暫定版）」（2020年5月）を作成し，各製薬企業はこの手引きに基づき作成することで記載内容の標準化が行われている．IFに記載する際の一般的留意事項の抜粋を表4-9に示す．

後発医薬品のIFは，日本病院薬剤師会「医薬品インタビューフォーム記載要領」と日本製薬工業協会「医薬品インタビューフォーム作成の手引き」に準拠し，さらに日本ジェネリック製薬協会の作成に関する情報も参考に作成されている．2020年9月に日本ジェネリック製薬協会が発表した「後発医薬品インタビューフォーム作成について（2020年9月暫定第1版）」の改訂版は，後発医薬品特有のデータ（溶出試験，生物学的同等性試験，安定性試験等）に加え，薬物動態，臨床成績，薬効薬理，調剤・服薬支援（簡易懸濁，粉砕時の安定性等）についても充実が図られている．

IFは通常製薬企業から医療関係者へ提供されるが，PMDAホームページ「医薬品に

関する情報」の添付文書情報から検索・閲覧ができる．また製薬企業のホームページの「医療関係者向けの情報提供サイト」からも医療用医薬品添付文書と同様に IF も閲覧することができる．

4-3-2. IF の活用

医療用医薬品添付文書は，記載できるスペースに制限があるため最小限の情報に要約されている．IF は，薬剤師が医薬品情報を評価するための情報源として活用できる．たとえば，製剤または有効成分の吸湿性，温度・光に対する安定性情報そして配合変化試験結果等は，調剤や調製時における取り扱いや保管，粉砕可否，配合の可否などの判断に活用できる．

さらに，IF は院内医薬品集や医薬品情報データベース等を作成する際の重要な情報源として活用できる．また，医療機関での新規医薬品採用審査時における審査情報として，IF に基づき製薬企業に系統的にインタビューをすることが可能である．その結果，医薬品の全体像が把握できるとともに，客観的に医薬品の比較ができる．

IF は従来病院薬剤師を中心に活用されていたが，薬局薬剤師も服薬管理の情報源として活用されている．そして，医療教育の教材として有用であり，医薬品情報学の学習に利用できる．

医療用医薬品添付文書は，副作用の新情報等があれば随時改訂されるが，IF の改訂頻度は医療用医薬品添付文書に比べて高くはない．したがって，IF に記載されている情報は最新ではない場合があるので，必ず最新の医療用医薬品添付文書や製薬企業のホームページに公開されている「医療関係者向けの情報提供サイト」等で確認する必要がある．

参考文献
1) 厚生労働省医薬・生活衛生局安全対策課：医療用医薬品の添付文書等の記載要領の留意事項について，薬生安発 0608 第 1 号（平成 29 年 6 月 8 日）．
2) 日本病院薬剤師会編：医薬品インタビューフォーム記載要領 2018（2018 年 10 月改訂）．
3) 日本病院薬剤師会編：医薬品インタビューフォーム記載要領 2018（2019 年更新版），（2019 年 12 月改訂）．
4) 日本病院薬剤師会編：医薬品インタビューフォーム利用の手引き（2018 年 10 月改訂）．
5) 日本製薬工業協会 PV 部会：医薬品インタビューフォーム作成の手引き（改訂版），令和 2 年 5 月改訂（暫定版）．
6) 日本ジェネリック製薬協会編：後発医薬品インタビューフォーム作成について（2020 年 9 月暫定第 1 版）．

4-4．各種三次資料の解説　　　　　　　　　　　　　　　　　　　　若林 進

各種三次資料の詳細な解説を表 4-10，表 4-11 に示す．

表4-10. 主な三次資料（インターネットサイトを含む）

分野	書名／サイト名	発行／著者／アドレス	出版社	発行年	解説
医薬品集（医療用医薬品）	日本医薬品集 医療薬 2019（DRUGS IN JAPAN）	監修：日本医薬情報フォーラム	じほう	2018	医療用医薬品約2万品目の添付文書情報を集約・編集している。一般名の五十音順に配列され、商品名、成分名英名、標榜薬効、効能・効果、用法・用量、禁忌、副作用情報、相互作用情報、薬物動態、薬効薬理、公知申請に係る保険適応についても記載。タブレット版アプリ、CD-ROM版（日本医薬品集DB）あり。
	JAPIC 医療用医薬品集 2021	編集：一般財団法人日本医薬情報センター	丸善出版	2020	国内流通全医薬品の最新情報に基づき作成。添付文書情報を集約・編集して情報提供している。医薬品集本文と、索引・識別コード一覧の2分冊となっている。通称「赤ジャピ」。付属CD-ROM あり。普及新版（コンパクト版）あり。
	今日の治療薬 2020 解説と便覧	編集：浦部晶夫、島田和幸、川合眞一	南江堂	2020	個々の医薬品情報を、薬効群ごとに解説している。薬効群ごとに情報提供している。妊婦・授乳婦への危険度や、添付文書外情報なども掲載。
	治療薬マニュアル 2020	監修：高久史麿、矢崎義雄 編集：北原光夫、上野文昭、越前宏俊	医学書院	2020	個々の医薬品情報を、薬効群ごとに解説している。構造式や、適応外情報、臨床解説と便覧情報を掲載。付属の電子版（PC、タブレット、スマートフォン版）あり。
	治療薬ハンドブック 2020 薬剤選択と処方のポイント	監修：高久史麿、編集：堀正二、菅野健太郎、門脇孝、乾賢一、林昌洋	じほう	2020	個々の医薬品情報を、薬効群ごとに総説している。薬剤リストで確認、妊婦への投薬情報や、粉砕可否情報、処方Point、薬剤Pointなども掲載。付録のアプリ（タブレット、スマートフォン）あり。
	ポケット医薬品集 2020年版	龍原徹、澤田康文、佐藤宏樹	南山堂	2019	個々の医薬品情報を、独自の薬効分類ごとに構成。ポイントが簡潔に表現されていることが特徴。
医薬品集（要指導・一般用医薬品）	日本医薬品集 一般薬 2019-20	監修：日本医薬情報フォーラム	じほう	2018	薬局・ドラッグストアで販売されている一般用医薬品、要指導医薬品、配置用医薬品、指定医薬部外品の情報を薬効群ごとに集約、編集して掲載。
	JAPIC 一般用医薬品集 2021	編集：一般財団法人日本医薬情報センター	丸善出版	2020	国内流通の一般用医薬品（要指導医薬品を含む）を網羅し、添付文書情報を編集して情報提供している。通称「青ジャピ」。

分類	書名	編著者	出版社	発行年	概要
医薬品集（その他）	PDR（PRESCRIBERS' DIGITAL REFERENCE）		PDR Network https://www.pdr.net/		PDR（PRESCRIBERS' DIGITAL REFERENCE）の検索サイトで，米国で販売されている医薬品の基本情報を収載．
	AHFS DRUG information 2020		American Society of Health-System Pharmacists (ASHP) https://www.ahfsdruginformation.com	2020	ASHP（アメリカ病院薬剤師会）が監修する米国の処方箋医薬品集．AHFS は American Hospital Formulary Service の略．
	JPDI 日本薬局方医薬品情報 2016	編集：日本薬剤師研修センター	じほう	2016	第十七改正日本薬局方収載の医薬品について，薬物治療，調剤，服薬指導など医療の現場で役立つ情報を，局方医薬品情報集として作成された．
	Micromedex		Truven Health Analytics https://www.technomics.co.jp/database/micromedex.html		医薬品情報集の DRUGDEX，中毒情報の POISONDEX，催奇形性情報の Reproductive Effects，米国の医薬品流通価格の Red Book Online を提供するデータベース．日本ではテクノミック社より提供されている．
	Martindale: The Complete Drug Reference 40th ed.		Pharmaceutical Press	2020	100年以上の歴史がある医薬品の百科事典ともいえる書籍．40カ国の18万以上の医薬品が掲載されている．
	British National Formulary (BNF) 80		Pharmaceutical Press	2020	イギリス医学会と薬学会の共同編集による処方集．
薬理，病態生理	グッドマン・ギルマン薬理書 薬物治療の基礎と臨床 第12版 上下	監訳：高折修二，橋本敬太郎，赤池昭紀，石井邦雄	廣川書店	2013	歴史ある名著であり，薬理学の最も優れた図書としての評価は高い．原著は，Goodman & Gilman's The Pharmacological Basis of Therapeutics.
	カラー図解 症状からわかる病態生理 第2版	監訳：松尾理	メディカル・サイエンス・インターナショナル	2011	イラストが多く，病態生理がわかりやすく解説されている書籍．原著は，Color Atlas of Pathophysiology. 2nd ed.
疾病と薬物治療	今日の治療指針 2020年版 私はこう治療している	総編集：福井次矢，高木誠，小室一成	医学書院	2020	様々な疾患に対する治療方法を網羅した書籍．それぞれの疾患について，専門医が病態と診断，治療方針，処方例を紹介している．特に処方例は，薬品名とその用法用量が具体的に記載されているためわかりやすい．付録のウェブ電子版あり．
	ワシントンマニュアル 第13版	監訳：高久史麿，和田攻	メディカル・サイエンス・インターナショナル	2015	The Washington Manual of Medical Therapeutics 34th ed. の監訳書．世界標準の治療マニュアルとも呼ばれ，主に内科疾患の治療法が掲載されている．

分野	書名／サイト名	発行／著者／アドレス	出版社	発行年	解説
疾病と薬物治療	UpToDate	https://www.uptodate.com/	Wolters Kluwer Health		臨床上のエビデンスが要約されている電子書籍。「アウトカムの向上にに結びつく唯一の臨床意思決定支援リソース」とされ、様々な臨床情報が掲載されている。
	Applied Therapeutics: The Clinical Use of Drugs 11th ed.	Wolters Kluwer		2018	米国の臨床薬学の代表的な書籍。症例検討集。個々の症例に対する検討が記されている。第6版の日本語訳版として、『アプライドセラピューティクス─症例にもとづく薬物治療 1-5』（編：緒方宏泰、増原慶壮、越前宏俊 ほか）が出版されている。
	MSDマニュアル プロフェッショナル版、家庭版	医療従事者向け（プロフェッショナル版 日本語版）：https://www.msdmanuals.com/ja-jp/プロフェッショナル 一般向け（家庭版 日本語版）：https://www.msdmanuals.com/ja-jp/ホーム			世界で信頼度の高い医学書の一つとされるMSDマニュアル（旧：メルクマニュアル）が、オンラインで提供されている。医療従事者向けと一般向けがある。
	東邦大学・医中誌 診療ガイドライン情報データベース	https://guideline.jamas.or.jp/	東邦大学、医学中央雑誌刊行会		東邦大学医学メディアセンターと医中誌が共同で主宰するデータベースサイト。国内で作成、翻訳された診療ガイドラインの情報を検索することができる。
	Minds（マインズ）ガイドラインライブラリ	https://minds.jcqhc.or.jp/n/	日本医療機能評価機構		診療ガイドラインデータベース。質の高い医療の実現を目指して、患者と医療者の双方を支援するために、診療ガイドラインと関連情報を提供している。厚生労働省委託事業として運営されている。
臨床研究・治験	臨床研究実施計画・研究概要公開システム（jRCT）	https://jrct.niph.go.jp/	厚生労働省		医療機関等で実施される臨床研究について、臨床研究法、再生医療等の安全性の確保等に関する法律に基づき、厚生労働大臣等に対して、実施計画の提出などの届出手続を行うためのシステム。臨床研究データベースとして検索することも可能である（5章 p. 69参照）。

副作用、相互作用	重篤副作用疾患別対応マニュアル 1-5 改訂新版	日本医薬情報センター		2007-2011 2019	厚生労働省が「重篤副作用総合対策事業」により作成した「重篤副作用疾患別対応マニュアル」の書籍版。患者、医療関係者に知ってもらいたい副作用について、症状と早期発見・早期対応のポイントがわかりやすく解説されている。PMDAホームページにもPDF版が掲載されている。
	Meyler's Side Effects of Drugs 16th ed.	J. K. Aronson	Elsevier Science	2016	医薬品の副作用、相互作用に関する研究報告をまとめた専門書。姉妹書であるSide Effect of Drug Annualは毎年発行されており、最新情報が収載されている。
	Drug Interaction Facts 2015	Tatro DS	Facts and Comparisons	2014	相互作用の組み合わせごとに1ページにまとめられている。リスクのグレード分類も収載。それぞれ、作用、メカニズム、マネジメント、ディスカッション、引用文献から構成される。
	Stockley's Drug Interactions: A Source Book of Interactions, Their Mechanisms, Clinical Importance and Management	Baxter K, Preston CL	Pharmaceutical Press	2019	相互作用を網羅的に収載。サマリー、臨床におけるエビデンス、メカニズム、重要性とマネジメント、引用文献から構成される。
	薬の相互作用としくみ 新版	編著：杉山正康	日経BP	2016	相互作用をわかりやすく解説している。発現機序別に症例が提示され、回避ポイントなども示されている。
	これからの薬物相互作用マネジメント―臨床を変えるPISCSの基本と実践	監修：鈴木洋史、大野能之、樋坂章博	じほう	2014	PISCSという独自の指標で、臨床試験が行われていないような相互作用についてもリスク評価が行われている。CYP阻害薬、CYP誘導薬のデータ集が特に有用。
妊婦、授乳婦	実践 妊娠と薬 第2版 10,000例の相談事例とその情報	編集：佐藤孝道、林昌洋、北川浩明	じほう	2010	妊娠と薬に関する基本的知識から、薬剤使用のためのポイントをわかりやすく解説している。薬剤危険度を示した点数表示とその根拠情報が示されている。
	薬物治療コンサルテーション 妊娠と授乳 第3版	編集：伊藤真也、村島温子	南山堂	2020	妊娠と授乳に関する基礎知識やポイントを示している。薬効ごとに表形式で、安全、中止などの評価を行っている。

4章 医薬品情報の主な情報源 | 57

分野	書名／サイト名	発行／著者／アドレス	出版社	発行年	解　説
	授乳婦と薬	東京都病院薬剤師会編	じほう	2000	総論では母乳に関する基本的知識を，各論では母乳移行に関する情報や文献の評価情報などを紹介し，影響度を独自基準で示している．
	Medications & Mother's Milk 2019	Thomas W. Hale, Hilary E. Rowe	Springer Publishing	2019	薬剤が ABC 順に並べられ，妊娠や授乳における危険度を5段階で評価している．2年に1回改訂している．
	Drugs in Pregnancy and Lactation 11th ed.	Gerald G. Briggs, Roger K. Freeman	南江堂	2017	妊娠や授乳に関する薬剤の投与可否情報がまとめられた書籍．母乳や乳児に与える影響などが掲載されている．
	LactMed	https://www.ncbi.nlm.nih.gov/books/NBK501922/			米国立医学図書館（U.S. National Library of Medicine）の授乳中の服用薬に関するデータベース．アプリ版あり．
腎機能，肝機能	腎機能別薬剤投与量 POCKETBOOK 第3版	編著：日本腎臓病薬物療法学会	じほう	2020	腎機能低下，透析時の薬剤使用方法について網羅的に掲載されている．
	透析患者への投薬ガイドブック 第3版	編著：平田純生，古久保拓	じほう	2017	腎不全，透析時の薬剤使用方法について網羅的に掲載されている．総論で「透析と薬物治療」について，データ編で様々な薬剤の透析患者への投与方法，保存期腎不全患者への投与方法が網羅的に掲載されている．
	肝機能低下時の薬剤使用ガイドブック	監修：石井公道，編集：矢後和夫，佐川賢一	じほう	2004	肝機能低下時の薬剤投与に関する情報集．添付文書情報や文献情報をもとに代謝・排泄，肝機能低下時の投与量，使用上の注意などが掲載されている．
調剤，製剤	第十四改訂 調剤指針	編集：日本薬剤師会	薬事日報社	2018	調剤技法の教本として作成された調剤業務における必携書．調剤の概念を明確にし，指針・解説・付録の3部構成となっている．第十七改正日本薬局方に準拠．
	錠剤・カプセル剤粉砕ハンドブック 第8版	監修：佐川賢一，木村利美，編集：佐川賢一，伊東俊雅	じほう	2019	錠剤粉砕や，脱カプセルに関する情報集．調剤可否を示し，医薬品の安定性情報や，有効性の変化情報，味覚に関する情報などを掲載．
	内服薬経管投与ハンドブック 第4版	監修：藤島一郎，倉田なおみ	じほう	2020	簡易懸濁法による調剤の情報集．粉砕可否，経管投与の適否，最小通過チューブサイズ，水での崩壊状況，破壊開封後の水での崩壊状況などの情報を掲載．

分類	書名	監修・編集	出版社	年	内容
	注射薬調剤監査マニュアル 2018	監修：石井伊都子 編集：注射薬調剤監査マニュアル編集委員会	エルゼビア・ジャパン	2018	注射薬の安定性、配合変化に関する情報集。pH変動情報や配合変化例などを、注射薬の製品名順に掲載。
	病院薬局製剤事例集	監修：日本病院薬剤師会	薬事日報社	2013	全国の250床以上の病院での病院薬局製剤に関する調査結果を元に編集された病院薬剤師が網羅的に掲載されている。日本病院薬剤師会による「院内製剤の調整及び使用に関する指針」（平成24年7月制定）を掲載し、この指針に基づいた人体への影響に応じたクラス分類（Ⅰ〜Ⅲ）を掲載している。
感染症	日本語版 サンフォード感染症治療ガイド 2020（第50版）	監修：橋本正良、菊池賢、 編集：David N. Gilbert, Henry F. Chambers, Michael S. Saag	ライフサイエンス出版	2020	感染症治療のバイブルともいわれる書籍。様々な感染症について、診断、原因菌、治療選択などが掲載されている。原著はThe Sanford Guide to Antimicrobial Therapyで、毎年改訂されている。
	薬物動態学と薬力学の臨床応用	監訳：篠崎公一、平岡聖樹、渋谷正則、鈴木昭之	メディカル・サイエンス・インターナショナル	2009	Applied Pharmacokinetics & Pharmacodynamics 4th ed. の監訳書。薬物動態学と薬力学を解説し、TDMを理解、実践するために薬物ごとに解説したテキスト。
服薬指導	薬効別 服薬指導マニュアル 第9版	監修・編集：田中良子、編集：木村健	じほう	2018	服薬指導書として広く使用されている。薬効群ごとに、指導のポイントを患者向け、薬剤師向けに掲載している。
厚生労働省、PMDA、その他公共機関からの情報	厚生労働省				https://www.mhlw.go.jp/ 厚生労働省が公表する情報など。「新着情報配信サービス」に登録すると、新着の掲載情報が毎日電子メールで届く。
	独立行政法人医薬品医療機器総合機構（PMDA）（表4-11参照）				https://www.pmda.go.jp/ 添付文書情報、安全性情報、医療安全情報など、薬剤師にとって基本的に把握しておかなければならない情報が掲載されている。2015年3月まで「医薬品医療機器情報提供ホームページ」として運用されてきたが、「PMDAメディナビ」に統合された。PMDAホームページに登録すると、安全性情報や承認情報などが電子メールで届く。
	日本薬剤師会				https://www.nichiyaku.or.jp/ 「薬剤師のためのドーピング防止ガイドブック」は、毎年更新されるドーピングに関する情報を元に作成されている。また、会員向けには医薬品の評価情報なども掲載されている。

4章 医薬品情報の主な情報源

分野	書名／サイト名	発行／著者／アドレス	出版社	発行年	解説
	日本病院薬剤師会	https://www.jshp.or.jp/			薬剤師による副作用回避の「プレアボイド」の事例が、会員向けページに「プレアボイド優良事例」として掲載。「プレアボイド広場」は会員でなくても閲覧可能。
	東京都薬剤師会	http://www.kenshoku-toyaku.jp/			健康食品データベースを掲載。特定保健用食品などが検索可能。
	FDA（Food and Drug Administration）	https://www.fda.gov/Drugs/			米国の医薬食品局。医薬品の許認可に関する情報や、安全性情報などを掲載。
	CDC（Center for Disease Control and Prevention）	https://www.cdc.gov/			米国疾病管理センター。感染症などの情報を豊富に掲載。
	国立感染症研究所	https://www.nih.go.jp/niid/ja			日本の感染症研究所。感染症の流行動向や、対策などの情報を掲載。
	日本ワクチン産業協会	http://www.wakutin.or.jp/medical/	アルフレッサ		予防接種に関するQ&A集、ワクチンの基礎などを掲載。
その他（医薬品の検索に有用なウェブサイト）	SAFE-DI	https://www.safe-di.jp/			添付文書情報、改訂情報、薬価情報などのデータベース。相互作用マトリックスで、相互作用検索（禁忌、慎重投与）が可能。新製品情報では、薬価収載前の医薬品の情報が入手できる。また、JAPICの文献検索サービスPharma crossも利用可能。
	安心処方infobox	https://anshinshoho.ims-japan.co.jp/	IQVIAジャパン		添付文書情報を元に、副作用サーチ、相互作用サーチが利用可能。実践例、くすりの基礎知識などの情報も豊富。アプリ版あり。
	医中誌Web、医中誌パーソナルWeb	https://www.jamas.or.jp/	医学中央雑誌刊行会		医学中央雑誌刊行会が運営する国内医学論文のデータベース。
	PubMed	https://www.ncbi.nlm.nih.gov/pubmed	米国国立医学図書館		米国国立図書館（NLM）内の、国立生物科学情報センター（NCBI）が作成しているデータベース。PubMed内に医学文献データベースとしてMEDLINEがあり、これらを含めて様々な文献検索が可能。
	CiNii（NII学術情報ナビゲータ［サイニィ］）	https://ci.nii.ac.jp/	国立情報学研究所		国立情報学研究所（NII）が運営する、文献データベース。論文、図書、雑誌・博士論文などの学術情報を検索できる。

表4-11. 製薬企業，厚生労働省，PMDA などから発出される医薬品情報
主に PMDA ホームページより

情報名	作成機関	概要	備考
医薬品添付文書（医療用医薬品）	製薬企業	医薬品医療機器等法で規定された公的文書。医薬品の適正使用に必要な品質，有効性，安全性に関する最新かつ正確な情報が集約されている基本文書。承認されるまでの情報に基づいて作成され，製造販売後の副作用や感染症に関する情報および調査等で得られた医薬品情報により，随時改訂される。	各製薬企業のホームページにも掲載。
医薬品インタビューフォーム	製薬企業	添付文書を補完した情報源。日本病院薬剤師会が作った記載要領を元に，薬剤師等の情報提供のために当該医薬品の製薬企業に作成および提供を依頼している学術資料。	各製薬企業のホームページにも掲載。
患者向医薬品ガイド	製薬企業	添付文書を元に作成された患者向けの服薬指導書。添付文書は医療関係者向けに作成されているが，それを要約し，患者や家族が医薬品を使用するときに特に知ってほしいことを，わかりやすく記載している。	
ワクチン接種を受ける人へのガイド	製薬企業	患者向医薬品ガイドと同様に，ワクチン接種を受ける人や家族向けに，ワクチンの正しい理解と，重大な副反応，副反応の早期発見などを目的として，添付文書を元にわかりやすく記載している。	
くすりのしおり	くすりの適正使用協議会（内容は各製薬企業が作成）	患者向けの服薬説明指導書に位置付けられる情報媒体。くすりの適正使用協議会が定めたフォーマットに従って作成され，印刷するとおおむね A4 サイズ 1 ページとなる。	「くすりのしおり」ホームページ（くすりの適正使用協議会）。PMDA ホームページからはリンクされている。
医薬品リスク管理計画（RMP：Risk Management Plan）	製薬企業	医薬品の開発から市販後までのリスク管理（副作用情報）をまとめたもの。重要な特定されたリスク，重要な潜在的リスク，重要な不足情報が掲載されている（詳しくは3-8. 参照）。	2013年4月より運用されている。
医薬品添付文書（要指導医薬品・一般用医薬品）	製薬企業	医療用医薬品の添付文書と同様に，医薬品医療機器等法で規定されているため，一般消費者が読むことを想定して作成されている。「してはいけないこと」「相談すること」などの用語が用いられ，デザインも見やすくわかりやすい内容となっている。	
審査報告書	PMDA	その医薬品が承認されるまでに行われた審査の内容が公開されている。一部，製薬企業が公開できないと判断した情報は，マスキング（黒塗り）して公開されている。	

情報名	作成機関	概要	備考
申請資料概要	製薬企業	その医薬品が厚生労働省に申請されたときの資料。資料全体は数百ページにわたるものが多い。一部、製薬企業が公開できないと判断した情報は、マスキング（黒塗り）して公開されている。	
緊急安全性情報（イエローレター）	製薬企業	緊急に安全性上の措置をとる必要がある場合に発出される。赤枠を付した黄色用紙に「緊急安全性情報」の文字が赤字・黒字で記載される（発出の要件・伝達については14-2-2.参照）。	患者向けも作成される。各製薬企業のホームページにも掲載。
安全性速報（ブルーレター）	製薬企業	緊急安全性情報に準じ、一般的な使用上の注意の改訂情報より迅速な安全対策措置をとる場合に発出される。青色用紙に「安全性速報」の文字が黒字で記載される（14-2-2.参照）。	患者向けも作成される。各製薬企業のホームページにも掲載。
回収情報	製薬企業	医薬品や医療機器等の回収（リコール）情報。そのリスクの程度によってクラスⅠからクラスⅢに分類される。クラスⅠは、その製品の使用等が、死亡または重篤な健康被害の原因となり得る状況をいう。クラスⅡは、その製品の使用等が、一時的なもしくは医学的に治癒可能な健康被害の原因となるおそれがある状況、またはその製品の使用等による重篤な健康被害のおそれはまずえられない状況をいう。クラスⅢは、その製品の使用等が、健康被害の原因となるとはまずえられない状況をいう。	
医薬品に関する評価中のリスク等の情報	PMDA、厚生労働省	PMDA、厚生労働省等の改訂等に繋がりうると注目されているリスク情報や、外国規制当局や学会等が注目し厚生労働省やPMDAが評価した医療機器の使用上の注意の改訂情報。	
「使用上の注意」の改訂情報	厚生労働省	製薬企業に指示した使用上の注意の改訂情報。	
医薬品・医療機器等安全性情報	厚生労働省	厚生労働省において収集された副作用情報を元に、より安全な使用を目指して、医薬関係者に対して情報提供される。おおむね1カ月ごとに発行される。	月1回（年10回）発行。
医薬品安全対策情報（DSU：Drug Safety Update）	日本製薬団体連合会	医療用医薬品添付文書の使用上の注意の改訂部分とその理由を、情報の重要度別にまとめたもの。	月1回（年10回）発行。
医薬品適正使用情報	製薬企業	これまでに添付文書などに記載されていて、適正使用をお願いしてきているにもかかわらず、同様の事象が繰り返し見られている事例などについて情報提供される。	

情報名	作成機関	概要	備考
ジェネリック医薬品の品質等に関する情報	厚生労働省	ジェネリック医薬品質検討会の情報や、薬品品質情報としてまとめたもの、後発品の品質情報など、「後発医薬品の品質情報」として、後発医薬品の使用に際し有用な情報を提供することを目的に、厚生労働省が発行している。	
重篤副作用疾患別対応マニュアル	厚生労働省	重篤な副作用について、判別法や治療法などについて解説されている。「A. 患者の皆様へ」と「B. 医療関係の皆様へ」により構成している。	
副作用が疑われる症例報告に関する情報	厚生労働省	製薬企業や医療機関から報告された医薬品の副作用症例を掲載。報告された副作用がホームページに掲載されている。また、そのデータをCSV形式でダウンロードすることができる。	掲載様式は通称ラインリストと呼ばれている。
公知申請情報	PMDA、厚生労働省	「医療上の必要性の高い未承認薬・適応外薬検討会議」で公知申請の事前評価が終了した医薬品を、その事前評価が終了し公知申請に係る事前評価が終了し、薬事承認上は適応外であっても保険適用の対象となる医薬品として掲載している。	
医療安全情報	PMDA	集積されたヒヤリ・ハット事例や、副作用・不具合報告の中で、特に重要なものを「PMDA医療安全情報」として掲載。また、ヒヤリ・ハット事例などをデータベースとして検索することが可能。	

インターネットで入手できない情報源

情報名	作成機関	概要	備考
医療用医薬品製品情報概要	製薬企業	医薬品の普及と適正使用の推進を目的とした情報源。製薬協（日本製薬工業協会）が制定した「医療用医薬品製品情報概要等に関する作成要領」に基づき作成される。製品情報概要には、有効性・安全性情報を記載した「製品情報概要」と「特定項目製品情報概要」の2種類がある。製薬協では、各社の作成した情報資材が、医薬品医療機器等法や記載要領に逸脱していないか確認する組織を設けている。	一部の製薬企業はホームページに掲載している。
新医薬品の「使用上の注意」解説	製薬企業	添付文書の「使用上の注意」の項目について、注意の内容とその理由などが解説されている情報源。主に、医薬品が発売される際にのみ作成される。	一部の製薬企業はホームページに掲載している。

演習問題

問1 医薬品情報における一次・二次・三次資料について，それぞれの定義を説明し具体例をあげなさい．

問2 臨床現場における医薬品情報源の活用法について説明しなさい．

問3 医薬品添付文書の種類と内容，それぞれの役割を説明しなさい．

問4 医薬品添付文書の「警告」の記載方法を説明しなさい．

問5 医薬品添付文書の「特定の背景を有する患者に関する注意」について説明しなさい．

問6 医薬品添付文書の「相互作用」に記載されている「併用禁忌」の記載方法を説明しなさい．

問7 医薬品添付文書の「特定の背景を有する患者に関する注意」に記載されている「幼児」の年齢区分の目安は何か．

問8 医薬品インタビューフォームの策定方法について説明しなさい．

問9 医薬品インタビューフォームと医療用医薬品添付文書の違いについて説明しなさい．

問10 後発医薬品のインタビューフォームについて説明しなさい．

5章 医薬品情報の収集と検索

井上 彰・武立啓子

> **学習のポイント**
> ❶ 医薬品情報関連の各種データベースを列挙し，その特徴を述べることができる．
> ❷ 情報検索のプロセスと留意点を説明できる．
> ❸ コンピュータ検索において適切なキーワードを設定し，検索式を作成できる．
> ❹ 代表的なデータベースを適切に検索することができる．

　医薬品情報の情報源には様々なものがあり，また情報量も膨大である．これらの膨大な情報から，必要な情報を効率よく検索・収集する必要がある．現在では，ほとんどの医薬品情報はコンピュータを用いて検索可能となっており，その媒体もインターネット経由で得られることがほとんどである．インターネット経由で得られる情報は，個々のパーソナルコンピュータやスマートフォン，タブレット端末内に保存しているものと比べ，より新しい情報となっていることが多い．情報は時々刻々と更新されるものなので，検索する際にはその情報が最新のものであるように留意する必要がある．

5-1. 情報へのアプローチ

　情報検索とは，コンピュータやあるいは書籍や大量のデータ群から目的に合致したものを取り出すことである．検索の対象となるデータには文書や画像，音声，映像，その他様々なメディアやその組み合わせとして記録されたデータなどが含まれる．検索対象となる情報は，情報の加工度，およびその目的によって，一次資料，二次資料，三次資料がある（4章参照）．
　情報へアプローチをする際に，いきなり原著論文などの一次資料を探すより，専門書などの質のよい三次資料を探し評価を行う方が効率のよい場合がある．問題解決にいたらない場合，あるいはその他の最新情報が必要な場合には二次資料を用いて一次資料を探し，評価を行う．これでも解決できない場合に，Googleなどの検索エンジンを用いた検索を行うと効率がよい．

5-1-1. 二次資料とデータベース

　二次資料は，原著論文などのオリジナルの根拠となる一次資料を要約したものである．多くの場合，インデックス（キーワード）を付与することで検索が可能となっている．

医療および医薬品関係では文献データベースを指すことが多い．代表的な文献データベースと情報検索システムを以下に示す．情報検索システムは，データベースとデータベースを検索し結果を表示するインターフェースや，検索アルゴリズムなどで構成され，多くはウェブブラウザから利用できるようになっている．

①PubMed： 米国国立医学図書館（NLM; National Library of Medicine）内のNCBI（National Center for Biotechnology Information）が作成・提供する情報検索システムであり，インターネット上で無料公開されている．PubMedのメインコンテンツはNLMが作成する医学文献データベースMEDLINEで，全世界の医学・薬学に関連するライフサイエンスに関連する雑誌の内容を含む．なおPubMedとMEDLINEの違いはボックス（68頁）参照のこと．

②Embase（エンベース）： Elsevier社が作成・提供する情報検索システムであり，薬学・医学関連分野の文献データベースEMBASEと上記MEDLINEの2大データベースが統合されている．EMBASEは全世界の医学・薬学に関連する雑誌と学会抄録の内容を含み，データベースの特徴として医薬品や医療機器に充実したインデックスを持つ．

③医中誌Web： 特定非営利活動法人医学中央雑誌刊行会が作成・提供している日本の医学，歯学，薬学，看護学など医学関係全般の雑誌や会議録を網羅した情報検索システムである．EBMへの対応を考慮した原著論文への研究デザインのタグ付けや，ガイドラインの情報なども含む．

④iyakuSearch： 一般財団法人日本医薬情報センター（JAPIC; Japan Pharmaceutical Information Center）が作成・提供している医薬品に特化した情報検索システムである．日本の雑誌や学会の記事を収録した文献データベースの他に，医療用・一般用医薬品添付文書データベースなど医薬品に関連する様々なデータベースがある．

⑤JMEDPlus（ジェイメドプラス）： 文部科学省所管の国立研究開発法人科学技術振興機構（JST; Japan Science and Technology Agency）が作成する日本の医学，薬学，歯学，看護学などの雑誌，会議録などの文献情報を収録した文献データベース．情報検索システムはジー・サーチ社が提供する科学技術文献情報データベースJDream Ⅲである．

⑥CiNii Research（サイニィリサーチ）： 国立情報学研究所（NII; National Institute of Informatics）が運営する情報検索システムである．学術論文や研究紀要，大学図書館などの所蔵する書籍や雑誌，博士論文，研究データなどが無料で検索できる．書籍や雑誌は蔵書のある図書館リストを一覧することが可能であり，OPAC（蔵書検索・申込システム）へのリンクがあるものについては，個々の図書館の蔵書状況を一覧できる．

⑦J-STAGE： JSTが運営する電子ジャーナルの無料公開システムであり，医学，

キーワード 一次資料，二次資料，三次資料，インデックス

薬学系および工学系ジャーナルを中心に，自然科学および関連する人文科学，社会科学分野の雑誌を収録している．

> **ボックス**
>
> **文献データベースの使い分け**
>
> 文献データベースには，収録している情報や内容が一見すると同じようなものが複数ある．文献データベースごとに得意とする情報の収集・登録しているデータの特徴はそれぞれ異なる．同じような検索テーマで検索を行っても文献データベースによって得られる結果は異なる．インターネットから誰でも利用可能なものから，利用契約が必要なものなど，様々であり，利用できる情報源に限りがある場合もある．1つの情報源から検索結果が得られなかった場合，利用可能なほかのデータベースを調査すると，新たな結果が得られることもある．

5-1-2. 三次資料とデータベース

　三次資料は，多くの研究論文の情報を編集・加工した教科書や専門書，医薬品添付文書，医薬品インタビューフォーム，診療ガイドラインなどであり，電子データベース化されているものも多い．代表的なものを以下に示す．

①DRUGDEX： 米国IBM社が制作し，日本ではテクノミック社が販売するエビデンスに基づく医薬品情報データベースである．

②UpToDate： Wolters Kluwer社の提供する臨床意思決定支援の電子書籍であり，エビデンスに基づく推奨事項と最新の医療情報を融合している．

③The Cochrane Library： 英国で始まったコクラン共同計画（The Cochrane Collaboration）が，治療や予防に関する複数の無作為化臨床試験を中心にまとめた系統的総説（systematic reviews）の結果を収載し，エビデンスの明らかな情報を提供している．

　また大きな意味では，診療ガイドラインを三次資料とみなすことができる．海外のものでは米国の提供するNational Guideline Clearinghouse（NGC）が多くの診療ガイドラインを収載していたが，現在はThe Alliance for the Implementation of Clinical Practice Guidelines（AiCPG）がNGCのサマリーアーカイブを公開している．日本では各関連学会および公益財団法人日本医療機能評価機構のEBM普及推進事業としてのMinds（マインズ）ガイドラインライブラリや東邦大学・医中誌診療ガイドライン情報データベースなどで必要なガイドラインを探すことができる．

5-1-3. その他のデータベース

　上記のほかに，研究機関がその知的生産物を電子的形態で集積し保存・公開するために設置する電子アーカイブシステムである機関リポジトリ（貯蔵庫）などがある．NIIが運営する学術機関リポジトリデータベースIRDB（Institutional Repositories Data

Base）などを使用して横断的な検索ができる．また医薬品に関しての情報調査では，添付文書やインタビューフォーム，リスク管理計画（RMP）などを医薬品医療機器総合機構（PMDA）のウェブサイト内から横断的に検索することで，必要な情報にたどり着くことが可能な場合もある．また，これらのような体系化がなされていないインターネット上の情報は，場合によっては検索エンジンを用いて探す必要があるが，情報の質・内容は様々であり，利用にあたっては特に注意を必要とする．

ボックス

PubMed と MEDLINE の違い

PubMed と MEDLINE はよく混同される．電子辞書にはたくさんの辞書やコンテンツが搭載されていて，単語を検索すると様々な辞書やコンテンツの結果を参照することができる．PubMed を電子辞書の本体，MEDLINE を辞書と考えるとわかりやすいかもしれない．

PubMed には，MEDLINE という文献データベースが搭載されている．そのほかに，MEDLINE には収録されていない雑誌の論文の情報や，書籍の情報を含む．また NCBI が作成・提供している PMC（旧称 PubMed Central）や BLAST（Basic Local Alignment Search Tool）といったデータベースや，Genomes や PubChem といったリソースと使いやすいように連携が取られている．

電子辞書の機種やメーカが違うと，搭載している辞書の数や種類，機能が違う場合がある．MEDLINE は PubMed 以外にも，Embase や J-Dream III，Web of Science や Ovid SP などの様々な検索システムに搭載されており，機能や特徴は様々である．大学や施設などで利用可能な場合には，PubMed と使い比べてみるとよい．

5-2. 情報検索の種類

5-2-1. 事実検索

特定の事柄に関するデータや事実そのものを求めるものである．医薬品名，構造式，医薬品のプロファイル，臨床試験，構造式，毒性値などを検索するもので，情報源としては三次資料に相当する各種辞典やハンドブックなどが手軽に利用できるが，インターネット上にも有用なサイトがある．特に臨床試験の情報では以下のものがよく用いられる．

①ClinicalTrials.gov： 米国国立衛生研究所（NIH; National Institute of Health）と FDA が共同で治験と臨床研究の情報を提供するデータベースで，研究テーマ，研究の状態，結果，研究の方法，地域，年齢，性別，フェーズ（相），資金源などで絞り

キーワード　事実検索

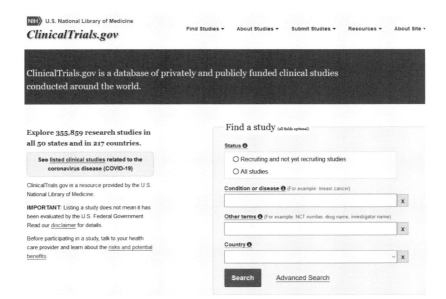

図 5-1．ClinicalTrials.gov の検索画面

込むことが可能である（図 5-1）．

②jRCT： 厚生労働省が 2017 年 4 月施行の臨床研究法により新設した臨床研究データベース（Japan Registry of Clinical Trial）．臨床研究実施計画番号，研究の種別，実施医療機関，進捗状況，研究の名称，対象疾患名，選択基準，医薬品等・再生医療等に用いる細胞などから検索が可能である．

jRCT が新設される前には，日本には以下の③〜⑤の 3 つの臨床試験レジストリに主に治験実施者ごとに登録先があった．現在では臨床研究法に基づく治験などの臨床研究に関しては jRCT に登録されるため，jRCT 登録以前の臨床試験情報を調べることができる．

③UMIN-CTR： UMIN 臨床試験登録システム（UMIN Clinical Trial Registry）．臨床試験の対象疾患名，疾患区分試験進捗状況，年齢，性別，実施責任組織，研究費提供組織，組織の区分，試験のフェーズ（相），UMIN 試験 ID または他機関から発行された試験 ID，試験実施地域，試験の種類，自由記載語などでの検索が可能である．アカデミア主導の臨床試験が多い．jRCT の新設以降は，臨床研究法に基づく臨床研究を除いた試験が登録される．

④JapicCTI： JAPIC が提供する臨床試験情報（Clinical Trial Information）．JapicCTI-No.，組織名，疾患名，試験薬剤名，薬効分類，試験進捗状況，試験タイプ・フェーズ（相），性別，言語，全文などでの検索が可能であり，企業からの登録が多い．jRCT の新設により新規登録は停止されている．

⑤日本医師会臨床試験登録システム： 登録済み臨床試験検索画面から検索でき，フリーワード，試験簡略名，対象疾患名，参加者募集状況，試験の進捗状況，地域，年

齢，性別，フェーズ（相），実施責任組織などでの絞り込みが可能である．医師主導臨床試験が多い．jRCTの新設により新規登録は停止されている．

なお，インターネット上の情報は絶えず変化しており，新たな情報源などが頻繁にリリースされているので，上記の情報源以外にも有用なものがでてきていないか，定期的にチェックしておく必要がある．

5-2-2. 文献検索

特定の主題に関する文献や特定の著者の文献とその書誌事項（著者名，文献主題，出典など）を求める．現在ではPubMedなどのインターネットを利用した文献検索が主流である．PubMedには，標題や著者抄録，書誌事項を検索し閲覧でき，文献によっては検索結果の画面から電子ジャーナルへリンクされ全文（フルテキスト）が見られるものもある．5-4.ではPubMedを用いた検索事例を紹介する．文献の全体を対象として検索する場合はフルテキストサーチという．PMC（旧称PubMed Central）は600万件以上の論文のフルテキストの検索と論文の閲覧が可能である．

5-2-3. 遡及検索

遡及検索とは，必要な情報を過去の文献の中から探し出す作業になる．自分の研究テーマに関連する文献を広く収集する作業や，特定の臨床上の問題に対する回答を得る，などがある．文献データベースの検索では，検索語の設定（検索語の選択，誤り），データベースの収録対象の雑誌や文献の制約，収録対象期間（収録を開始・終了した時期，収録までの登録にかかるタイムラグ），収録対象の範囲内でも，そもそも収録に漏れがある，など検索漏れの問題がある．学術論文の検索において網羅的に文献を収集しようとする場合，文献データベースを検索するだけでなく，その他の資料（5-1-2. 三次資料とデータベース）も調査する必要がある．遡及検索をする際には網羅性と迅速性のどちらが優先事項かを考え，迅速性が求められる場合は，網羅性をある程度でとどめておく必要がある．

5-2-4. 逐次検索

調査・研究テーマに関連のある文献，とりわけ逐次刊行物（雑誌・電子ジャーナルなど）を定期的にチェックする方法である．ある程度の期間にわたって研究を行う場合には必須の作業となる．自分の研究領域に関する重要な雑誌などを特定し，その最新号を常にチェックする方法と，新刊書・新着雑誌を一通りチェックする方法が考えられる．こうした最新動向調査の作業には，自分の調査・研究テーマに関する最新文献を見落とさないためだけではなく，新しいテーマを見つけるためのブラウジング（閲覧）の要素もある．最近のデータベースでは，SDIサービス（Selective Dissemination of Informa-

---

キーワード　文献検索，遡及検索，逐次検索

tion Service，特定の検索式を定期的に実行し，新規の文献等の情報を提供する）がほとんどなので，これらを利用することも可能である．PubMed では検索式を登録することで，定期的に登録した自分のメールアドレスに検索した新しい結果を配信する機能もある．

5-3. 情報検索のプロセス

情報検索には，自らの関心から情報を検索するいわゆる能動的検索と，他者からの質問や依頼を受けて検索する受動的検索がある．以下に質問や依頼に基づく受動的な情報検索のプロセスを順に示す．
　①検索すべき主題の理解と確認
　②検索範囲の決定
　③検索手段と情報源の選定
　④キーワードの設定
　⑤検索式の作成と検索の実行
　⑥検索結果の評価・検討
　⑦情報提供
　⑧追跡調査

5-3-1. 主題の理解と確認

質問を受けた場合には「何が求められているのか」をまず的確に把握する必要がある．質問者自体が問題の本質について理解していない場合は，よくコミュニケーションをとった上で，質問の本質を整理し，相手に確認することが重要である．

5-3-2. 検索範囲の決定

情報検索するにあたっては，検索する情報の詳細度や鮮度，求められている迅速性を明確にして検索範囲を決定する．
　①情報の詳細度： どの程度詳しい情報が必要なのか，情報の深度・詳細度のレベルを明確にする．副作用に関する情報であれば，医療用医薬品添付文書の記載内容の副作用の発生の有無やおおよその発生頻度などの基本的な内容でよいのか，一次資料である原著論文に記載されているような副作用発現までの経緯や発生機序などの詳細な情報が必要なのかを明確にする．
　②情報の網羅性と精度： 関連した情報を漏れなく探し出す網羅的検索が必要なのか，少数でも的を射た精度のよいものであればよいかを明確にする．
　③情報の鮮度： 逐次検索の対象となっている最新情報が必要なのか，遡及検索の対象となる一定期間過去に遡った網羅的な情報が必要になるのかを明確にする．

5-3-3. 検索手段と情報源の選定

　目的に合致する情報を検索するためには，身近な情報源をマニュアルで検索するのがよいのか，遡及検索を文献データベースで行うべきか，自分の置かれている環境をふまえ検討する．

　検索手段の検討と同時に，各種情報源の中から検索目的にかなう最適なものを選定する．このためには身近に整備している書籍や雑誌，文献データベースを含む二次資料などの情報源あるいはインターネット上の様々な情報源の内容や特徴，検索方法をあらかじめよく把握するなど，各種情報源に精通していなければならない．その上で，検索目的と現在の検索環境をふまえて利用可能な情報源を選定する．したがって検索目的により選定する情報源が決定される．

　情報源を選定する際の手順としては，たとえば，ある医薬品の副作用を検索するのであれば，①医薬品の基本情報が得られる添付文書ならびに医薬品インタビューフォームの調査に始まり，情報内容が不十分であれば，②三次資料である医薬品集・専門書籍，DRUGDEX や UpToDate などを調べ，それでも不十分な場合には，③二次資料である文献データベースを検索し，④最終的には最も詳細な一次資料の原著論文などを調べるなど，情報内容が次第に深くかつ詳細になるように，段階的に情報源を選定して検索していくのが効率的である．

ボックス

情報が検索できる仕組み

情報が電子媒体で提供されるようになり，インターネットを通して機械で検索できるようになっているものがほとんどである．二次資料をデータベースとして検索可能にしているサイトあるいはサービスでは，元データを検索可能なようにインデックス化という作業を行っており，タイトル，書誌事項，著者，抄録など個々の情報の特性に合わせ，フィールドと呼ばれる器に個々の情報が入っている．また，元のデータにはないが，検索するための利便性を向上させるためのキーワードも付与されている．データベースを検索する際は，これらのフィールドを指定し，またデータベースで体系化されたキーワードを用いて検索することにより，より効率のよい検索ができる．

一方，情報入手から情報の提供までの期間には，どうしてもタイムラグが生じるため，検索の目的に応じた戦略をたてる必要がある．緊急を要する場合，概略がつかめればよい場合，精緻な検索が必要とされる場合などによって検索の戦略は異なる．

5-3-4. コンピュータ検索におけるキーワードの設定

　主題分析から抽出した概念（検索したい内容）について，該当する検索語，一般にはキーワードを設定する．文献データベースでは一般的な Web 検索と同様に，検索した

い自由な単語（フリーワード）による検索が可能である．フリーワード検索では同意語や同義語など単語の揺らぎ（シノニム）の影響を受けやすい．文献データベースの検索では，シソーラス（ボックス参照）というキーワード集を利用すると最適な用語（統制語）を設定できる．シソーラスによって用語の関係および定義が明確に示されるため，検索に使用する統制語を確定することができる．精度を高く検索したい場合は，検索している文献データベースのシソーラスを確認し検索語の統制語を用いて検索することにより，より精度の高い検索が可能となる．多くの文献データベースでは，フリーワード検索を行った場合，入力されたフリーワードから検索システム側で最適なシソーラスの統制語も自動的に検索語に含めて検索する機能（マッピング）を持つ．マッピング機能がある文献データベースでは，検索する人がシソーラスや統制語の内容に精通していなくても，思いついたフリーワードから検索結果を得やすいように調整されている．

> **ボックス**
>
> **シソーラスとは**
>
> データベースを検索するために，約束ごとに基づいて使用されている統制語（ディスクリプタ）を集めたキーワード集で，同義語や同意語を体系的に関連づけ，1つの用語に置き換えるための辞書としての役割をもっている．たとえばアスピリンを検索するとき，同意語にはアセチルサリチル酸やAspirinやAcetylsalicylic Acidなど複数ある．あるシソーラスではアスピリンの統制語はAspirinを使うように定めている．このシソーラスを使った文献データベースではAspirinを検索することで，日本語名や同義語の揺らぎの影響を少なく検索することができる．ツリー化された階層構造になっているため，上位概念や下位概念を確認してニーズにあった用語を選択する必要がある．シソーラスはデータベースによって異なるため，データベースごとに確認する必要がある．

5-3-5. 検索式の作成，検索の実行

　主題の中に主要概念に該当するキーワードが複数存在する場合，それらを組み合わせたり，条件を加えたりすることがある．このときに集合の論理を用いて，キーワードの組み合わせを論理演算子により論理式で表現したものを検索式という．基本的な演算子として，「論理積」（AND），「論理和」（OR），「論理差」（NOT）の3種類がある（表5-1，図5-2）．さらに括弧を使うことにより，演算子内での優先順位をつけることができる．スペースで区切られた用語間はAND検索される．

　検索画面にフリーワードを入力し検索することで，フリーワードを含む文献を検索することができるが，さらに精度の高い検索方法として，先のシソーラスで採用している統制語を用いた検索ができる．統制語を使わないと，各論文に使用されている用語が統

キーワード　シソーラス，統制語，論理演算子

表 5-1. 検索に用いる論理演算子

	論理演算子	英語表現	論理式	意味
論理積	＊	AND	A＊B	AとBを含む
論理和	＋	OR	A＋B	AかBを含む
論理差（否定）	−	NOT	A−B	Bを除く

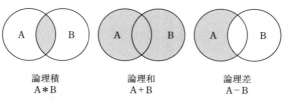

図 5-2. 検索論理模式図

一されていない場合，網羅的検索をするのに大変な労力を必要とする．逆に統制語をうまく使うことで効率のよい検索が可能である．統制語とフリーワードを組み合わせて検索することも可能である．

　複雑な論理演算を行う場合は検索履歴を使った検索を行うとよい．たとえば，最初に医薬品名を検索し，次に副作用名検索を行って，2つの検索履歴を論理演算子で組み合わせて検索することもできる．検索結果が少ない場合には，医薬品名や副作用名の検索式の検索語の追加や変更を行う．検索結果が多い場合には，研究の種類（症例報告，臨床試験，動物実験など）や使われる疾患名など，検索したい概念に対応した検索式を追加するとよい．検索したい概念ごとに検索式を分けておくことで，検索語の調整が行いやすく，検索式の誤りを防ぐことにもつながる．

　以上で検索結果を得ることができるが，それらの検索結果の評価・検討（6章，10章参照）を経て，質問者や依頼者へ情報提供を行うことになる．そして最終的には提供した情報によってどのような成果が得られたか，あるいは問題はなかったかなど，可能なかぎり追跡調査を行い，フィードバックに努めることによって，情報検索のプロセスを終えることになる．

5-4. PubMed を用いた検索例

　PubMed では，論文のタイトルや著者抄録，雑誌名や巻号，著者名などの元々の論文に含まれている情報の他に，シソーラスとして MeSH（メッシュ）用語を大部分の各論文に付与している（77頁ボックス参照）．この MeSH は著者抄録だけではなく，論文のフルテキストの内容から論文が論じている内容に基づき 10～15 語程度付与される．図 5-3 に胃がんの MeSH 用語 'Stomach Neoplasms' の階層構造を示す．下位の階層を選ぶとより限定された検索結果が得られ，逆に広く拾いたい場合は上位の概念のものを

キーワード 網羅的検索

```
            All MeSH Categories
              Diseases Category
                Neoplasms
                  Neoplasms by Site
                    Digestive System Neoplasms
                      Gastrointestinal Neoplasms
                        **Stomach Neoplasms**
```

図 5-3. MEDLINE のシソーラス MeSH の階層構造

図 5-4. PubMed のトップ画面（検索画面）

図 5-5. Cellcept をキーワードとした PubMed 検索結果

選ぶ．MeSH には同義語や関連語を表すエントリーターム（Entry Terms）が設定されている．5-3-4. に登場するマッピング機能が PubMed にも搭載されており，MeSH を意識して検索しなくても，エントリータームにある用語を検索語として用いれば MeSH も同時に検索される（Auto Term Mapping）．

　実際に PubMed を使ってみる．図 5-4 は PubMed のトップ画面となる．一般的な Web 検索サイトと同じように，検索ボックスに検索したいキーワードを入力し Search をクリックすれば，すぐに検索結果が得られる．

　図 5-5 は免疫抑制薬セルセプト®（Cellcept）をキーワードとした PubMed の検索結果の画面である．マッピングされた検索式は検索ボックス下の「Advanced」から確認できる．図 5-6 は「Advanced」から表示される PubMed Advanced Search Builder（詳細検索）の画面である．①にキーワードを入力し，②のボタンで AND・OR・NOT

図5-6. PubMed Advanced Search Builder と History and Search Details の画面

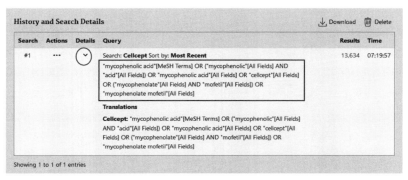

図5-7. マッピング機能により実際に検索された検索式の詳細表示（□内）

の選択をクリックすると，③に①で入力したキーワードの検索式が作られる．①にキーワードを入れ，②を繰り返すことで複数のキーワードを並べることもでき，また③に直接入力して編集することもできる．④は③の検索式で実際に検索を行うボタンで，初期表示のSearchを選ぶと，図5-5のような検索結果画面が表示される．Add to Historyを選びクリックすると，⑤のHistory and Search Details（履歴と検索詳細）に検索した結果の件数が表示される．

図5-7は，Detailsの∨をクリックして，実際にPubMedが検索した検索式となったマッピング結果を表示している．MeSH用語である'mycophenolic acid'も表示されているため，cellceptとOR検索されていることがわかる．この検索式にMeSH用語が表示されていない場合はマッピングされていない可能性がある．医薬品名から検索する場合は，商品名よりも一般名で検索を行うことで，MeSH用語へのマッピングはされやすい．MeSH用語は、PubMedのトップページ右下のExploreに表示されているMeSH Databaseから検索することでMeSH用語そのものを検索・確認できる．

> **ボックス**
>
> **MeSH（メッシュ）とは**
>
> Medical Subject Headings の略で MEDLINE データベースのシソーラスである．医学や薬学などライフサイエンス分野を中心に，医薬品名や解剖学，疾患の名前，細菌やウイルスなど微生物名など，また動物種，社会的な背景や地域など，約2万7000語の統制語からなり，用語間の階層構造がしっかりしている．さらに文献の論じたテーマに対して統制語の内容を補足する Subheadings という副標目が約80語あり，MeSH と Subheadings を組み合わせて使用される．
>
> 日進月歩で進むライフサイエンス分野への対応や，カテゴリーごとの大きな見直しなど，MeSH と Subheadings は毎年12月頃に改訂が実施される．改訂により，新しい用語の追加や，既存の用語の変更・削除があるため，改訂以前に作成した検索式を使う際には検索式の見直しが必要な場合もある．

また検索式を立てる際は，一度にキーワードを入力して結果を出すより，EBM の PICO／PECO（10-2. 参照）のような，それぞれの要素ごとに分けて検索し，PubMed Advanced Search Builder を用いて，演算式をたてて検索すると，より整理された検索が可能となり，また検索式の組み換えも自由になる．図5-8は小児に吸入ステロイド薬を投与した無作為化試験，というテーマを3つに分けて検索した検索式である．図5-6で説明したように検索語を入力しては，Add to History で検索結果を Hisotry and Search Details に加えた．まず小児に関するキーワードで検索し（#1），次に吸入ステロイドに関するキーワードで検索し（#2），次に無作為化試験（Randomized Controlled Trial：RCT）に関するキーワードで検索し（#3），最後にそれぞれの検索履歴（#1～#3）を使って AND 検索した（#4）．小児に関する用語を増やす場合は#1に，具体的な医薬品名を追加したい場合や，吸入ステロイド薬ではなく β_2 刺激薬などを調べる場合は#2を，無作為化試験ではなく，症例報告を検索する場合は#3を，検索するテーマごとに分けておくことで，検索式をわかりやすく調整・変更することが可能となる．

なお図5-5の PubMed の検索結果の画面左には，検索結果の出版年別グラフや，論文の種類などで絞り込むフィルター機能がある．たとえば「ARTICLE TYPE」の「Randomized Controlled Trial」にチェックを入れると，検索結果のうち RCT のものだけが表示される．フィルターには，人や動物，論文の言語，性別，年齢などもあり，表示されていないものは「Additional filters」から追加することができる．フィルター機能は，検索結果の画面に素早く反映され，検索結果の画面を見ながら効率的に絞り込むことができる．

PubMed の検索結果には，フルテキストは含まれていないが，電子ジャーナルの Web サイトへのリンクがある場合がある．電子ジャーナルは，無料で閲覧可能な文献から，契約が必要なジャーナルまで様々である．図5-9に示すように「Full Text

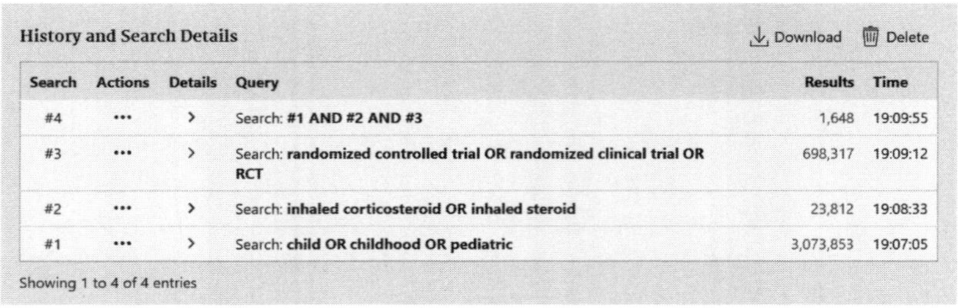

図 5-8. 検索式を内容ごとに分けて検索し，その検索履歴を使った検索の結果画面

Free PMC article

図 5-9. PMC（PubMed Central）でフルテキストが閲覧可能を示す表示

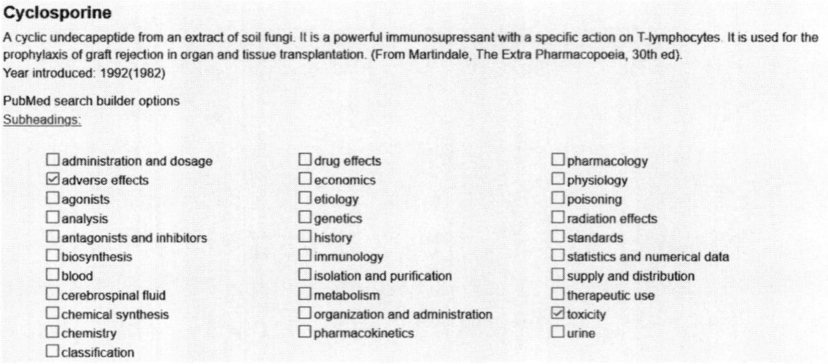

図 5-10. Cyclosporine の Subheadings 表示画面

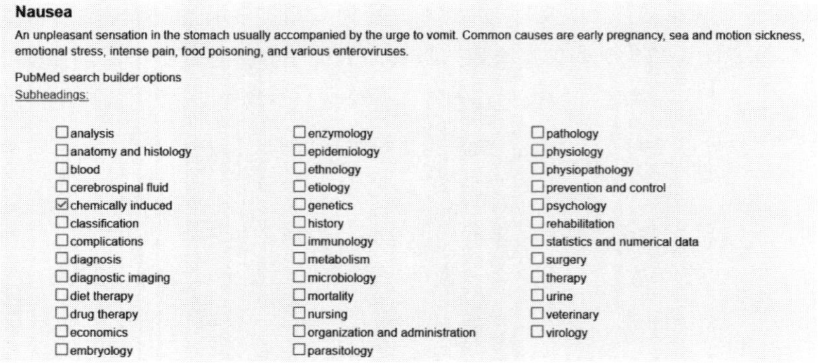

図 5-11. Nausea の Subheadings 表示画面

Links」に Free PMC article とある場合には，PMC（旧称 PubMed Central）のサイトでフルテキストが閲覧可能である．一部の文献では公開開始時期が設定されている場合もあるが，PMC では誰もがフルテキストを閲覧可能である．

またテーマを絞り込んだ検索をする場合には，MeSH Database で検索した MeSH 用語の下にその用語に共通する大きな概念として Subheadings が表示されるため，これ

らにチェックを入れることでテーマを絞り込むことができる．たとえば医薬品 A の副作用あるいは有害事象について調べたい場合は，医薬品 A の Subheadings である adverse effects, toxicity などで絞り込むことが可能である．図 5-10 は Cyclosporine の Subheadings の表示画面で，adverse effects, toxicity にチェックを入れると，Cyclosporine の副作用や有害事象，毒性に絞り込んで検索することができる．また有害事象 B を起こす医薬品を調べたい場合は有害事象 B の Subheadings である chemically induced, epidemiology, ethnology, etiology, pathology などで絞り込むことができる．図 5-11 は Nausea の Subheadings の表示画面で，chemically induced にチェックと入れると，医薬品や化学物質などによって生じる Nausea に絞り込んで検索することができる．

　文献データベースのキーワード付けは専門家による人的作業により行われるため登録までにタイムラグや索引のブレがあること，一次資料の内容を完璧に反映させることのできるキーワードがない場合もあることから，完全にノイズもなく，また検索漏れもない検索方法があるわけではない．求められている迅速性と網羅性に応じて検索の戦略を工夫する必要がある．迅速性が求められる場合は，MeSH などを用いたより適合率（検索結果の文書の数のうち検索された適合文書の数の割合）の高い検索を，網羅性が必要な場合は再現率（全対象文書中の正解文書の数のうち検索された適合文書の数の割合）が高い検索をする必要がある．

> **ボックス**
>
> **PubMed の全面リニューアル**
>
> PubMed が誕生し 20 年以上が経過．登録されている文献データは 3000 万件以上．毎日 240 万ユーザから利用されている．タブレットやスマートフォンなど検索端末の変化，情報検索の一般化，情報の爆発的な増加と細分・高度化など，時代の変化に合わせて PubMed も日々進化し，2019 年 11 月に大規模なアップデートが実施された．機能の追加や更新は継続されており，2020 年 10 月現在では Clinical Queries が追加され，新しく COVID-19 にも対応した．今後もユーザのフィードバックに応えながら開発が続いている．

5-5. 規制情報や承認審査報告書などの検索

　医薬品の回収や添付文書の改訂，重大な副作用の情報を検索するには，各国医薬品規制当局の Web サイト内を検索するとよい．日本の場合は PMDA のホームページ内を検索することで各種情報を得ることができる（具体的な情報については表 4-11 参照）．情報検索ではないが，PMDA が提供しているメール配信サービス PMDA メディナビは，メールアドレスを登録することで特に重要な安全性情報をタイムリーに入手できるため，活用することをお勧めしたい．また米国であれば FDA の MedWatch または Drugs@FAD，EU であれば欧州医薬品庁である EMA を検索することで得られる．

以上，様々なデータベースや検索方法を紹介したが，新たな情報源，特に三次資料はたえず変化しており，本書で紹介した以外にも有用な情報源が提供されている可能性もあるため，検索方法や検索の考え方だけでなく，新たな情報源を探し，その有用性と弱点を評価した上で使用してみることも大切である．

演習問題

問1　二次資料としてのデータベースを列挙しなさい．
問2　三次資料としてのデータベースを列挙しなさい．
問3　能動的検索と受動的検索の違いについて説明しなさい．
問4　情報検索において検索範囲を決定するのに重要な要因を3つあげなさい．
問5　「論理積」「論理和」「論理差」の情報検索における使い方を説明しなさい．
問6　医薬品規制情報について検索する場合に有用なサイトをあげなさい．
問7　下記の用語について，説明しなさい．
　　　1）事実検索　　2）文献検索　　3）遡及検索　　4）逐次検索
　　　5）適合率　　　6）再現率　　　7）シソーラス　8）MeSH

6章 医薬品情報の評価

望月眞弓・橋口正行

学習のポイント

❶ 臨床試験報告論文の批判的吟味では，内的妥当性と外的妥当性を評価する．
❷ 内的妥当性では，研究デザイン，被験者の選択と割付け，症例数の設定，評価指標，追跡率と追跡期間，結果の提示とデータ解析の観点から適切性を評価する．
❸ 研究デザインの評価では，エビデンスレベルを参考にする．
❹ 割付けバイアスや観察バイアスの解決方法として，無作為化，盲検化がある．
❺ 症例数を多くすれば，統計学的な有意差を検出しやすくなる．
❻ 評価指標は客観的で再現性があるものほどよい．
❼ 脱落率は低い方がよく，追跡率は80-85%以上が望ましい．
❽ 当初の無作為化割付けを最後まで生かすには，ITT解析が重要である．
❾ 外的妥当性では，NNTを算出し統計学的有意差を臨床的に評価し，論文中の結果が自分の患者に適用できるかを検討する．
❿ インパクトファクターは被引用率のことで，雑誌の評価の1つの指標である．
⓫ 三次資料は多くの機関で使用され，継続的に出版され，適切な専門家により執筆されているものが信頼性が高い．

6-1．一次資料の評価

一次資料には原著論文，学会抄録などがある．これらのうち，学会抄録は方法や結果のデータが十分に示されておらず，情報の評価が適切に行えないため，直接の臨床適用には注意を要する．

一方，原著論文に関しては，審査制をとっている雑誌に掲載されている場合は，審査員である専門家の評価を経ているので一定の信頼性は確保されていると考えられる．しかし，どんな論文でも限界は存在し，方法論的に弱いところもある．したがって，原著論文を臨床に適用する場合には，自ら論文の批判的吟味（critical appraisal）を行うことを心掛けなければならない．ここでは医薬品の有効性に関する臨床試験の原著論文の

キーワード　一次資料，原著論文，学会抄録，批判的吟味

表 6-1. 論文の質の評価ポイント

1) 研究デザイン	5) 追跡率
2) 被験者の選択と割付け	6) 結果の提示とデータ解析
3) 症例数の設定根拠	7) 臨床的有意と外的妥当性
4) 評価指標	

批判的吟味について解説する．

6-1-1. 批判的吟味の対象項目

論文の質を吟味する際には表 6-1 に示す様々な視点から評価する．まず表 6-1 の 1) ～6) に示す視点，すなわち内的妥当性 (internal validity) を評価する．内的妥当性は研究成果の正確性を示す指標の 1 つで，方法論や結果の解析においてバイアスや偶然誤差をできる限り排除する方策が適切に講じられ，きちんと遂行されたかを評価する．内的妥当性が 100% 妥当である論文はまずない．内的妥当性がどのレベルにあるかを評価し，欠点を知った上でその論文を利用する．同じテーマに関して複数の論文が存在し，かつ内的妥当性が著しく異なる場合には，内的妥当性の高い方が，より信頼できる結果を提示してくれる．

6-1-2. 研究デザインの評価

米国の the Agency for Health Care Policy and Research (AHCPR, 現 AHRQ) は臨床研究のデザインのレベルについて表 6-2 を提案し，「Ia. 無作為化比較臨床試験を用いたメタアナリシス」が最も高く，「IV. 権威の意見や経験」が最も低いとしている．無作為化比較臨床試験 (RCT; Randomized Controlled Trial) の結果を集約したメタアナリシスは最も信頼性が高いとされている．しかし，すべてのメタアナリシスが質のよい論文のみで行われているとは限らないので，最低限，メタアナリシスの解析に用いた論文の採択基準が適切であるかを評価したい．

メタアナリシスの次に信頼性の高いデザインは，RCT である．RCT が高く評価されるのは，被験者を比較する各群に無作為（ランダム）に割り付けることから，割付けバイアスが解決されているためである．しかし，これでは観察バイアスについては解決できないため二重盲検化が行われる．これは，医師にも被験者にもどちらの薬物が投与されているかがわからない状態で試験する方法である．RCT の中では二重盲検試験が現状では最もエビデンスレベルが高い．しかし，外科的手術と内科的薬物療法の比較試験のように臨床試験のすべてが盲検化して行えるとは限らない．RCT の次のレベルのデザインは，無作為化されていない比較試験になる．

これらの実験的な介入研究に比べて，非実験的な観察研究のエビデンスレベルは低く

キーワード　内的妥当性，無作為化比較臨床試験 (RCT)，メタアナリシス，割付けバイアス，観察バイアス，二重盲検

表 6-2. エビデンスのタイプ分類（AHCPR, 現 AHRQ）

Ⅰa	Evidence obtained from meta-analysis of randomized controlled trials
Ⅰb	Evidence obtained from at least one randomized controlled trials
Ⅱa	Evidence obtained from at least one well controlled study without randomization
Ⅱb	Evidence obtained from at least one other type of well designed quasi-experimental study
Ⅲ	Evidence obtained from well designed non-experimental descriptive studies; such as comparative studies, correlation studies and case control studies
Ⅳ	Evidence obtained from expert committee reports or opinions and/or clinical experience of respected authorities

注：randomized は英国で, randomised は米国・英国双方で使われる.

なる．観察研究にはコホート研究や症例対照研究がある．症例集積報告や1症例報告はさらにその下のレベルになる．有効性については介入研究がエビデンスレベルは高いとされているが，安全性については介入研究が困難な場合が多く，コホート研究，症例対照研究がエビデンスとしては高く評価される（研究デザインについては表10-1も参照）．

6-1-3. 被験者の選択と割付け

被験者の選択では，①疾病の診断が正確に行われているか，②疾病の重症度，年齢，合併症の有無，併用薬の有無などの選択基準または除外基準は明確であるかを評価する．これは外的妥当性（external validity）の評価でも重要な項目である．たとえば，軽症から中等症の患者を対象にした試験の場合，重症な患者で同じ結果が得られるとは限らないということである．また，被験者が治療薬群と対照群に無作為に割り付けられているかも大切な評価ポイントである．無作為化が適切であれば，患者の背景（年齢，性別，疾病の重症度，合併症，併用薬など）は2つの群の間でほぼ同じになるはずである．極端に異なる場合は，無作為化が適切に行われなかった可能性がある．患者背景の違い，たとえば疾病の重症度などに差があると，結果に影響することも考えられる．患者背景に差があった場合には，検定時に統計学的に調整する必要がある．

6-1-4. 症例数の設定根拠

症例数は，検出したい差に対して，症例数を増加させれば小さな差についても統計学的に有意であるという結果を出せる．一般に試験の計画者は，第一種の過誤と第二種の過誤（8章参照）について，前者を5%，後者を20%（検出力80%）に設定して症例数を決定する．症例数の設定が適切でなければ統計学的有意差を示すことはできないことから，通常は設定根拠が記述されていれば症例数自体に誤りがあることはまずない．問題は非劣性試験の場合に症例数が少ないために本当は差があるものを検出できていないことがある場合である．

キーワード　観察研究，コホート研究，症例集積報告，症例報告，選択基準，除外基準，第一種の過誤，第二種の過誤，検出力

6-1-5. 評価指標

評価指標は，試験の対象となる医薬品または治験薬の効果を評価するための指標で，エンドポイントととも呼ばれる．客観的であり，評価者間で再現性のある指標を用いることが重要である．たとえば，血圧降下薬であれば収縮期血圧や拡張期血圧，HMG-CoA 還元酵素阻害薬であれば血清総コレステロール値や LDL-コレステロール値などの臨床検査値が客観的な指標の代表例である．一方，自他覚症状のように主観的な評価の場合もであっても，VAS（Visual Analog Scale）などを用いて定量的に評価する工夫をすることはできる．多施設の大規模臨床試験などでは，主観的な評価法について再現性が得られるように評価者の研修を実施することもある．

血圧降下薬や HMG-CoA 還元酵素阻害薬を投与する真の目的は，動脈硬化の進行による心筋梗塞や脳梗塞の発作発現やそれらによる死亡の防止にあるが，このような心筋梗塞や脳梗塞の発生率や死亡率も評価指標と考えられる．前者の各種臨床検査値などを代用のエンドポイントと呼び，疾患の発生や死亡を真のエンドポイントと呼ぶ．真のエンドポイントは，その薬の真の臨床的評価を与える．

6-1-6. 追跡率

追跡率とは，試験開始時の割付け症例数のうち，試験終了時に評価指標の結果が判明している症例数の割合であり，試験の最終評価の時点で試験対象者の何％を適切に追跡できているかを意味する．最後まで試験を完遂できなかった症例，すなわち脱落例や中止例が多いと，その薬物の正しい評価が行えない．1 つには，無作為化して割り付けた 2 群間の患者背景のバランスが崩れる可能性があること，2 つ目としては，脱落例には，来院しなくなった場合やほかの治療法に変更せざるを得なかった場合などが含まれ，これらの原因が，薬が効いたためなのか無効であったためなのかが把握できないという問題がある．一般に，試験の質を確保するためには追跡率は 80-85％ 以上が必要とされている．

追跡期間については，その薬の評価指標を正しく評価できる期間が設定されていることが重要である．急性疾患であれば追跡期間は短くても十分に効果を評価できるが，慢性疾患の場合には，年単位での追跡が必要となる．抗がん剤がその典型的な例で，3 年，5 年などで生存率を評価する．

一般に，被験者の組入れ，試験薬への割付け者数，試験中止・脱落数と理由，試験終了者数などの試験プロファイルをフローチャートで示してあることが多く，それを見ると試験の全体像が理解しやすい．

キーワード エンドポイント，代用のエンドポイント，真のエンドポイント，追跡率

6-1-7. 結果の提示とデータ解析

　主要な結果は定量的に数値等が示されていることが重要であり，定性的な表現だけでは不十分である．さらに，得られた差が適切な統計手法によって偶然でないことを証明していることが，結果を確実にする．データ解析では，初めに行った無作為化が解析時にも維持されていることが必要で，脱落例については，脱落の妥当な理由を明記した上で，脱落例も含めてすべてを対象に解析（ITT 解析，Intention To Treat analysis）がなされていることが重要である．ITT 解析は，被験者が予定した治療を遵守したかどうかにかかわらず割り付けられた群で追跡され，評価され，解析されることをいい，脱落例は全例を最悪シナリオ，すなわち，無効例として解析するのが理想的とされている．また，試験途中での脱落例や中止例の欠測データを補完する方法として，LOCF（Last Observation Carried Forward）が用いられることもある．これは脱落を起こした時点での値を脱落の最直前のデータを用いて補完する方法である．しかし，一般的には十分な追跡率が確保されている場合は，不適格例・脱落例を含めない解析（Per-Protocol 解析）が行われる．その場合は，自ら最悪シナリオで ITT 解析をしてみて，結果がゆるがないことを確認するとよい．また，結果はあくまでも介入による結果でなければならず，薬物の使用が確実に実行されていること（アドヒアランス）も重要である．

　データ解析時にもう1つ重要なこととして，統計学的多重性の問題がある．これを防ぐためには，主要評価指標（主要エンドポイント）をあらかじめ設定してこの指標での有意差を評価する．主要評価指標以外は副次的評価指標（副次的エンドポイント）と呼ばれる．主要評価指標では有意差を示せず副次的評価指標で有意差が出ていても，その薬の真の有効性が示されたとは考えない．

　表 6-1 の 1)～6) の評価は内的妥当性の評価であるが，この評価が満点になることはまずない．臨床試験はヒトを対象にしており，計画通りにいかないこともあるし，科学的に理想的な計画で実行できない場合もある．したがって，満点の評価でなかったから，その臨床試験論文は使用できないということにはならない．質の低い部分がどれほど結果をゆがめる重大な欠陥であるかを見極めることが必要である．

6-1-8. 臨床的有意と外的妥当性

　有意差については，症例数が多ければ小さな差であっても統計学的に有意な差を検出できる．したがって，統計学的に差が有意であってもその差は非常に小さいものかも知れない．その差が臨床的にどの程度の意味を持つかを考えるために NNT（Numbers Needed to Treat）という数字を用いることがある．この数字は表 6-3 に示すように，プラセボと被験薬の罹病者の割合の差を出し，その逆数をとる．この数字の人数（7

（キーワード）　ITT 解析，Per-Protocol 解析，統計学的多重性，主要エンドポイント，副次的エンドポイント，臨床的有意，外的妥当性，NNT

表 6-3. NNT（治療必要数）の算出法

	罹病なし	罹病あり
治療薬群	60	40
プラセボ群	45	55

NNT＝1÷(55/100－40/100)＝6.67
NNT は小数点以下は切り上げる．

人）を治療すると1人が助かるということを現す．逆にいえば，1人を救うために何人を治療する必要があるかを示すともいえることから，NNTを治療必要数ともいう．NNTが小さければ小さいほど，臨床的にはその意味は大きい．

　表6-1の1)〜6)に示す項目の適切性，いわゆる内的妥当性が適切であったとしても，そのまま患者に適用できるとは限らない．このために行う評価が外的妥当性の評価である．外的妥当性の評価では先の臨床的有意の検討と併せて，①論文中の試験の対象者が自分の患者の状態にほぼ等しいか（疾病の診断，重症度，年齢，性別），②試験薬が自分の医療機関で入手できるか，③その治療法に医療従事者が適切に対処できるか（技術水準やスタッフ数）などについて考察し，目の前の患者に適用できるかを検討する．

　以上が臨床試験の原著論文の批判的吟味の概要であるが，これらのほかに各臨床研究の利益相反（Conflict of Interest）を見ることや，多施設で行われた試験では結果の評価方法などに施設間差が生じないかなどを評価することが必要な場合もある．COIには，経済的関係（financial ties），学術的傾倒（academic commitments），人間関係（personal relationships），政治上あるいは宗教上の信条（political or religious beliefs），所属組織との関わり（institutional affiliations）が含まれる．

6-1-9. 論文の批判的吟味の実例

　ここでは，*Lancet* の385巻857-866頁，2015年に掲載されたMartinez FJ らによる "Effect of roflumilast on exacerbations in patients with severe chronic obstructive pulmonary disease uncontrolled by combination therapy (REACT): a multicentre randomised controlled trial" を取り上げ，具体例を紹介する．この研究の目的は，吸入ステロイド＋長時間作用型 β_2 刺激薬との併用療法をしてもコントロール不良の重症慢性閉塞性肺疾患（COPD）患者の急性増悪に対するホスホジエステラーゼ（PDE)-4阻害薬の roflumilast の効果を検証することである．

　論文の最初のページには，書誌事項（論文標題，著者名，著者所属名，雑誌名，巻数（号数），始頁-終頁，西暦年）と論文の抄録（Abstract）または要約（summary）が書かれている．この抄録または要約を読めば論文の概要は把握できるが，著者の結論が正しいかどうかは，本文を読み，内容を批判的に吟味しなければならない．

　以下に，1)研究デザイン，2)被験者の選択と割付け，3)試験施設，4)介入（介入期間と追跡期間），5)評価指標，6)症例数の設定根拠，7)結果の提示とデータ解析，8)資金源，9)臨床的有意と外的妥当性を吟味した一例を示す．

キーワード 治療必要数，外的妥当性，臨床的有意，利益相反

1）研究デザイン

　研究デザインは，Abstract（Summary）の Methods や本文の Methods に記載されている．ここでは本文の Methods を示す．Patients に，double-blind, placebo-controlled, parallel-group, multicentre study（下線①）と記載され，信頼性が高い研究デザインを用いている．盲検化は Methods の Randomisation and masking に roflumilast（R）とプラセボ（P）どちらも黄色の三角形の錠剤で色と形を同一にして，被験者と試験実施者の両者に見分けがつかないようになっており，適切に二重盲検化されている（下線②）．このように，被験薬とプラセボの外観を同じにして見分けられないようにすることをダブルダミー法という．

Methods
Patients
　REACT was a 1-year, ①<u>double-blind, placebo-controlled, parallel-group, multicentre study</u>. Patients were recruited from 203 centres (outpatient clinics, hospitals, specialized pulmonologists, and family doctors) in ⑥<u>21 countries</u> worldwide (appendix pp 3-5). ③<u>Eligible patients were 40 years of age or older</u> with a <u>smoking history of at least 20 pack-years</u> and a <u>diagnosis of chronic obstructive pulmonary disease with severe airflow limitation</u> (confirmed by a post-bronchodilator forced expiratory volume in 1s [FEV1]/forced vital capacity [FVC] ratio <0.70 and a post-bronchodilator FEV1 of ≤50% predicted), symptoms of chronic bronchitis, and a history of at least two exacerbations in the previous year. …【中略】… Appendix p 12 provides a full list of ④<u>exclusion criteria</u>. …【中略】…

Randomisation and masking
　Enrolled patients were ⑤<u>randomly assigned in a 1:1 ratio</u>, with a block size of 4, by a computerised central randomisation system, the Interactive Voice Response System-Interactive Web Response System (PPD Global Limited, Cambridge, UK). At each dispensing visit, the system assigned either roflumilast or placebo from the stock available at the site for each patient. Roflumilast and placebo were supplied as ②<u>identical yellow triangular tablets</u> in wallet cards containing 40 tablets.

（強調や下線は引用者による．以下同様）

2）被験者の選択と割付け

　本試験の対象者も，Abstract の Method と本文の Methods の Patients に記載されている．選択基準として，重度の気流制限を伴う COPD の診断があり，慢性気管支炎の症状，前年に2 回以上の増悪，20 箱/年以上の喫煙歴がある 40 歳以上の患者と書かれている（下線③）．重度の気流制限は，気管支拡張薬投与後の最初の 1 秒量［FEV_1］/努力肺活量［FVC］<0.70 および気管支拡張薬投与後の FEV_1≦予測値 50％ で確認している．除外基準は，Appendix 12 頁に全 21 項目が掲載されている（下線④）．

　以上のように，被験者の選択では，選択基準，除外基準が客観的で明確に記載され，患者は適切に選択されていると考えられる．

　試験薬への割付けは，Abstract の Method，本文の Methods の Randomisation and masking に記載され，被験者をコンピュータによる中央無作為化システムを用いて，R または P の 2群に 1：1 で割り付けている（下線⑤）．無作為化の適切性は，結果の患者背景を見ることにより評価できる．結果を見ると，R 群と P 群の患者背景に差がなく，被験者の割付けは適切であった．

3）試験施設

本試験は Methods にあるように，21 カ国の多施設国際共同試験である（下線⑥）．評価方法等の施設間差の解決が鍵となるが，それについての明確な記載はない．

4）介入（介入期間と追跡期間）

介入は，Methods の Procedures に記載してあり，4週間の組み入れ期間中は単盲検でPを1日1回投与し，その後RまたはPのいずれか1日1回経口投与に割り付けられ二重盲検で52週間投与されている．介入終了後に12週間の追跡（follow-up）が行われている（下線⑦）．今回の併用療法でコントロール不良の重度のCOPD患者の増悪に対するRの治療効果の評価では介入期間と追跡期間は妥当と考える．

> **Methods**
> …【中略】…
> **Procedures**
> The study consisted of a single-blind, 4 week run-in period during which all patients received a placebo tablet in addition to their inhaled corticosteroid–longacting β_2 agonist treatment, and, if relevant, tiotropium. Run-in was followed by a ⑦**52-week treatment period** during which patients were **randomly assigned to receive either once-daily roflumilast 500 μg or placebo** (appendix p 9). All tablets were taken orally with water in the morning after breakfast. Visits were scheduled at weeks 4, 12, 20, 28, 40, and 52. One additional visit was scheduled between weeks 4 and 12 for pharmacokinetic and pharmacodynamic blood sampling in 986 patients participating in a substudy; these results will be reported separately. A ⑦**final follow-up visit 12 weeks after treatment ended** was scheduled to take place during **week 64**. …【後略】…

5）評価指標

評価指標は Summary および本文 Methods の Outcome に書かれている．主要評価指標（下線⑧）として患者1人あたりの中等度～重度のCOPD増悪の年間発症率を，重要副次的評価指標（下線⑨）として気管支拡張薬使用後のFEV₁の割り付け時から治療中の変化と患者1人あたりの重度のCOPD増悪の年間発症率を用いている．安全性（下線⑩）は，臨床検査値，バイタルサイン，理学的検査所見，体重，BMIの変化，有害事象により評価している．主要な有害心血管イベント（心血管死，非致死性心筋梗塞，非致死性脳卒中から構成される複合評価指標）の評価基準は，事前に判定委員会で定義している．QOL の評価には，Chronic Obstructive Pulmonary Disease Assessment Test（CAT; GlaxoSmithKline, Middlesex, UK）を使用している．

いずれの評価指標も適切に定義され，客観的なもので，評価者により差が生じにくいものになっている．多施設の国際共同臨床試験ではあるが，施設間での判定は統一されているものと考えられる．

> **Methods**
> …【中略】…
> **Outcomes**
> The ⑧**primary endpoint** was the rate of moderate-to-severe chronic obstructive pulmonary disease exacerbations per patient per year. Moderate exacerbations were defined as those that needed treatment with oral or parenteral glucocorticosteroids (with or without antibiotics), and severe exacerbations were defined as those that needed hospital admission, led to death,

or both. ⑨Key secondary endpoints were post-bronchodilator FEV$_1$ (change from randomisation during treatment) and the rate of severe chronic obstructive pulmonary disease exacerbations per patient per year. Data about the number of chronic obstructive pulmonary disease exacerbations treated with antibiotics and on a range of spirometric outcomes were also collected and were included as other secondary outcomes.

⑩Safety was monitored by recording changes in laboratory values, vital signs, physical examination findings, changes in bodyweight and body-mass index (BMI), and reported adverse events. The occurrence of **major adverse cardiovascular events** — a composite endpoint consisting of cardiovascular death, non-fatal myocardial infarction, and non-fatal stroke — was assessed according to criteria predefined by the Major Adverse Cardiovascular Event Adjudication Committee (appendix p 7). **Quality of life** was assessed with the Chronic Obstructive Pulmonary Disease Assessment Test (CAT; GlaxoSmithKline, Middlesex, UK), and was measured as change from randomisation during treatment.

6）症例数の設定根拠

症例数の算出については Methods の Statistical analysis に書かれている．P 群での年間の平均増悪発症率を 1.25/患者，R 投与により増悪が 20% 減少するとの仮定とポアソン回帰モデルを使用して，主要評価指標の治療間の有意差を両側で $\alpha=0.05$，検出力 90% で算出した場合，各群で 967 人と見積ったとされている（下線⑪）．

Methods
Statistical analysis
…【中略】…
　With the assumption of a mean exacerbation rate of 1.25 per patient per year in the placebo group and a **reduction in exacerbations of 20% with roflumilast 500 μg**, and with the use of a Poisson regression model with a correction for overdispersion, we estimated that ⑪**967 patients per treatment group** would provide **90% power to detect** a significant difference between treatments for the primary endpoint with a **two-sided α level of 0.05**. The correction for overdispersion and mean exposure time was estimated from previously published roflumilast data.

7）結果の提示とデータ解析

主要な結果は，本文中ならびに図表を用いて定量的に数値等で示されている．同時に適切な統計解析の結果もそれらの中に記載されている．

①データ解析：　主要評価指標は患者あたりの増悪回数を従属変数として，ポアソン回帰モデルにより解析された．重要副次的評価指標である重度の COPD 増悪は，イベント発生率が低い場合にポアソン回帰よりも適切に判定できる負の二項回帰分析により評価している．気管支拡張薬投与後の FEV$_1$ の変化は反復測定モデル（repeated measurements model）で解析されている．安全性の分析は記述的に分析された．このように評価項目の解析は，適切な統計手法を用いて行われている．

②患者背景：　結果の患者背景から，年齢，性，BMI，喫煙歴，気管支拡張薬投与前後の FEV$_1$ の平均や予測値について 2 群間で差はなく，同じと考えられる．

③解析時にも無作為化または ITT が守られているか：　被験者 2708 人中 1945 人が無作為化割付けされ，実際に 1 回でも試験薬を服薬した者は 1935 人（R 群 969 人，P 群 966 人）であった（ITT 集団）．有効性の解析は，ITT 集団での解析（ITT 解析）と重大なプロトコール違反の 312 人を除外した per protocol 解析の両方が行われ，それぞれの結果が示されている．

安全性は，Rに割り付けられた1人が誤ってPを服用したため，P群に含めて全被験者で評価している．

④追跡率：　被験者の組み入れ，試験薬への割付け者数，試験中止・脱落数と理由，試験終了者数などの試験プロファイルを figure 1 に示してある．

試験は2011年4月3日から2014年5月27日までの期間で，投与期間1年間の試験が行われた．試験中止率は両群（R群969人中269人［28%］，P群966人中192人［20%］）で類似しており，中止の理由と内訳もきちんと書かれている．

本試験の追跡率は76.2%（1474/1935）（R群72.2%［700/969］，P群80.1%［774/966］）であり，一般に試験の質を確保するために必要とされている追跡率80-85%以上を確保できていないが，その理由がきちんと書かれているので，総じてよしと評価する．

> Results
> Patient recruitment began on April 3, 2011, and the study ended on May 27, 2014. Of 2708 patients recruited, **1945 were randomly assigned** and **1935 actually received treatment**（**969 in the roflumilast group and 966 in the placebo group**; figure 1）. Table 1 shows the demographic …【中略】…
> Figure 1 shows patient disposition throughout the study. The **patient withdrawal rate** was similar in both treatment groups（**269［28%］of 969 in the roflumilast group** *vs* **192［20%］of 966 in the placebo group**）. However, more patients withdrew in the first 12 weeks post-randomisation in the roflumilast group than in the placebo group（appendix p 10）. ⑫<u>**Adherence to treatment** was **very high（99%）**</u> in both groups.

⑤アドヒアランス：　Methods にはアドヒアランスの確認方法の記載がないが，治療に対するアドヒアランスは両群で99%と非常に高く，適切に確保されていた（下線⑫）．

⑥有効性：　ITT集団とper protocol集団における中等度～重度の増悪率に関するR群とP群の比較は，ポアソン回帰分析と負の二項回帰分析による結果において，それぞれ両方とも類似していた．ITT集団において，中等度～重度のCOPD増悪発症率は，ポアソン回帰分析では，P群よりR群で13.2%低く（率比［RR］0.868［95% CI 0.753－1.002］，p＝0.0529），負の二項分布回帰分析では14.2%低かった（0.858［0.740－0.995］，p＝0.0424）（下線⑬）．ポアソン回帰で分析した中等度～重度の増悪率の減少は，ITT集団よりper protocol集団でより大きかった．イベント発生の少なさを考慮した，負の二項回帰分析では，ITT集団での重度の増悪と入院を必要とする増悪におけるRの治療効果は，Pと比較して，重度の増悪を24.3%減少（RR 0.757［95% CI 0.601－0.952］，p＝0.0175），入院を要する増悪を23.9%減少した（0.761［0.604－0.960］，p＝0.0209）（下線⑭）．

> Results
> …【中略】…
> Figure 2 illustrates and table 2 enumerates the effect of roflumilast versus placebo on the rate of moderate-to-severe exacerbations analysed with Poisson regression and negative binomial regression in the intention-to-treat and per-protocol populations. The numerical reductions were similar in both analyses. In the **intention-to-treat population**, the **frequency of moderate-to-severe exacerbations** was ⑬**13.2% lower in the roflumilast group** than in the **placebo group** in the Poisson regression analysis ⑬<u>（**rate ratio［RR］0.868［95% CI 0.753－1.002］, p＝0.0529**）, **and was 14.2% lower（0.858［0.740－0.995］, p＝0.0424）**</u> in the negative binomial regression analysis. The reduction in the moderate-to-severe exacerbation rate was greater in the per-protocol population（analysed with Poisson regression）than in the intention-to-treat population（also analysed with Poisson regression; figure 2）. …【中略】…

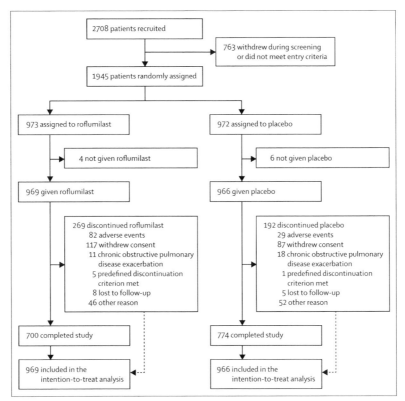

Figure 1: Trial profile
Ten patients were randomly assigned in error or did not receive any dose of double-blind study medication. These patients were excluded from the safety, full analysis, and valid cases set. One patient assigned to roflumilast received placebo during the entire study and was therefore included in the placebo group for the safety analysis. 657 patients in the roflumilast group and 737 patients in the placebo group of the study were followed up for a further 3 months. 37 patients who received roflumilast during double-blind treatment continued to receive the drug for a further 3 months; 50 patients who received placebo also received roflumilast during the 3-month follow-up period.

In view of the small number of anticipated events, we analysed the effect of roflumilast on severe exacerbations and on those necessitating hospital admission using a pre-planned negative binomial regression in the intention-to-treat population. <u>Compared with placebo, roflumilast treatment led to a 24.3% reduction in severe events (RR 0.757 [95% CI 0.601−0.952], p＝0.0175) and 23.9% reduction in exacerbations necessitating hospital admission (0.761 [0.604−0.960], p＝0.0209</u>; figure 3, table 2). …【中略】…

⑦安全性： 有害事象（下線⑮）はR群968人中648人（67％）で，P群967人中572人（59％）で報告され，重大な有害事象はR群249人（26％）で，P群285人（30％）で大きな差はなかった．最も頻繁に報告された有害事象はCOPD増悪，下痢，体重減少であった．COPD増悪はR群（15％）よりP群（19％）で多かったが，下痢，体重減少はP群よりR群で多かった（下痢：R群［10％］，P群［4％］，体重減少：R群［9％］，P群［3％］）．有害事象が関係した患者の治療中止はP群（5％）よりR群（11％）でより多かった．

副次的評価指標である死亡率（下線⑯）は，二重盲検期間中で，R群で17人（2％），P群で18人（2％）であった．主要心血管イベント（MACE; Major Adverse Cardiovascular Events）は2群間で差はなかった．

> Results
> …【中略】…
> 　One patient assigned to roflumilast accidentally received placebo during the entire study and was therefore included in the placebo group for the safety analysis. ⑮**Adverse events** were reported by **648（67%）of 968** patients receiving roflumilast and by **572（59%）of 967** patients in the placebo group（table 3）; **serious adverse events** were reported by **249（26%）** patients in the **roflumilast** group and **285（30%）** in the **placebo** group. The most frequently reported adverse events were **chronic obstructive pulmonary disease exacerbations, diarrhoea,** and **weight loss. Patient withdrawals** associated with adverse events were more common in patients who were given **roflumilast（104 [11%]）** than in those receiving **placebo（52 [5%]）**.
> 　⑯**Mortality** was a secondary efficacy endpoint in the study. During double-blind treatment, **17（2%）deaths** occurred in the **roflumilast** group and **18（2%）** in the **placebo** group（table 4）. Additionally, the number of major adverse cardiovascular events did not differ between the two groups（table 4）.

8）資金源

　本試験は，武田薬品工業（株）（以下，「製薬企業」とする）から研究費の援助を受けていることが，Summary の Funding，Methods の Role of the funding source に記載されている（下線⑰）．

　試験の運営委員会は，4名の大学所属の研究者，sponsor（研究の主宰者）である2名の製薬企業の社員から構成され，彼らは，研究の概念とデザインの開発，統計学的計画の承認，データへの完全なアクセス，データ解釈，報告書作成，投稿の決定について，責任を有していると記載されている．データは2名の製薬企業の社員によって整理され，1名の大学に所属する著者が論文の下書きを行い，1名の製薬企業の社員が統計解析を行った．全著者がデータと解析の正確性と完全性を保証している．製薬企業は最終報告で作成された意見について，大学所属の著者にいかなる制限も加えなかったと記載されている．データ整理と統計解析を製薬企業の社員のみで行っている点は，不利なデータを削除したりすることが不可能ではないため注意が必要であるが，最終報告書の内容には製薬企業はいかなる制限も加えていないと書かれているため，R に有利な評価をしていないものと思われる．

> Methods
> …【中略】…
> **Role of the funding source**
> 　The study was funded by ⑰**Takeda**. The steering committee, consisting of **four academic investigators**（PMAC, KFR, LMF, and FJM）and **two employees of Takeda**（U-MG and MB）, developed the design and concept of the studies, approved the statistical plans, had full access to and interpreted the data, wrote the report, and had responsibility for the decision to publish the report. Data collection was coordinated by the two employees of Takeda（U-MG and MB）. An **academic author（FJM）wrote a draft of the report** and an **employee of Takeda（MB）did the statistical analysis**. All authors vouch for the accuracy and completeness of the data and the analyses. **Takeda did not place any restrictions on the academic authors regarding statements made in the final report**. The corresponding author had full access to all the data in the study and final responsibility to submit for publication.

9）臨床的有意と外的妥当性

　本試験結果の臨床的意義について，入院が必要な COPD 増悪を経験した患者の割合で考え

	Roflumilast (ITT n=969, PP n=810)	Placebo (ITT n=966, PP n=823)	Roflumilast vs placebo
Chronic obstructive pulmonary disease exacerbations (mean rate per patient per year [95% CI]; number of patients with at least one exacerbation)			
Moderate to severe			
Poisson regression, ITT*	0·805 (0·724–0·895); n=380	0·927 (0·843–1·020); n=432	RR 0·868 (0·753–1·002); p=0·0529
Poisson regression, PP*	0·742 (0·659–0·836); n=310	0·921 (0·831–1·021); n=369	RR 0·806 (0·688–0·943); p=0·0070
Negative binomial regression, ITT†	0·823 (0·738–0·917); n=380	0·959 (0·867–1·061); n=432	RR 0·858 (0·740–0·995); p=0·0424
Severe			
Negative binomial regression, ITT†	0·239 (0·201–0·283); n=151	0·315 (0·270–0·368); n=192	RR 0·757 (0·601–0·952); p=0·0175
Negative binomial regression, PP†	0·218 (0·180–0·264); n=120	0·326 (0·277–0·385); n=167	RR 0·668 (0·518–0·861); p=0·0018
⑱ Leading to hospital admission			
Negative binomial regression, ITT†	0·238 (0·200–0·283); n=150	0·313 (0·268–0·365); n=190	RR 0·761 (0·604–0·960); p=0·0209
Moderate			
Poisson regression, ITT*	0·574 (0·508–0·648); n=287	0·627 (0·561–0·702); n=333	RR 0·914 (0·775–1·078); p=0·2875

［中略］

Other outcomes (mean change [SE]; number of patients with data available)			
Change in CAT total score	−1·270 (0·1556); n=924	−0·985 (0·1518); n=940	Difference −0·285 (−0·711 to 0·142); p=0·1909

Data in second and third columns are mean rate per patient per year (95% CI), median (IQR), or mean change (SE); data in final column are RR or HR (95% CI), or mean difference (95% CI) and p values. ITT=intention to treat. PP=per protocol. RR=rate ratio. HR=hazard ratio. FEV_1=forced expiratory volume in 1 s. FVC=forced vital capacity. CAT=Chronic Obstructive Pulmonary Disease Assessment Test. *Estimated exacerbation rates based on a Poisson regression model. †Estimated exacerbation rates based on a negative binomial regression model excluding correction for overdispersion.

Table 2: Chronic obstructive pulmonary disease exacerbations, lung function variables, and other outcomes

てみる．入院が必要な COPD 増悪を経験した患者の割合（囲み⑱）は，R 群で 0.238，P 群で 0.313 であった．入院が必要な COPD 増悪について絶対リスク減少率（ARR）を計算すると，0.075（＝0.313−0.238）となり，その逆数である NNT は 13.3（＝1/0.075）となる．R を投与することにより，14 人に 1 人が COPD 増悪による入院を回避できる．COPD の増悪は，患者の QOL の低下や，人によっては死に至ることもあるので，1 年間の R 投与により 14 人に 1 人その恩恵が受けられることは臨床的な意義は大きい．

　本試験は，資金源が R の開発を行っている製薬企業で研究実施に関わる運営委員会ならびに共著者にもその企業の社員が含まれており，R にとって有利に働く可能性がある．割付け，盲検化等に大きな問題はなかったことから，利益相反の可能性はないと思われるが注意して評価すべきであろう．

　これまでステロイドと長時間作用型 β_2 作動薬の併用の吸入療法による標準的治療を受けている COPD 増悪の高リスク患者を対象とした研究はなかった．以上より，本試験は，すでに最大投与量の吸入療法を行っていても重度の増悪リスクにある重度〜きわめて重度の COPD と慢性気管支炎を有する患者の治療選択に役立つ情報を提供する重要な論文である．ただし，R 投与の際は，下痢と体重減少が多いため，特に痩せ型の COPD 患者では注意する必要がある．

　以上，実際の論文を部分的ではあるが使用して，批判的吟味の実例を示した．ここに紹介した例はほんの一例であり，有効性を評価した論文を対象とした吟味法である．安全性や経済性など検討内容が異なると吟味の基準も変わるが，ここでは割愛する．

6-2. インパクトファクターによる雑誌の評価

　論文の質の評価そのものとは異なるが，原著論文の収載雑誌の相対的な重要度をランク付ける指標として，被引用率（インパクトファクター，Impact Factor）がある．一般に研究論文では，研究の背景や目的を説明するため過去に行われた研究にどのような

キーワード インパクトファクター

表6-4. インパクトファクターの高い臨床系の雑誌（2014年JCRより）

雑　誌　名	インパクトファクター
The NEW ENGLAND JOURNAL of MEDICINE	55.873
The Lancet	45.219
JAMA	35.289
Annals of Internal Medicine	17.810
BMJ	17.445
Archives of Internal Medicine	17.333
Annual Review of Medicine	12.928
Canadian Medical Association Journal	5.959
Medicine	5.723
The American Journal of Medicine	5.003

表6-5. 三次資料の評価

1) 広く多くの機関で使用されている
2) 継続的に出版され版を重ねている
3) 専門家が自分の専門領域を執筆している
4) 情報内容が新しい

ものがあり，今後明らかにすべきことに何があるのか，そして自分の得た結果は過去の結果とどこが違うかなどに関して，過去の研究論文を引用しながら報告がなされる．したがって，よく引用される論文は注目度も高く，その成果が重要であることは予想されることである．このことを雑誌の評価に用いることを考えたものがインパクトファクターである．インパクトファクターが高い雑誌，すなわちよく引用される論文が収載されている雑誌は重要度が高い雑誌と考えられるということである．インパクトファクターは過去2年間の引用率であり，発表される年ごとに変化することに留意する．また，あくまでも雑誌の重要度のランキングであって，個別の論文そのものの評価ではないことにも注意したい．参考までに表6-4に臨床医学系の雑誌についてインパクトファクターの高い雑誌の例を示す．

6-3. 三次資料の評価

　最も使用頻度の高い医薬品情報源は三次資料であるが，そのうち書籍については，①広く多くの機関で使用されている，②何年にもわたって継続的に出版され版を重ねている，③独りの著者が幅広い領域を執筆しているのではなく，各領域の専門家が執筆している，以上の3点を満足する場合は信頼性が高い情報源であると考えられる（表6-5）．さらに，医療は日々進歩することから出版年があまりにも古いものは情報が古くなってしまっている可能性があることも考慮したい．三次資料の中でも添付文書など製薬企業の資料については，企業に不利になる情報の記述がなかったり，記述があっても重要性

キーワード　三次資料

が伝わらない書き方になっている場合がある．製薬企業の情報については裏付けとなる一次資料などを併せて収集し，評価することが重要である．

引用文献

Reprinted from The Lancet, Vol. 385, Martinez FJ, Calverley PMA, Goehring UM, Brose M, Fabbri LM, and Rabe KF: Effect of roflumilast on exacerbations in patients with severe chronic obstructive pulmonary disease uncontrolled by combination therapy (REACT): a multicentre randomised controlled trial. 857-866, Copyright (2015), with permission from Elsevier.

参考文献

1) 名郷直樹著：EBM 実践ワークブック，南江堂（1999）
2) 福井次矢編：EBM 実践ガイド，医学書院（1999）
3) Jadad AR1, Moore RA, Carroll D, Jenkinson C, Reynolds DJ, Gavaghan DJ, McQuay HJ: Assessing the quality of reports of randomized clinical trials: is blinding necessary? *Control Clin. Trials*, **17**(1), 1-12 (1996)

演習問題

問1　論文の質の評価のポイントを列挙しなさい．
問2　内的妥当性と外的妥当性について説明しなさい．
問3　内的妥当性の評価の視点を列挙しなさい．
問4　外的妥当性の評価の視点を列挙しなさい．
問5　被験者の選択と割付けにおいて注意すべき点を説明しなさい．
問6　盲検化の利点とその具体的方法について説明しなさい．
問7　インパクトファクターについて説明しなさい．
問8　信頼性の高い三次資料とはどのようなものをさすか説明しなさい．
問9　下記の用語について，批判的吟味の立場から説明しなさい．
　　　1) エビデンスレベル　　2) 評価指標　　3) 脱落率
　　　4) 追跡率　　　　　　5) ITT 解析　　6) NNT
　　　7) 利益相反

7章 医療現場における医薬品情報の加工と提供

堀 里子・澤田康文

> **学習のポイント**
> ❶ 医薬品情報をニーズに合わせて加工する際の手順と注意点について説明できる.
> ❷ 能動的な情報提供と受動的な情報提供の特徴と意義をそれぞれ説明できる.
> ❸ 医療従事者や患者・市民に向けて広く提供すべき情報の種類や提供の手法について概説できる.
> ❹ 個別の薬物治療における,医療従事者や患者に向けた情報提供の意義と留意点について説明できる.
> ❺ 医薬品情報の再構築の重要性を理解し,その手法について例(医薬品の比較・評価など)を挙げて概説できる.
> ❻ 構築された医薬品情報の蓄積・共有・管理の意義について説明できる.

医療現場において,医薬品情報の収集,評価,加工,提供の一連のプロセスを理解し,的確に実践することは,医薬品適正使用と医療安全を推進する上で不可欠である.本章では,特に医療現場における薬剤師から医療従事者や患者・市民に向けた医薬品情報の加工と提供に着目して,それらの手法と注意点を学習する.

7-1. 医薬品情報の加工

7-1-1. 加工の必要性

医薬品の情報提供にあたっては,その前段として,情報を適切に加工するプロセスが必須である.7-2.以降で述べるように,医療現場において,薬剤師が提供しなければならない情報は多岐にわたる.それらの情報を「情報の受け手」に的確に伝え,活用してもらうことが重要である.したがって,医薬品情報を提供する際には,入手した文献などの情報をそのまま提供するのではなく,薬剤師としての専門的視点で評価し,「情報の受け手」のニーズに合わせた内容を,「情報の受け手」が理解しやすく,活用しやすい形に加工する.すなわち,医療従事者や患者に提供する情報を加工する意義は,医療従事者と患者双方の医薬品適正使用に対する意識と認識を高めたり,より有効で安全な

キーワード　医薬品情報の加工

薬物治療を実現することにあるといえる．

7-1-2．加工の手順

　情報を加工するためには，まず適切な情報を収集する必要がある．情報収集にとりかかる前には，情報提供の目的を明確にし，目的を達成するために必要な情報を見定めておく．必要な情報を適切な情報源を利用して検索，収集する．さらに，収集した情報を評価し，提供すべき情報内容を選定する．情報の加工にあたっては，「情報の受け手」が理解しやすい工夫をする．そのためには，「情報の受け手」の知識度や理解度，ニーズに応じて，提供する情報の内容範囲，詳細さ，加工度を検討する．

　情報を整理するポイントとして，①要点の提示，②何が起きるか？なぜ起きるか？の解説，③どう対応すればよいか？の解説，④具体的エビデンスの提示，⑤引用文献などの明示，が挙げられる．要点は箇条書きなどでコンパクトに示し，解説では図表やイラスト等を用いてビジュアル化する．情報を加工する際には，個人情報保護や著作権（20章参照）を配慮して適正な資料を作成する．たとえば，論文や書籍，ウェブページ等の文章や図，写真（いずれも著作物である）を用いる場合には，引用の範囲（表20-3）で利用するか，引用の要件を満たさない場合には著作権者の許諾を得る．利用した著作物の書誌事項を明示することも重要である．ウェブページの場合には，作成者名，発行日，タイトル，URL，アクセス日を記載する．病院において注意すべき副作用の最新

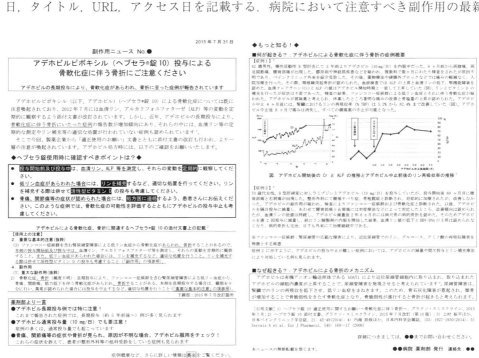

図7-1．情報の加工例（医療従事者向けの副作用ニュース）
2015年7月に製薬企業から発信された「ヘプセラ®錠10（アデホビルピボキシル）適正使用に関するお願い─骨軟化症に伴う骨折」を受けて，病院薬剤部から院内の医療従事者向けに情報提供することを想定して著者が作成した．情報検索に基づく症例やメカニズムの情報も盛り込み，まとめてある．

情報を主に医師向けに提供することを想定した情報の加工例を図7-1に示す．
　よりよい情報提供を行うためには，「情報の受け手」からの意見収集等を通じて，加工・提供した情報の有用性を評価し，改善していくことも重要である．

7-2. 医療現場における能動的な情報提供と受動的な情報提供

　医薬品を適正かつ安全に使用するために必要な情報を積極的に提供することを能動的な情報提供という．医療現場において情報を必要とする「情報の受け手」は，医師や看護師などの医療従事者と，医療を受ける患者やその家族に分けられる．医療現場では，医療従事者や患者に向けた能動的な情報提供は，重大な副作用の予防や早期発見，医療事故の未然防止などの安全性の確保，およびより有効な薬物治療を推進する上で重要である．このほか，市民（特に地域住民）に向けた健康の維持・増進や疾患予防のための情報提供も重要である．能動的な情報提供としては，多数の対象者に向けた注意喚起や啓発としての情報提供に加えて，特定の医療従事者や患者に向けて行われる個別な情報提供もある（図7-2）．
　一方で，主に医療従事者や患者からの医薬品に関連した質問や相談に対する情報提供を受動的な情報提供という．

7-3. 医療従事者に向けた情報提供

7-3-1. 能動的な情報提供

1）提供すべき情報

　能動的な情報提供では，「情報の受け手」となる医療従事者が必要としている情報を把握しておくことが重要である．病院であれば，院内の薬物治療の特徴や課題，さらには医薬品にまつわるインシデント・アクシデント事例の動向などからも情報ニーズをと

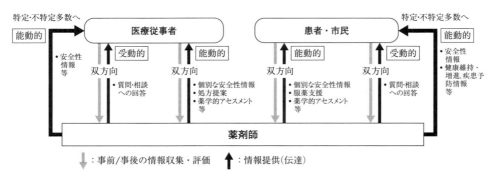

図7-2．薬剤師による医療従事者や患者・市民に向けた能動的・受動的な情報提供

キーワード　能動的な情報提供，受動的な情報提供

らえることができる．

　一方で，能動的な情報提供が必要な情報を見逃さないよう，常にアンテナを張りめぐらし，情報を収集することも重要である．特に，独立行政法人医薬品医療機器総合機構（PMDA）や製薬企業から発出される医薬品の適正使用や安全性情報には注意を払う．たとえば，病院において医療従事者に定期的に能動的な情報提供（伝達）が必要な情報の例として，新規採用医薬品の情報，医薬品添付文書の改訂情報，重要な副作用や相互作用の報告，製造・販売中止のお知らせ，包装・表示変更のお知らせ，不良品回収のお知らせ，薬価等の診療報酬改定のお知らせ等が挙げられる．安全性情報は，一次資料などから得た最新の情報も収集し，提供していくことが求められる．その際には，情報の信頼性に対してより一層注意を払いつつ，速やかな情報提供に努める（これらの情報の収集方法については，4章，5章を参照）．

　地域では，地域医療連携に参画する薬局薬剤師が，医療従事者だけでなく福祉従事者も含めた多職種（医師や薬剤師，看護師，ケアマネージャー，介護職など）に向けて，地域や施設等のニーズをふまえた情報提供を行っていく必要がある．

2）提供の手法

　提供する情報の重要度の評価は肝要である．医療機関における情報提供では，その医療機関にとって重要な情報は何かをその特徴に基づき考える．情報の重要度を見定め，重要度に応じて情報提供の方法を変えたり，優先度をつけて情報を提供したりすることで，「情報の受け手」が重要な情報をもれなく把握し，適切に対応できる．また，提供する情報量と重要度の観点から，安全性情報の内容に応じて，情報提供の対象となる診療科や医療従事者を限定することも考慮する．

　情報を提供するステップでは，その情報をどのような手段で，いつ提供するかを適切に選択する．能動的な情報提供の手法としては，紙媒体（病院内医薬品集，広報誌）による提供，院内オンラインによる提供，人を介した対面での提供などが挙げられる．緊急性のある情報は，迅速かつ確実に提供する必要がある．たとえば，院内オンラインシステムの処方オーダー画面を利用した情報提供では，処方オーダー時に医師が確認可能である．院内ウェブサイトや電子メールも迅速な情報提供媒体として，活用されている．電子媒体を利用した情報提供は迅速性に優れているが，重要な情報については，電子媒体のみでなく，各医療従事者への個別の説明やカンファレンスや会議での説明など人を介した情報提供も不可欠である．ただし，口頭のみでの情報提供は情報が正確に伝わらない可能性があるため，文書の配布とともに行うことも考慮する．重要な情報は繰り返し提供することで周知徹底したり，複数の提供手段でもれなく伝える工夫も必要である．

7-3-2. 個別の薬物治療における能動的および受動的な情報提供

　個別の薬物治療における医療従事者への情報提供は，薬剤師が職能を発揮する重要な局面である．提供した情報は，「情報の受け手」となる医療従事者の薬物治療上の意思

決定に直接関わってくることを念頭におき，慎重に行う．

1）能動的な情報提供とその手法

　個別の薬物治療における能動的な情報提供は，薬剤師が主体的に薬物療法に関与し，薬歴管理，服薬指導，医療従事者間のカンファレンスなどから課題を抽出することから始まる．さらに，情報解析に必要な患者情報等の収集を行うことが重要である．病院では，カルテや看護記録，薬剤管理指導記録等や医療従事者への直接聴取に基づき情報を収集するが，薬局では，患者情報が収集し難い場合もあるため，患者インタビューによる情報収集，医師等への問い合わせや薬薬連携の活用により，課題の背景となる情報の入手に努める．現在，処方箋に検査値が表示される等，薬局で把握可能な患者情報は増加しつつある．今後，ICT（Information and Communication Technology，情報通信技術）の活用による患者情報の共有化の推進も期待される．

　同時に課題解決に必要な情報を適切な情報源を利用して検索，収集する．さらに，情報を論理的に整理した上で，患者個々の病態や治療のニーズにあった医薬品情報を提供する．とりわけ，医師への疑義照会やトレースレポートを通じた情報提供は重要であり，提供する情報の根拠や医師の判断に必要な情報・提案などを吟味した上で提供する．

2）受動的な情報提供とその手法

　医療従事者からの問い合わせに対して個別に行う情報提供である．質問者は，医療や介護の場面における疑問や心配事などの解決のために，薬剤師の専門的立場からの情報やアセスメントを求めている．質問や相談に対して，効率的な情報検索を行う．質問を受けた際には，的確に情報提供できるように，質問者の意図を明確に把握し，質問の本質をとらえておく．回答に必要な要素を相手に質問して確認しておく．特に電話対応の場合には，質問者の情報が断片的で患者背景や状況説明が不足していることが多い．たとえば，用法・用量に関する質問では，年齢や体重，身長，疾患名，肝障害や腎障害などの合併症，併用薬の有無の確認が必要である．どのような回答をどのくらいの時間で戻してほしいかを把握しておく．質問者にその時点での回答に向けた見通しを事前に伝えた上で，調査に入るとよい．

　医療従事者からの質問項目の具体例として，錠剤やカプセル剤の鑑別，注射等の配合変化，未採用医薬品の代替，腎機能低下患者への用法・用量や代替，ある医薬品の副作用や相互作用と回避方法，妊婦や授乳婦への投与可否，飲みやすい剤形や方法，医療材料や衛生材料に関する質問が挙げられる．主な質問項目に対応した利用性の高い三次資料については，4章を参照されたい．

　個別の薬物治療における情報提供では，情報提供後に「情報の受け手」によってどのような意思決定が行われ，どのような結果になったのかを確認する事後評価の実施も重要なポイントである．さらに，情報提供の実例を薬剤師間で共有・蓄積し，類似の質問に備えたり，重要度が高い内容については多数の医療従事者に向けた能動的な情報提供

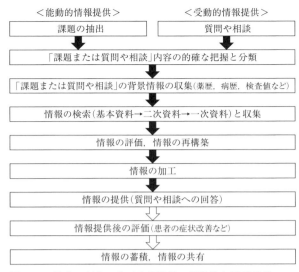

図 7-3. 特定の対象に向けた能動的・受動的な情報提供

として活用することも考慮する．

7-4. 患者に向けた医薬品情報の提供

7-4-1. 能動的な情報提供

　薬剤師は，患者に向けた医薬品適正使用のための情報提供に加えて，特に地域の薬局薬剤師は，地域住民に向けた健康の維持・増進や疾患予防をサポートするための情報提供を担う．このほか，薬剤師の職能を積極的に患者や市民に伝えるための情報提供も重要である．

　情報提供の方法としては，病院および薬局におけるポスター掲示や映像配信，パンフレットや冊子等の紙資材の配布などが挙げられる．国や地方自治体，薬剤師会や関連学会等が作成する啓発資材を利用することも選択肢の1つである．ウェブページを開設し，積極的に患者や市民に向けた情報を提供している病院や薬局もある．このほか，対面での情報提供として，病院および薬局における集団指導（お薬教室，禁煙指導など），学校薬剤師としての健康教育や公民館等での地域活動（医師や保健師と連携した糖尿病予防教室，管理栄養士と連携した栄養相談会など）等がある．

7-4-2. 個別の薬物治療における能動的および受動的な情報提供

1) 提供すべき情報と留意点

　個別の薬物治療における患者への情報提供では，患者やその家族が十分に理解した上で薬物治療が受けられるための説明と副作用の未然防止，服薬アドヒアランスの向上が特に重要である．特に，ハイリスク薬（ボックス参照）等の使用においては，投与前に

詳細な説明を行うとともに、副作用の早期発見、重篤化防止のための継続的な服薬指導や薬学的管理を行う必要がある。病院では、医師の同意を得て、薬剤管理指導記録に基づき入院患者への服薬説明や退院時の指導が行われる。薬局では、医療用医薬品以外にも、要指導・一般用医薬品、保健機能食品や健康食品、介護用品等、セルフメディケーションのための物品も取り扱う。このため、患者や市民に能動的に、あるいは受動的に提供すべき情報の範囲は、医薬品情報から健康情報にいたるまで幅広い。

患者にどのような内容の情報を提供すべきかについては、①薬剤師が確定的に判断できる情報（基礎情報）：薬品名および関連情報、用法・用量、服薬上の留意事項、保管上の留意事項、薬価、②薬剤師が独自に判断できるが、提供にあたって医師との十分な連携が必要なもの（安全性情報）：重大な副作用、その他の副作用、生活上の留意事項、③確定的には医師の判断が必要な情報（有効性情報）、の3つに分類されている[1]。患者への情報提供にあたっては、医師をはじめとした多職種との連携に基づく情報共有が不可欠である。

> **ボックス**
>
> **ハイリスク薬[2]**
>
> 特に安全管理が必要な医薬品のことをハイリスク薬と呼ぶ。ハイリスク薬については、医療機関の規模・機能によって様々な考え方があるので、各医療機関が「医薬品の安全使用のための業務手順書（以下、業務手順書）」に定めることとされている。厚生労働科学研究で作成された業務手順書作成マニュアルでは、①投与量等に注意が必要な医薬品、②休薬期間の設けられている医薬品や服用期間の管理が必要な医薬品、③併用禁忌や多くの薬剤との相互作用に注意を要する医薬品、④特定の疾病や妊婦等に禁忌である医薬品、⑤重篤な副作用回避のために、定期的な検査が必要な医薬品、⑥心停止等に注意が必要な医薬品、⑦呼吸抑制に注意が必要な注射剤、⑧投与量が単位（Unit）で設定されている注射剤、⑨漏出により皮膚障害を起こす注射剤、が「ハイリスク薬」とされている。このほか、薬剤管理指導料に関わる診療報酬算定上「ハイリスク薬」とされているものとして、抗悪性腫瘍剤や免疫抑制剤、不整脈用剤などがある。上記以外で、日本病院薬剤師会薬剤業務委員会において「ハイリスク薬」とされているものとして、治療有効域の狭い医薬品、体内動態に個人差が大きい医薬品、医療事故やインシデントが多数報告されている医薬品などがある。

2）提供の手法

情報提供を行うにあたっては、口頭だけでなく、患者向け服薬説明資材（薬剤情報提供書やお薬手帳など）や製薬企業等からの説明補助パンフレットを活用したり、必要に応じて医療機関においてオリジナルの情報提供資材を作成する等して、患者にとって理解しやすい工夫をする。同時に、提供した情報や指導などを患者が理解しているか確認

キーワード ハイリスク薬

し,患者にとって,より効果的な服薬支援の方法を検討する.

患者に対する情報提供は,主に病棟のベッドサイド,お薬窓口やお薬相談室,在宅医療・介護を受ける患者に対しては居宅等で行われる.口頭での情報提供の際には,指導場所や声の大きさ等,患者のプライバシー保護の観点で十分な配慮が必要である.外来や在宅の患者では,必要に応じて,患者へのフォローアップが行われる.リアルタイムにやりとりができる音声やビデオ通話(電話も含む)のほか,チャット機能を活用した非同期のやりとりなど,患者のニーズに合わせて相談しやすい体制を整えておく.患者のスマートフォンなどのモバイル情報端末を利用した情報提供の試み(電子お薬手帳など)も進行している.

7-5. 情報の再構築

情報の検索によって収集した資料に基づき,目的とする医薬品情報が得られる場合もあるが,それだけでは不十分なことも多い.そのような場合は,既存の文献などから得た基礎情報に解析を加え,医薬品情報の再構築を行うことも重要である.

7-5-1. 医薬品の比較・評価のための情報の再構築

医薬品の比較・評価のための医薬品情報の再構築は重要である.医薬品情報に基づいて,同種同効薬の有効性や安全性について比較・評価したり,先発医薬品と後発医薬品の品質,安全性,経済性などについて比較・評価する場面は多い.たとえば,同種同効薬の比較・評価では,治療における位置付けや斬新性,薬効・薬理,体内動態特性,副作用や相互作用の特徴など多角的に整理することで,新規医薬品採用時の選択に役立てたり,個別の薬物治療における代替薬の選択にも役立てられる(具体例は各論12章,13章を参照).

7-5-2. 具体例:薬物動態学的手法を用いた情報の再構築

本章では,医薬品の比較・評価のための医薬品情報の再構築の例として,気管支喘息治療に適応を持つβ_2アゴニストの全身作用型経皮吸収製剤であるツロブテロールテープの製剤間の比較・評価について示す.

1) 製剤特性の比較

ツロブテロールテープの先発医薬品であるホクナリン®テープには,粘着層にツロブテロール結晶を懸濁させた持続的な薬物放出制御システム「結晶レジボアシステム」が採用されている.このような製剤設計により,過度な血中濃度上昇を抑制することで全身性の副作用(振戦や心悸亢進など)が軽減され,長時間作用を持続させることで早朝

キーワード 医薬品情報の再構築,医薬品の比較・評価,同種同効薬,先発医薬品,後発医薬品

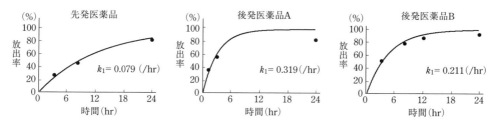

図 7-4. ツロブテロールテープの先発医薬品と 2 種類の後発医薬品の放出率推移の比較[4]
後述する PK モデル解析によるフィッティングラインと算出された k_1 の値を示した.

に発症することの多い喘息発作を抑制できるという特徴を持つ. ツロブテロールテープには複数の後発医薬品が承認されているが, 粘着層に厚みを持たせるなどの先発医薬品とは異なる方法で製剤化されている. 各製剤の薬剤放出特性を *in vitro* で比較すると, 後発医薬品の方が先発医薬品に比べて薬剤放出が速いことが報告されている (図 7-4)[3].

2) 製剤間切り替えを行った症例

ツロブテロールテープの製剤間切り替えが治療に何らかの影響を及ぼした症例を調査すると, 先発医薬品で喘息症状が良好にコントロールされていた患者において, 後発医薬品へ変更後に喘息発作などの著明な症状増悪をきたした症例や振戦の副作用を惹起した症例などが報告されている[5,6]. いずれの症例でも, 先発医薬品に再度変更後に症状の改善や副作用の消失が見られた. 著者らが実施したツロブテロール取り扱い経験がある医師と薬剤師を対象とした実態調査 (有効回答 502 名) においても, ツロブテロールテープの先発医薬品からいずれかの後発医薬品への切り替え後に, 喘息の症状悪化 (夜間や早朝の症状不良, 喘息発作回数の増加など) や精神神経系の副作用 (振戦など) の発現, 循環器系副作用 (心悸亢進など) の発現が見られた症例が, それぞれ 30 例, 3 例, 4 例収集され, その多くの症例で元の処方に変更されていた[7].

3) 薬物動態学的解析を用いた製剤特性の評価

先発医薬品と後発医薬品の生物学的同等性試験におけるツロブテロールの血漿中濃度推移を比較すると, ほとんどすべての製剤において, 先発医薬品よりも後発医薬品の方が左に若干シフトしていた (図 7-5a に典型例を示す). 先発医薬品と後発医薬品の同等性試験における PK パラメータを比較したところ, 先発品に比べて T_{max} の短縮と投与 14 時間後の血漿中濃度 (C_{14}) の低下が認められた (図 7-5b).

ツロブテロールテープ貼付後の循環血中への薬物移行は, 「製剤からの放出プロセス」と「皮膚透過プロセス」に分けられる. これらのうち, 遅い方のプロセスが, 循環血中への薬物移行の律速過程になると考えられる. そこで, 経皮投与時の PK モデル (ボックス参照) に各製剤の *in vitro* 放出および血中濃度推移のデータをあてはめてパラメー

キーワード 生物学的同等性試験

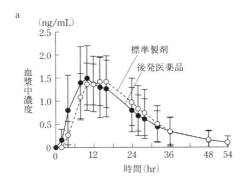

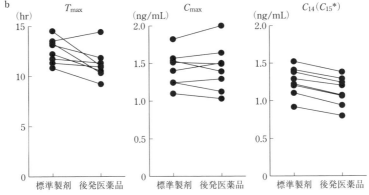

図 7-5. ツロブテロールテープの体内動態特性の比較[4]
(a) 標準製剤（先発医薬品）（○）と後発医薬品（●）の生物学的同等性試験における 2 mg 貼付後の血中濃度推移の典型例を示した．
(b) 標準製剤（先発医薬品）と後発医薬品の生物学的同等性試験における 2 mg 製剤の T_{max} および C_{max} の平均値を収集し，また，投与 14 時間後の平均血漿中濃度（C_{14}）を血中濃度推移グラフから読み取った．収集したパラメータの差について，対応のある t 検定により評価した．T_{max} の短縮（1.38 ± 1.43 hr; $P = 0.0301$），投与 14 時間後の血漿中濃度（C_{14}）の低下（0.13 ± 0.02 ng/mL; $P < 0.0001$）．

タを算出し，ツロブテロール皮膚透過における先発医薬品と 2 種類の後発医薬品の律速段階を定量的に評価した．

その結果，先発医薬品では皮膚から血液への吸収速度定数（k_2）とテープ剤から皮膚への放出速度定数（k_1）がほぼ等しいのに対して，後発医薬品では k_1 の方が k_2 より大きかった（ボックス参照）．このことから，後発医薬品における薬物の循環血中への移行は，皮膚透過過程が律速過程になっていると考えられた．これは，製剤間で薬物の放出速度（k_1）が大きく異なるにもかかわらず（図 7-4），健康成人を対象とした生物学的同等性試験における血中濃度推移に顕著な差が見られていない（図 7-5a）ことの理由の 1 つであると考えられる．

4）薬物動態学的解析を用いた皮膚透過性の違いが薬物動態に及ぼす影響の評価

次に，本 PK モデルと算出されたパラメータを用いて，薬物の皮膚透過性（ボックス

> **ボックス**
>
> **経皮投与時のPKモデル**
>
> ツロブテロールテープのPK解析では，テープ剤コンパートメント，皮膚コンパートメント，血液コンパートメントからなる以下のPKモデルを用いた[4]．
>
>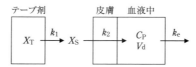
>
> X_T：貼付剤コンパートメント中の放出されうる薬物量（ng），X_S：テープ剤から放出され，体内に吸収されうる薬物量（ng），C_P：血漿中薬物濃度（ng/mL），V_d：分布容積（mL），k_1：テープ剤から皮膚への速度定数（/hr），k_2：皮膚から血液への速度定数（/hr），k_e：血液からの消失速度定数（/hr）．以下1)〜4)の仮定に基づくものとした．
>
> 1) 貼付剤からの薬物の放出，放出された薬物の皮膚透過，血中からの消失は，それぞれ一次速度定数 k_1，k_2，k_e に従う．
> 2) 皮膚貼付後の薬物放出速度定数 k_1 は，*in vitro* 放出試験における薬物放出速度定数と等しい．
> 3) 皮膚貼付後，薬物の放出が始まるまでにラグタイムが存在する．
> 4) 製剤の特性の影響を受けず，薬物自体の特性および生体側の要因に基づくと考えられる k_2，k_e および分布容積 V_d は各製剤で等しく，一方，製剤からの放出率に相当するバイオアベイラビリティは製剤間で異なる．
>
> 解析により，k_1 はそれぞれ 0.079/hr（先発医薬品），0.319/hr（後発医薬品A），0.211/hr（後発医薬品B），k_2 は 0.087/hr（各製剤共通），k_e は 1.47/hr（各製剤共通）と算出された[4]．

参照）が亢進，すなわち k_2 の値が大きくなった場合（$k_2=3$ 倍を仮定）の製剤間での影響の受けやすさの違いを予測した．その結果，後発医薬品の方が，k_2 の増大の影響を大きく受け，先発品に比べて血漿中濃度の立ち上がりが速く，最大血中濃度も大きくなると予測された（図7-6a）．同時に，皮膚透過性が正常である場合（$k_2=1$ 倍），k_1 がより大きい製剤に切り替えても，血漿中濃度プロファイルへの影響は小さいが，皮膚透過性が亢進している場合（$k_2=3$ 倍）は，大きな影響が見られることが示唆された（図7-6b）．実際，前述の製剤切り替えにより症状悪化や副作用が認められた症例[5,6]においては，アトピー性皮膚炎の合併の有無は不明であるものの，少なくとも1症例で長期にわたりステロイド吸入が行われており，ほかの1症例も高齢者でステロイド吸入が行われており，皮膚透過性の亢進につながる因子を有していた．

これは，模式図（図7-7）に示すように，後発医薬品は血中への薬物移行が k_2 律速であるため，k_2 の上昇（皮膚透過性亢進）に伴い，血中移行性が促進される一方で，先発医薬品は k_2 が上昇すると k_1（製剤からの放出）が律速段階となり，k_2 の上昇による血中移行性の変化は小さく抑えられるためであると考察される．

以上から，ツロブテロールテープは，健康成人を対象とした血中濃度比較試験等から先発医薬品との同等性が認められているが，皮膚透過性が亢進している患者では，先発

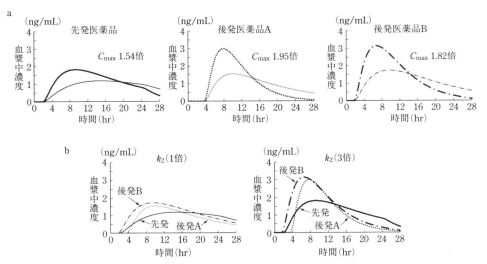

図 7-6. 皮膚透過性亢進（$k_2=3$ 倍）がツロブテロールテープの先発医薬品および後発医薬品の血漿中濃度に及ぼす影響[4)]
細線：$k_2=1$ 倍，太線：$k_2=3$ 倍．

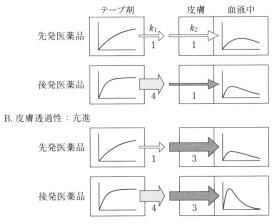

図 7-7. 皮膚透過性正常時（A）および皮膚透過性亢進時（B）におけるツロブテロールの皮膚移行動態（模式図）[4)]

医薬品から放出速度の速い後発医薬品へ切り替えたり後発医薬品を使用したりする場合には，初期の副作用惹起と，時間経過後の治療効果の減弱に注意する必要があると考えられた．

7-6. 情報の共有と新しい情報の構築

　医療従事者や患者への能動的および受動的な情報提供のための情報の構築を通じて，臨床的に有用な情報が数多く蓄積される．それらの情報を共有し，管理すること，さら

> **ボックス**
>
> **薬物の皮膚透過性**
>
> 薬物の皮膚透過性は，皮膚のバリア機能の影響を受けると考えられる．皮膚のバリア機能は，脂質や水分含量，角質層の厚さ，角質層内の細胞間脂質量（中でもセラミド量）によって変化する．気管支喘息の小児で高率に合併が見られるアトピー性皮膚炎患者において，臨床症状の重篤さと皮膚バリア機能の低下には有意な相関があることが報告されている[8]．一方，加齢に伴い単位角質層あたりのセラミド量が減少することも報告されている[9]．また，成年者に比べて若年者，男性に比べて女性，成年者に比べて高齢者において，皮膚の厚さが薄いことも知られている[10]．さらに，喘息治療で併用される経口および吸入ステロイド投与によって皮膚の厚さが薄くなるとの報告もある[11]．

にはその情報を必要に応じて更新していくことが必要である．たとえば，過去の質疑応答をデータベース化したシステムを構築している医療施設もある．

　病院等，組織が大きい場合には医薬品情報（DI）室やDI担当の薬剤師をおいて専門的にDI業務を行い，活動の効率化，集約化を図ることが重要である一方で，今後はこれまで以上に医療現場のすべての薬剤師が個々に能動的・受動的な情報提供を行う機会が増大するだろう．たとえば，病院において病棟に配置された薬剤師が行った情報活動など，薬剤師が個人個人で行った情報活動についても，薬剤師間で共有・蓄積し，互いに研鑽をつむことも重要である．今後，地域における薬局薬剤師の情報活動についても共有・蓄積するための体制が整備されていくことが期待される．

　医療現場では，既存の医薬品情報のみでは情報が不十分なこともある．不足している情報をそのままにせず，薬剤師自らあるいは医師をはじめとする医療従事者や薬学研究者と協働し，非臨床試験や臨床試験などを通じて，一次情報を構築することも必要である[12]．このような新たな情報の構築により，さらなる医薬品適正使用や医療安全が確保され，育薬（ボックス参照）の推進が図れる[13,14]と期待される．

> **ボックス**
>
> **育　薬**
>
> 医薬品は，市販後に広く使われることで，創薬の段階では見出されなかった副作用や相互作用，効果などが初めて明らかになる場合も少なくない．そこで，市販後医薬品を使用していく中で患者背景や使用法，効果および副作用等を調査・評価し，有効で安全な使用に関する情報を増やしていくことが重要である．こうした考え方に基づいて，医師，薬剤師，製薬企業関係者，研究者，患者らが，それぞれの立場で医薬品をより使いやすく有効性および安全性の高いものに育てていく様々な取組み（制度，活動）を「育薬」という．

キーワード　情報の共有，育薬

引用文献

1) 日本病院薬剤師会薬剤業務委員会：患者等への薬剤情報提供の進め方（答申書），平成9年2月7日
2) 日本病院薬剤師会薬剤業務委員会：ハイリスク薬に関する業務ガイドライン ver 2.2，平成28年6月4日改訂
3) 鳴戸郁江・北野明美・西方真弓・松山賢治：ツロブテロールの経皮吸収製剤における先発医薬品とジェネリック医薬品の比較研究．医学と薬学，**56**, 727-734（2006）
4) 渡邉哲夫・佐藤宏樹・堀里子・三木晶子・大谷壽一・澤田康文：ツロブテロール貼付後の血漿中濃度に及ぼす製剤特性と皮膚透過性の影響に関する薬物動態学的解析．薬学雑誌，**131**(10), 1483-1492（2011）
5) 宮﨑淳一・脇田久・堀口高彦・廣瀬正裕・志賀守・小林花神・大竹洋一郎・畑秀治・桑原和伸・伴直昭・立川壮一：長時間作用性貼付β2刺激薬のジェネリック医薬品への変更により，著明な喘息症状の悪化を認めた2例．アレルギー・免疫，**15**, 958-963（2008）
6) 髙橋泰生：ツロブテロール貼付剤の後発医薬品で振戦を起こした幼児症例の報告．アレルギー・免疫，**15**, 1236-1238（2008）
7) 泉太郎・堀里子・佐藤宏樹・三木晶子・澤田康文：ツロブテロールテープ製剤の銘柄間切り替えに伴う喘息症状，副作用，製剤使用感の変化に関する実態調査．薬学雑誌，**132**(5), 617-627（2012）
8) Kim DW, Park JY, Na GY, Lee SJ, Lee WJ: Correlation of clinical features and skin barrier function in adolescent and adult patients with atopic dermatitis. *Int. J. Dermatol.*, **45**, 698-701（2006）
9) Imokawa G, Abe A, Jin K, Higaki Y, Kawashima M, Hidano A: Decreased level of ceramides in stratum corneum of atopic dermatitis: an etiologic factor in atopic dry skin? *J. Invest. Dermatol.*, **96**, 523-526（1991）
10) Tan CY, Statham B, Marks R, Payne PA: Skin thickness measurement by pulsed ultrasound: its reproducibility, validation and variability. *Br. J. Dermatol.*, **106**, 657-667（1982）
11) Capewell S, Reynolds S, Shuttleworth D, Edwards C, Finlay AY: Purpura and dermal thinning associated with high dose inhaled corticosteroids. *BMJ.*, **300**, 1548-1551（1990）
12) 澤田康文編：臨床現場で実践する薬学研究のススメ，南山堂（2014）
13) 澤田康文：薬学と社会—薬を作って，使って，育てる，じほう（2001）
14) 澤田康文：薬を育てる 薬を学ぶ，東京大学出版会（2007）

演習問題

問1　医薬品情報の提供にあたり，留意すべき重要な点を述べなさい．

問2　医薬品情報の加工の手順とその際の留意点を述べなさい．

問3　能動的情報提供とはどのようなことか，医療従事者に向けた情報提供と患者・市民に向けた情報提供に分けて，それぞれ例を挙げて説明しなさい．

問4　受動的情報提供とはどのようなことか，医療従事者に向けた情報提供と患者・市民に向けた情報提供に分けて，例を挙げて説明しなさい．

問5　情報の提供方法について，どのような方法と手段があるか，例を挙げて説明しなさい．

問6　質問に対して効率的な情報検索を行い，的確に回答するための留意点を挙げなさい．

問7　病院や薬局において医薬品を採用・選択する際に検討すべき項目を挙げ，その意義を説明しなさい．

8章 生物統計の基礎と実践

山村重雄

学習のポイント

❶ 生物統計の考え方を理解する.
❷ 統計学で使用するデータの種類を分類できる.
❸ 母集団と標本の関係が理解できる.
❹ データの中心とばらつきを示す特性値の特徴が説明できる.
❺ 仮説検定の考え方を説明できる.
❻ t 検定,χ^2 検定の結果が読める.
❼ 回帰分析,ロジスティック回帰分析の考え方が説明できる.
❽ 生存時間分析の考え方が説明でき,カプラン・マイヤー曲線の意味がわかる.

医薬品添付文書や医薬品インタビューフォームにおいて安全性や有効性の情報は統計学的に表現されている.薬剤師または薬剤師を目指す人にとって,医薬品を有効かつ安全に使うために統計学的知識は必須である.医薬品は,服用した人すべてに同じ作用を示すわけではない.また服用した人全員に同じ副作用が起こることもない.このように,データがばらつくことを統計学では「分布する」という.統計学は,分布している情報からできるだけ正しい結果を導くための手法である.

近年のコンピュータの発達に伴って,統計学も大きく発展してきているが,本書では,医薬品を有効・安全に使うために医薬品情報を利用するという立場から,必要な最低限の統計学の知識にしぼって解説する.

8-1.臨床研究で用いられる変数

統計学で使われる情報(データ)には様々なものがある.血糖値や血圧のように数値で表現される場合もあれば,性別や副作用の有無のように分類を示す場合もある.血糖値,血圧,性別,副作用の有無といった測定対象を変数という.変数に応じて数値,分類,文字などが測定され,測定された情報をデータという.

統計学で使用される変数には量的変数と質的変数がある.性別や副作用の有無のような変数は,質的変数(またはカテゴリカル変数)と呼ばれ,一般的にそのデータが属する分類だけを示している.質的変数には,性別のように分類だけを示す名義尺度の変数

キーワード 量的変数,質的変数

表8-1. データの種類―質的変数と量的変数の尺度

質的変数（カテゴリカル変数）：データの属する分類を表す		
名義尺度	分類するための整理番号または整理記号としての測定尺度．	血液型，性別，患者の登録番号など．
順序尺度	分類の順序に大小関係（順序関係）がある測定尺度．	効果を，悪化，不変，改善，著効に分類する場合など．
量的変数：すべての値を取ることができる．ただし，変数の特徴によって正の値しか取らない場合や整数値しか取らないものもある．		
連続尺度	連続データを測る尺度．絶対0が存在するかどうかで，間隔尺度（絶対0がない）と比尺度（絶対0がある）に分類されることがある．	変数の特徴によって連続変数と不連続な変数となることがある．

と，効果の大きさを著効，有効，やや有効，無効のように順序がある順序尺度の変数に分類される．性別や副作用の有無のように，2つの要素のどちらかに分類されるような変数を二値変数ということがある．

一方，量的変数は，大きさや強さを数値で表したものであり，血糖値や血圧などは量的変数である．量的変数は，変数の性質から連続な変数と不連続（とびとびの値しか取らない）な変数がある．連続な変数には血糖値や血圧などがあり，不連続な変数としては子供の数，発作回数などがある．

質的変数と量的変数には，それぞれ表8-1のような尺度が考えられる．

8-2. 母集団と標本

統計の基本となっている概念に母集団と標本がある．「母集団」とは，関心を持った個体の集団を示している．理論的には標本に採用される可能性のある対象すべてを母集団と定義する．健常人の集団やある疾患を持った患者の集団などが母集団として定義される．母集団は定義のしかたによって無限母集団と有限母集団に分けることができる．一般に，生物統計で定義される母集団は無限母集団であり，（仮想的に）無限の個体数を含んでいる．一方，クラス間の成績を比較するような場合は，クラスの人数は有限なので有限母集団となる．

標本は，母集団の一部であり，母集団を代表していると考えている．母集団から標本を作る作業を「標本を抽出する」という．一般に，母集団のすべてのデータを収集することは困難なので，統計解析は標本を対象に行われる．しかし，統計解析によって我々が本当に知りたいのは，標本の特徴ではなく母集団の特徴であるということに注意が必要である．すなわち，統計学とは，少ないデータ（標本）から，全体（母集団）の特徴を推定する学問であるということができる．また，標本の特徴（たとえば標本の平均

キーワード 名義尺度，順序尺度，連続尺度，母集団，標本

値）は抽出するたびに異なる（分布する）ので，標本を対象に解析した結果がそのまま母集団の特徴と完全に一致していることは考えられない．あくまで，標本から母集団の特徴を推定していることに注意が必要である．

8-3. データの分布の中心

収集された量的変数のデータを要約する際に最初に行われるのは，データの中心を表す指標を求めることである．データの中心を表す指標として用いられる値には平均値，中央値，最頻値がある．

平均値： n 個のデータ (X_i) の標本の場合，平均値 (m) は次の式で求められる．

$m=(X_1+X_2+\cdots+X_n)/n$

標本から求めた平均値を表す記号としてアルファベット（m や $\bar{X}$）が用いられることが多い．母集団の平均値（母平均）を示す場合は，記号としてギリシャ文字 μ（アルファベットの m に相当）と表されることが多い．データのばらつきが正規分布しているときは，平均値はデータの中心を表すよい代表値となる．しかし，平均値は外れ値（集団から飛び離れた値）の影響を受けやすく，特にデータの数が少ないときは，少数の外れ値によって平均値の値は大きく変化する．また，分布がゆがんでいる場合や複数の山を持つような分布をしているような場合は，平均値はデータの中心を表す指標としては適していない．臨床で用いられる変数の中には，中性脂肪やコレステロールの値など，大きい値の方に裾を引く分布をすることが知られている変数もある．このよう場合は，平均値は分布の中心を示す指標としては必ずしも適切ではない．

中央値： n 個のデータを小さい順に並べ替え，その中央に位置する値を中央値という．中央値もデータの中心を表す指標として用いられる．データ数が偶数の場合は中央の2つの値の真ん中を中央値とする．データの分布がゆがんでいる場合や外れ値（集団から飛び離れた値）がある場合でも，中央値は平均値に比べ変化しにくい特徴がある．

最頻値： データを階層ごとに分類し，最も頻度が高い値をいう．一般的にはヒストグラム（度数分布）を書いて，最も頻度が高い領域で示すことが多い．最頻値は階層の分け方に依存し，統計学的に意味があまりないので，統計学で利用されることは少ない．

データの分布が正規分布している場合は，平均値，中央値，最頻値の値は等しくなる．しかし，データの分布が大きい方に裾を引いている場合は，最頻値＜中央値＜平均値の順に大きくなる．たとえば，中性脂肪のデータは，大きい方に裾を引いて分布するので，平均値は分布の山の位置よりも大きな値となっている．したがって，平均値より低い値の人の割合が高いことになる．逆に分布が小さい方に裾を引いている場合は，最頻値＞中央値＞平均値の順となる．

キーワード 平均値，外れ値，中央値，最頻値

8-4. データの分布（分散，標準偏差，変動係数）

データの平均値のまわりのばらつきを示す特性値として，分散（s^2; Variance）や標準偏差（s; Standard Deviation）がある．分散は次の式で求められる．

$$s^2 = \frac{\sum(X_i - m)^2}{n-1}$$

m は平均値，X_i は個々のデータの値，n はデータ数である．分散は平均値と各データの偏差の平方和を自由度である $n-1$ で割って求める．分散の単位は，偏差を平方するために平均値の単位の二乗になる．そこで，平均値と単位を合わせるために分散の平方根を取った値が標準偏差である．標準偏差は平均値を中心としたデータのばらつきを示す指標としてよく用いられる．

$$s = \sqrt{\frac{\sum(X_i - m)^2}{n-1}}$$

データが正規分布しているとき，標準偏差はばらつきを示すよい指標となるが，データが正規分布していないときは，分散や標準偏差は必ずしもデータのばらつきを示すよい指標とはならない．

標準偏差が大きいときは，データの分布が大きくばらついていることを示している．一方小さいときは，データのばらつきが少ないことを示している．

標準偏差の特徴として，データの分布が正規分布していれば，平均値±標準偏差の間にデータの約68%が存在し，平均値±1.96標準偏差の間にデータの95%が存在する．標準偏差はデータのばらつきを示しているので，データ数が十分大きければデータの数によらず一定の値となる．

変動係数（CV; Coefficient of Variance）は，標準偏差を平均値で割った値であり，平均値の異なるデータ間のばらつきを比較するときに用いられる．通常，変動係数は次の式で示されるように % で示される．

$$CV = \frac{\sqrt{\frac{\sum(X_i - m)^2}{n-1}}}{m} \times 100 = \frac{s}{m} \times 100$$

8-5. 標準誤差と信頼区間

母集団から抽出した標本の特徴（たとえば平均値）は，標本を抽出するたびに異なる．母集団から何度も標本を抽出し，その平均値を求めると，平均値の分布は正規分布となる（中心極限定理）．中心極限定理によれば，標本平均の分布は，母集団の分布に依存することなく正規分布となり，正規分布の中心は母平均に一致する．平均値の分布の正

キーワード 分散，標準偏差，変動係数

規分布の標準偏差を標準誤差という．標準誤差（SE; Standard Error）は，標準偏差と似ているが，意味するところは異なるので注意が必要である．標準誤差は，

$$SE = \sqrt{\frac{\sum_i (X - \bar{X})^2}{n(n-1)}}$$

で求められる．

標準偏差と比較すると，$SE = \frac{s}{\sqrt{n}}$ の関係にあるので，標準偏差＞標準誤差である．

標準誤差は，平均値のばらつきの大きさを示しており，標準誤差が小さいときは，得られた平均値の近くに母平均があることを示している．標準誤差は平均値の正確さの尺度ととらえることもできる．

正規分布の特徴から，母平均は平均値±1.96×標準誤差の範囲に含まれている可能性が高いと考えることができる（100回平均値を求めると，95回はその範囲に母平均が含まれていることを示している）．そこで，平均値±1.96×標準誤差の範囲を95%信頼区間として，平均値の信頼性を示す幅として用いられる．

標準偏差は，データの持つばらつきを示す値であり，データ数に依存しない値であるが，標準誤差はデータ数に依存し，データ数を増やすと小さくなる．データの数を大きくして求めた平均値の方が正確である（母平均に近い）と考えられる印象と一致している．

8-6. 仮説検定

2つの薬の有効性に差があることを統計学に示す場合，検定の考え方が利用される．統計では，差があることを検定するために，「差がない」という仮説を否定することによって間接的に行われる．

以下では，仮説検定の考え方を，2群間の母平均に差があるかどうかを検定する例で考えてみる．たとえば，薬またはプラセボを服用した2群の患者間で血糖値の変化量の母平均に違いがあるかどうかを調べたいとする．

*8-2. で述べたが，検定で知りたいのは母平均に差があるかどうかであり，標本平均に差があるかどうかではない．しかし，母平均の差は知ることができないので，標本の平均値の差を使って母平均に差があるかどうかを検定している．

2群の母平均の間に差があることを検定したいのだが，「2群の母平均に差がない」という仮説をたてる．これを帰無仮説（H_0 で表記される）という．一方，帰無仮説が成り立たないとき採択する仮説を対立仮説（H_1 で表記される）とする．ここで，対立する仮説は，「2群の母平均の値には差がある」となり，検定で示したいのは対立仮説の方である．

キーワード 標準誤差，信頼区間，仮説検定，帰無仮説，対立仮説

表8-2. 検定における第一種の過誤と第二種の過誤

		真　　実	
		差がない	差がある
検 定 結 果	有意差なし	正しい結果	第二種の過誤（β）
	有意差あり	第一種の過誤（α）	正しい結果

　2群の血糖値の変化量の平均値の値は標本を抽出するたびに異なる．したがって，得られる2群の平均値の差もまた，標本を抽出するたびに変化する．

　仮説検定では，帰無仮説（2群の母平均の値が等しい）が正しいと仮定したとき，実際に得られた2群の平均値の差（Δ）が観測される確率を求める．この確率をp値という．p値があらかじめ決めておいた値（有意水準という）よりも小さい場合，2群の母平均は等しいと仮定した帰無仮説が間違えていたと考えて帰無仮説を棄却し対立仮説を採択して，2群の母平均の値には差があると判断する．このとき，2つの母平均の値には有意な差が認められた，と表現される．

　仮説検定の基本的手順は以下の通りである．
①帰無仮説と対立仮説を立てる（証明したいのは対立仮説の方である）．
②有意水準（α）を設定する．（棄却限界値と呼ばれることもある．一般には$\alpha=0.05$とすることが多い．）
③データを収集する．
④検定：帰無仮説が成り立つと仮定して，実際に観測された差（Δ）が得られる確率（p値）を求める．（確率は，差の分布がある確率分布関数に従うことを利用している．）
⑤検定結果を解釈する．

　p値が，有意水準よりも小さければ，帰無仮説を棄却し，対立仮説を採択して，統計学的に有意な差があったと結論する．仮説検定は，差があることを証明するための方法であることに注意が必要である．p値が有意水準よりも大きかった場合は，「2群の母平均の値が等しい」ことを示しているわけではなく，「2群の母平均が異なるとはいえない」というのが検定結果であり，差がないことを積極的に示しているわけではない．この場合は，有意な差が認められなかった，と表現される．

　検定では，2つの母平均に差があるかどうかわからない（真実はわからない）状況で，母平均に差があることを間接的に証明する．そのために，解析結果には2つの誤りを犯す可能性がある．すなわち，真実は差がないのに差があると判断してしまう場合（第一種の過誤）と，真実は差があるのに差がないと判断してしまう場合（第二種の過誤）である（表8-2）．

　2つの過誤は，標本から得られる値（たとえば標本平均）は，様々な値をとる可能性

キーワード　p値，有意水準，第一種の過誤，第二種の過誤

のある値のうちの1つであることに起因している．たとえば，2群の母平均の値には，（本当は）差がないとする．しかし，実際には同じ母集団から抽出した2つの標本でも，平均値には差が見られるであろう．たまたま，2つの平均値に大きな差が見られた場合，2群間の母平均の値は同じであるのに，検定結果は有意差があると判断してしまう．これが第一種の過誤であり，αで表される．

先に述べたp値は，第一種の過誤を犯す確率を示しており，危険率といわれることもある．有意水準を小さく設定すれば第一種の過誤を犯すリスクは低くなるが，有意な差を検出しづらくなる．

これとは逆に，2つの母平均の異なる集団から抽出された標本の平均値が，たまたま同じような値となることも考えられる．このように，対立仮説が正しい（2つの母平均は異なる）のに，誤って帰無仮説を棄却しない誤差を第二種の過誤という．第二種の過誤は，真実は母平均に差があるのに，誤って有意差がないと判断してしまうことをいう．$1-\beta$を検出力と表現することもある．

有意水準が0.05の場合，検定結果が$p=0.045$でも$p=0.001$でも，同じ「有意差あり」と判断される．この例では，$p=0.001$の方が，帰無仮説を棄却するという結果はより確からしい（第一種の過誤を起こしている確率が低い）．しかし，p値からは，どのくらいの差があるかを示すことはできない．そこで，どのくらい差があるかを示す推定という考え方がある．

推定には点推定と区間推定という考え方がある．点推定では，1つの値で推定値を示す．先ほどの例では，実際に得られた2つの標本平均の差（Δ）が母平均の差の点推定の値である．一方，区間推定では，母平均の差がどのあたりにありそうかをその区間で示す方法である．95%信頼区間で示すことによって，母平均の差がどのあたりに存在するかを示すことができる．これが区間推定である．

統計学的有意差があっても，得られた差が生物学的あるいは薬学的に意味のある差であるかどうかを検討することが大切である．標準誤差はデータ数を多くすれば小さくする（精度が上がる）ことができるので，データ数を増やすと，意味のない小さい差でも有意差として検出することが可能だからである．逆に，データ数が少ないと，本来の薬学的に意味のある差が存在するにもかかわらず，統計的に検出できないこともある．

8-7. 代表的な確率分布関数

検定には様々な確率分布関数（ばらつきを数学的関数で示したもの）の知識が利用される．最もよく用いられるのは正規分布である．

正規分布は，ピークを中心に左右対称の釣り鐘型の分布である．正規分布は，平均値と分散（または標準偏差）の2つのパラメータで記述される．平均値は分布の山の中心

キーワード 点推定，区間推定，確率分布関数，正規分布

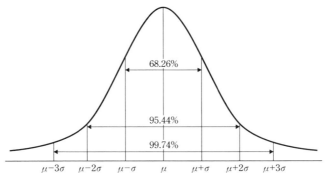
図 8-1. 正規分布

を示し，分散は分布の幅を定義している．分散が大きければ幅の広い正規分布となる．平均値が 0，分散が 1 の正規分布を標準正規分布という．

n 個のデータを取り出すとき，統計量 $z = \dfrac{m - \mu}{\sqrt{\dfrac{\sigma^2}{N}}}$ は，標準正規分布となる．

確率分布関数として見たとき，正規分布の曲線下面積の大きさが確率を示している．たとえば，平均値±標準偏差に囲まれる面積は全体の 68.26% になる．また，平均値±1.96×標準偏差に囲まれる面積は全体の 95% になる（図 8-1）．この特徴は統計学ではよく用いられる．

t 分布は，正規分布によく似た形をした分布である．母平均と標本平均の差の分布を示すときに用いられる．t 分布は，$t = \dfrac{m - \mu}{\sqrt{\dfrac{s^2}{N}}}$ で表される．標準正規分布と似ているが，母分散 σ^2 が標本分散 s^2 に変化している．すなわち，標本平均の分布は母分散が既知のときは正規分布となり，未知のときは t 分布となる．

二項分布は，結果が「あり」か「なし」か，あるいは「成功」か「失敗」のように排他的な二値データであるとき，n 回の独立な試行を行ったとき，何回「あり」または「なし」あるいは「成功」または「失敗」となるかを表す離散的な（連続ではない）確率分布である．

ポアソン分布は，起こる確率 p が低く，試行回数 n が大きい場合の分布として知られている．地域住民を対象に 1 年間のがんの発症頻度の分布のように，発現頻度が低く，対象人数が多い場合などに用いられる．

χ^2 分布は，群間で比率に違いがあるかどうかを検定する際に利用される．期待値と実測値とのずれの大きさが χ^2 分布に従うことが知られている（χ^2 検定の項参照）．

F 分布は，2 群の分散が等しいかどうかを検定するために用いられる．t 検定では 2 群のデータの分散が等しいという仮定が成り立つ必要があるため，実施する前に F 検定で確認する．

キーワード　二項分布，ポアソン分布，χ^2 分布，F 分布

表 8-3. 変数の特徴とパラメトリックな検定とノンパラメトリックな検定方法の分類

	条件	分散	パラメトリック	ノンパラメトリック
質的変数と量的変数	対応なし	等分散	(対応のない) t 検定	Wilcoxon の順位和検定
		不等分散	Welch 検定	
	対応あり		対応のある t 検定	Wilcoxon の符号付き順位検定
質的変数と質的変数	期待値がすべて 5 以上の場合			χ^2 検定
	期待値が 5 未満がある場合			Fisher の直接確率法

8-8. パラメトリックな検定とノンパラメトリックな検定

　パラメトリックな検定は，母集団の分布がある特定の確率分布関数に従うことがわかっているデータに対して行う検定法のことである．検定統計量が従う分布が明らかになっている必要があり，データが従う分布も明らかになっている必要がある．たとえば，母平均の差を検定する t 検定では t 分布を，また分散比を検定するときは F 分布を用いる．

　ノンパラメトリックな検定は，母集団の分布について特定の仮定を置かない検定法である．分布によらない方法といわれることもある．一般に，パラメトリックな検定が可能な条件が整っているときは，パラメトリックな検定の方が，ノンパラメトリックな検定よりも検出力が高い．

　パラメトリックな検定とノンパラメトリックな検定方法を特徴ごとに表 8-3 にまとめた．以降の節では，具体的な検定について解説していく．

8-9. 母平均の差の検定

　母平均の差の検定（一般に平均値の差の検定といわれる）には，パラメトリックな t 検定と主にデータの順序を用いるノンパラメトリックな方法（正確には中央値の検定）がある．

8-9-1. 対応のない t 検定と Wilcoxon の順位和検定

　2 群（たとえば対照群と投与群）を用いて薬の作用を比較する場合，連続変数（たとえば，血圧，血糖値など）の変化で評価することが多い．このような場合，検定の結果，2 群の効果の母平均に違いがあれば，薬の効果があると結論付けることができる．

　対照群である A 群 n_A 人と投与群である B 群 n_B 人からある臨床検査値を測定して表

キーワード　パラメトリックな検定，ノンパラメトリックな検定，t 検定

表8-4. 対応のないデータの例

A群		B群	
ID	データ	ID	データ
A_1	X_{A1}	B_1	X_{B1}
A_2	X_{A2}	B_2	X_{B2}
A_3	X_{A3}	B_3	X_{B3}
A_4	X_{A4}	B_4	X_{B4}
…	…	…	…
A_n	X_{An}	B_n	X_{Bn}
データ数	n_A	データ数	n_B
標本平均	$\bar{X}_A$	標本平均	$\bar{X}_B$
標本分散	s^2_A	標本分散	s^2_B

8-4のようなデータを得たとする.

　A群とB群に属する個体が異なる場合を対応のないデータという. 得られたA群とB群のデータからA群の母平均(μ_A)とB群の母平均(μ_B)の値に差があるかどうかを検定するときに用いられるのがt検定である（Studentのt検定と呼ばれることもある）.

　t検定を実施するには，2つの仮定が必要である．データの正規性と等分散性である．正規性とは，データの分布が正規分布をしているとみなすことができることをいう．等分散性とは，2群のデータの母分散（ばらつき）が等しいとみなすことができることをいう（等分散性を検定にはF検定を用いる）．

　仮説検定の考え方をt検定に適用すれば，

① 帰無仮説：　$H_0 : \mu_A = \mu_B$　（2群の母平均の値は等しい，2群の母平均に差はない．）

② 対立仮説：　$H_1 : \mu_A \neq \mu_B$　（2群の母平均は等しくない，2群の母平均には差がある．）

③ 有意水準（α）を定める．（一般には$\alpha = 0.05$とすることが多い．）

④ データの収集と検定．

⑤ p値による判定．

となる．t検定の場合のp値とは，帰無仮説が正しい（2群の母平均が等しい）場合に，データから得られた$\bar{x}_A$と$\bar{x}_B$の差が検出される確率をt分布から求めた値である．p値が有意水準よりも小さい場合は，帰無仮説を棄却して対立仮説を採択し，有意な差が認められたと判断する．一方，p値が有意水準よりも大きい場合は，帰無仮説を棄却することはできないので，有意な差は認められなかったと判断する．

　95％信頼区間から推定も可能である．すなわち，差の95％信頼区間を求め，その範囲に0が含まれない場合は有意な差があると判断する．95％信頼区間で推定した結果は有意水準0.05で検定した結果と一致する．

　2群のデータの分散が等しいと仮定できない場合は，パラメトリックな検定のWelch検定（Welchのt検定：この検定の詳細は統計学の教科書を参照のこと）を用いるか，ノンパラメトリックなWilcoxon順位和検定を用いる．また，データの正規性も仮定でき

ない場合はノンパラメトリックな Wilcoxon 順位和検定を用いることができる．

対応のない t 検定に対応するノンパラメトリックな検定方法は，Wilcoxon の順位和検定（Mann-Whitney の U 検定と同じ結果が得られる）である．

Wilcoxon の順位和検定では，実際の値を順位に置き換えて，データの中心（中央値）が等しいかどうかを検定する．2群のデータをすべて合わせて，小さい順に並べ，各データの順位を求め，各群の順位の和（順位和）を求める．2群の中央値が等しければ2つの順位和は近い値になるが，等しくなければ2つの順位和は異なることになる．データ数と片方の群の順位和（一般には，小さい順位和を用いる）から，中央値が異なるかどうかを検定する．

得られた p 値が有意水準よりも小さい場合は，帰無仮説を棄却して対立仮説を採択し，有意な差が認められたと判断する．一方，p 値が有意水準よりも大きい場合は，帰無仮説を棄却することはできないので，有意な差は認められなかったと判断する．

8-9-2. 対応のある t 検定と Wilcoxon の符号付順位検定

一人の患者で複数回のデータを測定することがある（たとえば同じ患者で午前と午後の血圧に違いがあるかなど）．このように同じ個体からデータを複数回測定して得たようなデータを，対応のあるデータという．ここでは，2回測定した対応のあるデータを解析する方法として，対応のある t 検定（パラメトリックな方法）と Wilcoxon の符号付順位検定（ノンパラメトリックな方法）について述べる．表8-5に対応のあるデータの例を示した．

対応のある t 検定では，対応のある値の差（D）を対象に検定する．対応のある t 検定が実施できるためには，差の分布が正規分布に従う必要がある．対応のある t 検定の場合，各個体における差の平均値の値が0とみなすことができるかどうかを検定する（必ずしも差の平均値が0である必要はない．すでに知られている値と同じかどうかを検定することも可能である）．対応のある t 検定では「差の平均値」を用いて検定しているが，対応のない t 検定では「平均値の差」を検定していることに気付いてほしい．

対応のある t 検定の手順は，

表8-5. 対応のあるデータの例

個体 ID	午　前	午　後	D（午後－午前）
1	X_1	Y_1	$Y_1 - X_1$
2	X_2	Y_2	$Y_2 - X_2$
3	X_3	Y_3	$Y_3 - X_3$
4	X_4	Y_4	$Y_4 - X_4$
…	…	…	…
N	X_n	Y_n	$Y_n - X_n$

キーワード　Wilcoxon 順位和検定，対応のある t 検定，Wilcoxon の符号付順位検定

① 帰無仮説を立てる（差の母平均は0である）．
② 対立仮説を立てる（差の母平均は0ではない）．
③ 有意水準（α）を定める（一般には$\alpha=0.05$とすることが多い）．
④ データの収集と検定．
⑤ p値による判定．

となる．p値が有意水準よりも小さい場合は，帰無仮説を棄却して対立仮説を採択する．すなわち，差の平均値は0ではないと判断し，測定間でデータが変化していると判断する．帰無仮説を棄却することはできないので，差の平均値は0とはいえないと判断する．

差の分布が正規分布を示さない場合，ノンパラメトリックな検定であるWilcoxonの符号付順位検定を行う．Wilcoxonの符号付順位検定では，差の絶対値の小さい順に順位を割り当てる．差が正の順位の合計と差が負の順位の合計を求め，小さい方の値を用いて検定する．p値による判定はこれまでと同様である．

ボックス

仮説検定における多重性と多重比較法

t検定は2群の母平均に差があることを検定する方法であるが，2群以上の場合，どの群間に差があるかを検定しようとすると検定を複数回繰り返す必要がある．ある有意水準でt検定を繰り返すと，検定全体で有意水準が守られないという，多重性の問題が生じる（0.05の有意水準で20回検定を繰り返せば，少なくとも1つ誤った結果になる確率は0.05を大きく超えてしまう）．多群の母平均の検定の方法には分散分析（2群の場合はt検定に一致する）が知られているが，分散分析では，どこかの群間の有意な差があることを検定できるが，具体的にどの群間に差があるかを明らかにすることができない．

そこで，多群であっても多重性を考慮しつつ有意水準を守ってどの群間の母平均に差があるかを検定する方法が知られている．Dunnettの方法は1つの対照群と複数の治療群間の母平均の差を検定する方法である．また，Tukeyの方法は多群間の母平均の差の検定を総あたりで検定する方法である．

Bonferroniの近似は，個々の検定の有意水準を，あらかじめ定めた有意水準／検定回数とすることで多重性を考慮する方法である．簡単に実施できるが，結果は最も保守的（有意な差を検出しづらい）な方法である．

8-10. χ^2検定（比率の検定）

質的変数として集めたデータの場合，変数間の関連性を検討するとき比率の検定を行う．比率の検定を行う方法にχ^2検定がある．χ^2検定では，期待値と観測値の差から求めたχ^2検定量がχ^2分布に従うことを利用して行われるノンパラメトリックな方法である．

キーワード 多重比較法，Dunnettの方法，Tukeyの方法，Bonferroniの近似，χ^2検定，期待値

8-10-1. χ^2 検定（独立性の検定）

2つの質的変数の例として，被験者はA薬，B薬のいずれかを服用しており，それぞれの群で有効症例数を求めたとする．このような結果をまとめる場合は分割表を用いる．例として，A薬を服用した100人とB薬を服用した150人の患者に有効症例をまとめたとする（表8-6）．

このような表を分割表といい，網掛け部分の数値は実測値（観測値）である．このような対応のない質的変数で分類した分割表において，行と列が互いに独立であるかどうか（関連性があるかどうか）を検定する方法が χ^2 検定である．

帰無仮説としてA薬とB薬の有効率が等しいとする．表8-6の例では，帰無仮説が正しいならば250人中202人に有効である（期待値という）と考えることができる．実測値はこの割合から求めた期待値とは異なるが，帰無仮説ではこのずれは偶然による変動と考える．

行と列が独立であると仮定すると，帰無仮説が正しい場合の期待値（期待値）を求めることができる．各セルの発現確率は $P_{ij}=P_{i0}\times P_{0j}$ の関係が成り立つので，帰無仮説が正しいと仮定したとき（両群の有効率が等しく250人中202人に有効である），A薬服用患者100人，B薬服用患者150人のうち，有効となると期待される人数が期待値となる（表8-7）．

もし帰無仮説が正しいならば，観測値と期待値の差は小さいはずであることを利用して検定する．

χ^2 検定の手順は，

① 帰無仮説 H_0 を立てる（薬の種類と有効率には関係がない，有効率は薬によらず等しい）．

② 対立仮説 H_1 を立てる．薬の種類と副作用には関連がある（あるいは，薬の種類に

表8-6. 有効症例数をまとめた結果

		有効・無効		合 計	確 率
		無 効	有 効		
薬 物	A群（A薬投与群）	10人	90人	100人	P_{10}
	B群（B薬投与群）	38人	112人	150人	P_{20}
合 計		48人	202人	250人	—
確 率		P_{01}	P_{02}	—	1

表8-7. 表8-6の結果の期待値の計算

		有効・無効	
		無 効	有 効
薬 物	A群（A薬投与群）	100×48÷250=19.2	100×202÷250=80.8
	B群（B薬投与群）	150×48÷250=28.8	150×202÷250=121.2

よって有効率が異なる).

③有意水準を定める(たとえば,$\alpha=0.05$).

④p 値での評価: 上記の例においてエクセルで χ^2 検定により比率の検定を行った結果,$p=0.0026$ となる.p 値が有意水準よりも小さいときは,帰無仮説を棄却して,対立仮説を採択し,「A 薬と B 薬では有効率に違いがある」.一方,p 値が有意水準よりも大きいときは,帰無仮説を棄却できず,「A 薬と B 薬では有効率に違いがあるとはいえない」と判断する.

となる.

8-10-2. Fisher の直接確率法

χ^2 検定で用いる χ^2 検定量は,帰無仮説のもとで近似的に χ^2 分布に従うことが知られている.しかし,この近似は期待値が極端に小さい場合には,精度が十分ではない.期待値が 5 未満の小さい値が 1 つでもある場合には,χ^2 検定は正確な結果を与えないことが知られている.このような場合は,Fisher の確率計算法を用いる.計算方法の詳細については,より専門的な教科書を参照されたい.

8-11. 相関係数と回帰分析:線形回帰分析とロジスティック回帰分析

8-11-1. 相関と回帰

2 つの量的変数 (X, Y) があったとき,片方の変数の変化に応じて,もう一方の変数も変化するとき,2 つの変数は相関するという.相関の強さを示す値として相関係数 (r) がある.r は -1 から $+1$ の範囲をとり,絶対値が大きいほど相関が強いという.$r=+1$ のときは,点 (X, Y) をプロットするとすべての点は右上がりの直線上に存在する.また,$r=-1$ のときは,すべての点は右下がりの直線状に存在する.$r=0$ のときは,直線関係はまったく見られない.

相関係数を見るときには,(X, Y) の点の分布に注意する必要がある.外れ値があったり,非直線の関係があったり,いくつかの群に固まっているときなどは,相関係数を求めても,その値が 2 つの変数の相関関係を適切に示していないことがある.

相関分析では,単に 2 つの変数の関連性だけを示しており,相関が強い場合でも,2 つの変数間の因果関係は考慮されていないことに注意が必要である.

回帰分析では,説明変数(原因)と目的変数(結果)が定義され,説明変数が決まれば,目的変数が決定される.回帰分析の結果,説明変数の変化に伴って,目的変数がどのくらい変化するかを示すことができる.

キーワード Fisher の直接確率法,相関係数,線形回帰分析

8-11-2. 線形回帰分析

2つの量的変数（XとY）の関連性が強く，直線的関係があるとき，XとYの関係を表す直線を回帰直線という．この直線関係は$Y=b_0+b_1X$で表され，Xが与えられると，直線からYを求めることができる．このとき，Xを説明変数（または独立変数），Yを目的変数（または従属変数）という．得られたXとYの組のデータから直線関係を表す関係式$Y=b_0+b_1X$のb_0とb_1を回帰係数といい，回帰係数の値を決定することを回帰分析という．Xを横軸に，Yを縦軸にして直線に回帰したとき，b_0はY軸との切片，b_1は直線の傾きを表す．

この例では，目的変数が1つの説明変数で説明されているので，単回帰分析という．説明変数が複数あるときは，重回帰分析といい，$Y=b_0+b_1X_1+b_2X_2+\cdots+b_nX_n$という式に回帰する．この場合の回帰係数（$b_1 \sim b_n$）を偏回帰係数という．

n個の測定値（X_i, Y_i）が図8-2のような関係にあるとき，実測したY_iと関係式から求めたYの残差の平方の総和を最小にするように直線を引いてb_0とb_1を決定する方法を最小二乗法という．

1）回帰係数の検定と推定

回帰分析ではb_0とb_1を母回帰直線$Y=\beta_0+\beta_1X$の母回帰係数β_0, β_1の推定値と考えると，検定および推定が可能となる．

一般に回帰係数の検定では，おもに説明変数が目的変数を説明しているかどうか（傾きがあるかどうか）に興味があるので，ここでは，β_1の有意性について説明する．この検定はβ_1とb_1差はt分布に従うことを利用している．

①帰無仮説　$H_0: \beta_1=0$　（XはYを説明していない．XとYの関係には傾きがない．）
②対立仮説　$H_1: \beta_1 \neq 0$　（XはYを説明している．XとYの関係には傾きがある．）
③有意水準を設定する（$\alpha=0.05$とする）．

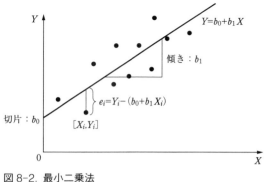

図8-2．最小二乗法

キーワード　説明変数，独立変数，目的変数，従属変数，回帰係数

④回帰係数の検定を行う．

⑤ p 値が有意水準よりも小さい場合は，帰無仮説を棄却して対立仮説を採択し，X は Y を説明している（傾きは0ではない，または傾きが有意である）と判断する．一方，p 値が有意水準よりも大きい場合は，帰無仮説を棄却できないので傾きがあるとはいえないと判断する．これまでと同様，95%信頼区間からの推定も可能である．

8-11-3. ロジスティック回帰分析

目的変数がイベントの発生がある・なしのような質的変数（この場合は2値データ）の場合も回帰分析を行うことができる．このような回帰分析を行う方法をロジスティック回帰分析という．

イベントの発生率を p とすると，オッズは $p/(1-p)$ で表される．その対数をとった $\log(p/(1-p))$ は対数オッズと呼ばれ，$-\infty$ から $+\infty$ をとりうる変数となるので，連続変数である説明変数を関数とする回帰式を作ることができる．

ロジスティック回帰分析は，連続変数である X と対数オッズの関係を示す次の式に回帰する．

$$\log \frac{p}{1-p} = b_0 + b_1 X$$

または，複数の説明変数で回帰することも可能である．

$$\log \frac{p}{1-p} = b_0 + b_1 X_1 + b_2 X_2 + \cdots + b_n X_n$$

ボックス

数量化Ⅰ類と数量化Ⅱ類

質的変数と目的変数として解析する方法もある．数量化Ⅰ類，数量化Ⅱ類と呼ばれている（表8-8）．

表8-8. 目的変数と説明変数間の関係の分析方法

目的変数	説明変数	分析方法
量的変数	量的変数（量的変数と質的変数が混じっていても可）	回帰分析（説明変数に質的変数が含まれるとき共分散分析といわれる）
質的変数	量的変数または質的変数	ロジスティック回帰分析
量的変数	複数の質的変数	数量化Ⅰ類
質的変数	複数の質的変数	数量化Ⅱ類

数量化Ⅰ類では，複数の質的変数から量的変数を予測する．たとえば，人の職業，配偶者の有無，扶養家族の有無（質的変数）から，年収（量的変数）を予測するときに用いられる．

数量化Ⅱ類では，複数の質的変数から質的変数を予測する．たとえば，人の職業，配偶者の有無，扶養家族の有無（質的変数）などから，持ち家の有無（質的変数）に分類するときに用いられる．

回帰係数 b_1（説明変数が複数あるときは偏回帰係数）は，説明変数が1だけ変化したときのイベントを起こすオッズ比を示している．もし，説明変数に性別などのような質的変数を用いた場合は，性別によるイベントを起こすオッズ比となる．

　線形回帰分析と同様に回帰係数の検定と推定が可能である．統計ソフトでは，回帰係数の検定結果と同時に95%信頼区間が表示される．オッズ比（オッズ比に限らず比の95%信頼区間の見方は同じである）の95%信頼区間に1が含まれるかどうかを判断して，この範囲に1が含まれないときは，オッズ比が有意であると判断する．95%信頼区間で推定した結果は有意水準0.05で検定した結果と一致する．

8-12. 生存時間分析と生存時間曲線

　生存時間分析とは，あるイベントが発生するまでの時間を変数とする解析方法である．生存時間に限らず，個体に対して一度だけ非再起的に起こるイベントが起こるまでの時間を対象とした解析法である．生存時間分析で取り扱うイベントには，術後死亡までの時間，副作用発現までの時間，治療開始後透析移行までの時間などが考えられる．

　生存時間はほかの変数と異なり，次のような特徴がある：負の値にならず，左右対称の分布にならない（正規分布を仮定できない），脱落例などで試験の途中で打ち切りになる例がある．

8-12-1. 生存時間曲線（カプラン・マイヤー曲線）

　生存時間分析では，追跡を開始した時点とイベントが起こった時点までの時間，あるいは追跡不能になった時点までの時間を解析対象にする．例として，12カ月間の調査期間で，10人の大腸がん患者の摘出手術後の生存時間を調査したところ，図8-3のような結果が得られたとする．

　この例では，患者Aは，調査開始直後に手術を行い，調査開始後12カ月目に生存していることを示している．患者Bは，調査開始後1カ月目に摘出手術を行い，調査開始後8カ月目に死亡したことを示している．患者Cは，調査開始後6カ月目に摘出手術を行い，調査開始後10カ月目に生存はしているもののその後何らかの理由でデータが取れなくなり，調査が打ち切られたことを示している．調査期間終了前の白丸は，その時点で生存しているが，それ以後データが取れなくなって調査が打ち切られたことを示しており，黒丸はイベントが発生した（死亡した）ことを示している．

　＊この例では，黒丸がイベント発生を，白丸が打ち切りを示しているが，表示方法はソフトウェアごとに異なる．

　図8-3で示したデータを，観測開始時期をそろえて，打ち切りを含む生存時間が短かい順に並べて，図8-4のように変換する．

キーワード ロジスティック回帰分析，数量化I類，数量化II類，オッズ比，生存時間分析

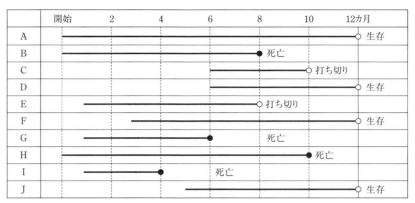

図8-3. 大腸がん患者の手術後の生存時間

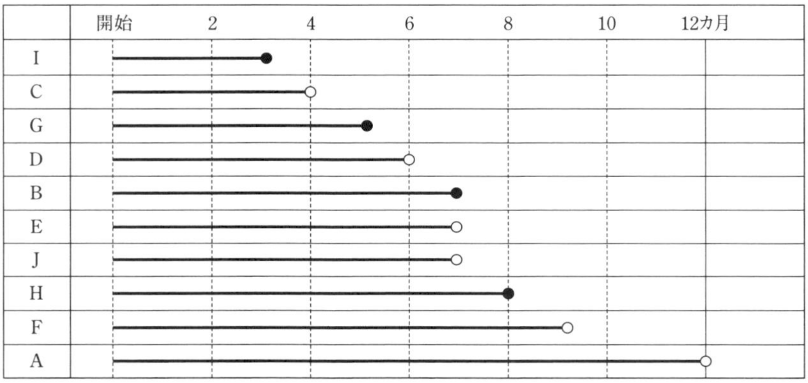

図8-4. 登録後の月数で表した生存時間が短かい順に並べたもの

　このデータをもとにカプラン・マイヤー（Kaplan-Meier）曲線を描く手順を説明する（表8-9）．

　イベント発生直前までの生存確率とイベント発生時の生存確率（イベント発生数／イベント発生直前に生存していた人数）の積を求め，累積生存確率とする．一方，打ち切りが起こったときは，その時点まで生存していた人数から打ち切り数を引くことによって，打ち切りが起こった時点までその個体が生存していた情報を反映させる．このデータをもとにカプラン・マイヤー曲線を描くと図8-5のようになる．

　生存確率を生存時間に対してプロットしたものをカプラン・マイヤー生存曲線という．この曲線により，生存確率が下がったところでイベントが発生したことを示している．打ち切りが起きた時点に印をつける場合もある．この例では，3カ月目に最初のイベントが起きていることがわかる．順次，時間が経過するにつれて生存確率が低下していることを表している．この図では，縦軸を生存確率としたが，縦軸に死亡確率でカプラン・マイヤー曲線が描かれることがある．この場合は，曲線は右上がりのグラフとなる．

キーワード　カプラン・マイヤー生存曲線

表8-9. 生存時間確率の計算例

イベント (i)	生存時間 (t_i)	生存数 (r_i)	死亡数 (d_i)	生存確率 $(r_i-d_i)/r_i$	累積生存確率 $S(t_i)$
	0	10	0	1.000	1.000
1	3	10	1	0.900	0.900（＝1.000×0.900）
2	4（1名打ち切り）	9	0	1.000	0.900（＝0.900×1.000）
3	5	8	1	0.875	0.788（＝0.900×0.875）
4	6（1名打ち切り）	7	0	1.000	0.788（＝0.788×1.000）
5	7	6	1	0.833	0.656（＝0.788×0.833）
6	8	5	1	0.800	0.525（＝0.656×0.800）
7	9（1名打ち切り）	4	0	1.000	0.525（＝0.525×1.000）
8	12（1名打ち切り）	3	0	1.000	0.525（＝0.525×1.000）

生存数 r_i は，生存時間 i 直前に生存していた数．

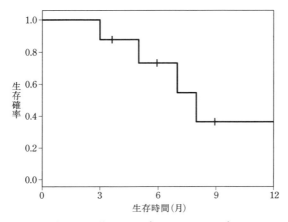

図8-5. 表8-9に基づいてプロットしたカプラン・マイヤー曲線
＋は打ち切りが起きた時点を示す．

2つの群間の生存時間（生存確率）に差があるかどうかを検定する方法の1つに，ログランク検定（logrank test）がある．ログランク検定は，2つの生存時間曲線に差がないという帰無仮説のもとに検定するノンパラメトリックな方法である．

演習問題

問1 統計で利用される数値の概念について「変数」と「尺度」を用いて説明しなさい．

問2 データ分布の形状と分布を示す代表値（平均値，中央値ならびに最頻値）の関係について述べなさい．

問3 データの分布が正規分布を示すとき，母平均の95%信頼区間を「平均値」と「標準誤差」で示しなさい．

問4 主なパラメトリック検定とノンパラメトリック検定を列挙し，それらの使い分けを説明しなさい．

問5 下表は回帰分析の解析手法についてまとめたものである．空欄を埋めなさい．

	説明変数	
	量的	質的
目的変数 量的	(①)	(②)
目的変数 質的	(③)	(④)

問 6 試験期間 12 カ月の臨床試験に参加した 5 人の被験者の経過が，以下のようになった．

1 人が 2 カ月後に死亡
1 人が 4 カ月後に追跡不能となり打ち切り
1 人が 6 カ月後に追跡不能となり打ち切り
1 人が 8 カ月後に死亡
1 人が 12 カ月後の試験終了時まで生存

以下に示した生存率（縦軸）と試験期間（横軸）のグラフに，カプラン・マイヤー法を用いて生存曲線を描きなさい（打ち切り時点は「｜」で図示すること）．

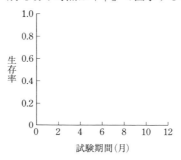

9章 臨床研究デザインと解析

本章では，医薬品に関する臨床研究を適切に実施するために，またその結果を正しく解釈して医薬品適正使用に役立てるために必要な，基礎的な知識と技能を習得することを目標に，臨床研究のデザインと解析について概説する．

9-1. 臨床研究の目的とデザイン

佐藤嗣道

> **学習のポイント**
> ❶ 最善の治療法選択のエビデンスを得るため，臨床研究を科学的かつ倫理的に行うことが必要である．
> ❷ 臨床研究は，介入研究と観察研究に分類される．また，目的により記述的研究と分析的研究に分けられる．
> ❸ 健康事象の発生や介入・曝露の効果・影響に関する様々な指標があり，研究デザインや情報提供の目的に応じ適切な指標を選択すべきである．
> ❹ 臨床研究を科学的に行うため，バイアス（交絡を含む）を最小にする工夫が重要である．

9-1-1. 臨床研究の目的

ヒトにおける医薬品の効果と副作用の発現は動物と同じではないため，ヒトを対象とする研究，すなわち臨床研究が必要となる．個々人の保健・医療上の目的に合った最善の医薬品を選択し適正に使用するためには，非臨床での研究結果とともに臨床研究の結果から得られた情報を適切に用いることが重要である．したがって，医薬品に関する臨床研究の目的は，医薬品使用に関する最善の選択を行うためのエビデンスを作ることにある．

9-1-2. 臨床研究の原則

臨床研究は，科学的であると同時に倫理的であることが必要である．科学性と倫理性は対立する場合があるが，研究対象者にかかる負担と研究の社会的コスト（費用・労力）を考えると，科学性に欠けた研究はエビデンスを患者・市民に還元できない点で非倫理的である．したがって，研究を計画・実施するときには，目的を明確に定め，指標となる値をできる限りバイアスなく精度よく推定できるよう慎重に検討する必要がある．その上で，研究対象者の尊厳と人権を守るための倫理的配慮が不可欠となる．

我が国では，人間を対象とする医学研究の倫理的原則を定めた「ヘルシンキ宣言」（世界医師会）等に基づき，臨床研究の実施について次のような基準が定められている：①「医薬品の臨床試験の実施の基準」（GCP; Good Clinical Practice）（2章参照），②「医薬品の製造販売後の調査及び試験の実施の基準」（GPSP; Good Post-marketing Study Practice）（3章参照），③臨床研究法，④「人を対象とする医学系研究に関する倫理指針」（文部科学省・厚生労働省．平成26年12月22日制定）．①から③は法令に基づいて実施される試験・調査に適用され，④は法令によるもの以外で大学や医療機関等の研究者により行われる臨床研究に適用される．

9-1-3. 臨床研究の分類と代表的手法

臨床研究は，介入研究（interventional study）と観察研究（observational study）に分類することができる．介入研究とは，研究対象集団に特定の治療や教育的指導などの介入を行い，その効果を明らかにしようとする研究であり，実験的研究（experimental study）ともいわれる．研究対象集団を試験薬投与群と対照薬（プラセボを含む）投与群に無作為に割り付けて結果を比較する無作為化比較試験は，介入研究の代表例である．観察研究では，このような介入を行わず，研究対象集団をありのままの状態で観察し，そこで得られたデータを記述・分析する．たとえば，日常診療のもとで薬Aが処方された集団における有害事象の発生を薬Bが処方された集団と比較するコホート研究は，観察研究の代表例である．表9-1に臨床研究の分類と主な手法を示す．

臨床研究はまた，記述的研究（descriptive study）と分析的研究（analytical study）に分けることができる．記述的研究は，疾病・治療の実態や副作用症例などを記述する

表9-1. 臨床研究の分類と主な手法

分類	主な手法
介入研究 （実験的研究）	・非無作為化試験 ・無作為化比較試験
観察研究	a）疫学研究の主なデザイン ・症例報告 ・症例集積 ・傾向分析 ・断面研究 ・ケースコントロール研究 ・コホート研究 ・ハイブリッドデザイン 　・ネステッドケースコントロール研究 　・ケースコホート研究 b）実態調査 ・医薬品使用実態調査 ・その他の実態調査

キーワード　介入研究，観察研究

ことを目的とする研究で，比較群を持たない．症例報告，症例集積，実態調査などは記述的研究に含まれる．分析的研究は，介入や曝露がアウトカム（ボックス参照）に及ぼす効果・影響（effects）を検討することを目的に，介入や曝露の有無（または内容）による比較を行い，介入や曝露とアウトカムとの関連を明らかにする研究である．無作為化比較試験や比較観察研究（コホート研究，ケースコントロール研究など）が含まれる．

> **ボックス**
>
> **曝露とアウトカム**
>
> 曝露（exposure）とアウトカム（outcome）は，疫学で因果関係を考えるときに用いられる用語である．曝露は放射線や化学物質などに「さらされる」ことを意味し，それが原因で特定の疾病や死亡が発生するといった結末がアウトカムである．たとえば，薬Aの使用と間質性肺炎の発生との因果関係を検討するとき，薬Aの使用が曝露，間質性肺炎の発生がアウトカムである．近年の疫学では，性別（例：男），年齢（例：高齢），特定の遺伝子，食事，運動なども，その要因とアウトカムとの因果関係に着目したときには曝露と呼ばれる．曝露には，疾病発生のリスクを増加させる要因もあれば，低下させる要因もある．

9-1-4. 臨床研究で用いられる指標

臨床研究では，健康に関する特定の事象の発生について調査し，また薬物治療などの効果・影響を明らかにしようとする．このとき，主に以下の指標が用いられる．各指標の計算式を表9-2および表9-3に示す．

1) 発生割合と発生率

発生割合（incidence proportion）は，ある集団を一定期間追跡したとき，関心のあ

表9-2. 臨床研究で用いられる指標

	疾患発生あり	疾患発生なし	計
治療群	a	b	n_1
対照群	c	d	n_2

指標	式*
発生割合	$a/(a+b)=a/n_1$, $c/(c+d)=c/n_2$
絶対リスク減少（ARR）	$c/n_2 - a/n_1$
治療必要数（NNT）	$1/\text{ARR}$
寄与危険（AR）	$a/n_1 - c/n_2$
リスク比（RR）	$(a/n_1)/(c/n_2)$
相対リスク減少（RRR）	$1-\text{RR}$

*ここでは発生割合（リスク）に関する計算式のみを示す．

表9-3. ケースコントロール研究におけるオッズ比の計算

曝露		あり：ケース（症例）	なし：コントロール（対照）
	あり	a	b
	なし	c	d
	計	m_1	m_2

（データ収集の方向 ↓）

$$\text{ケースにおける曝露オッズ} = \frac{\frac{a}{a+c}}{1-\frac{a}{a+c}} = \frac{\frac{a}{a+c}}{\frac{c}{a+c}} = \frac{a}{c}$$

$$\text{コントロールにおける曝露オッズ} = \frac{\frac{b}{b+d}}{1-\frac{b}{b+d}} = \frac{\frac{b}{b+d}}{\frac{d}{b+d}} = \frac{b}{d}$$

$$\text{オッズ比（OR）} = \frac{\frac{a}{c}}{\frac{b}{d}} = \frac{a}{c} \times \frac{d}{b} = \frac{ad}{bc}$$

る健康事象が発生した人の割合である．薬の効果に関する研究で，症状の改善という事象の発生を調べるとき，その発生割合は改善割合または奏効率などと呼ばれる．調べようとする事象が疾病や有害事象であるとき，その発生割合はリスク（risk）または絶対リスク（AR; Absolute Risk）と呼ばれる．

$$\text{発生割合} = \frac{\text{ある一定期間に事象が発生した人数（}A\text{人）}}{\text{ある一定期間追跡された対象者の人数（}N\text{人）}} = \frac{A}{N}$$

発生割合の調査では，すべての対象者を同じ期間追跡することが必要である．発生割合は，追跡期間を明示することで意味を持つ．たとえば，30歳の集団の1年間の死亡割合は低いが，100年間の死亡割合は100%であろう．

発生率（incidence rate）は，分母に人-時間（person-time）という単位を用いる指標であり，追跡期間が対象者によって異なる場合でも求めることができる．人-時間は，各々の対象者の追跡期間を足し合わせた時間であり，人-年，人-月，人-日といった単位で表される．たとえば，1000人の対象者を1年間追跡したときの人-時間は1000人-年であり，500人を2年間追跡したときも1000人-年となる．

$$\text{発生率} = \frac{\text{追跡期間に事象が発生した人数（}A\text{人）}}{\text{対象者の追跡期間の総和（}T\text{人-時間）}} = \frac{A}{T}$$

2）発生割合・発生率の差

医薬品の効果・影響を，発生割合の差または発生率の差で表すことがある．薬物治療により，ある疾病発生のリスクが減少する（たとえば，降圧薬の使用により心筋梗塞の発生が減少する）とき，その程度を絶対リスク減少（ARR; Absolute Risk Reduction）で表すことができる．

キーワード 発生割合，絶対リスク，発生率，絶対リスク減少

絶対リスク減少（ARR）＝比較対照群におけるリスク－治療群におけるリスク

たとえば，心筋梗塞の発生割合（1年間）がプラセボ群で2%，降圧薬A投与群で1%であり，その差がすべて降圧薬Aによる効果であるとき，ARRは1%となる．ARRの逆数を治療必要数（NNT; Number Needed to Treat）といい，ある疾病発生を予防するのに何人の患者を治療する必要があるかを示す．この例では，NNT＝1/0.01＝100となり，100人の患者に降圧薬Aを投与すると心筋梗塞の発生を1人予防することができることを意味する．NNTが小さいほど有益な効果が大きいことを示す．NNTは，異なる薬の効果を比較して治療法を選択するときなどに，わかりやすい指標である．

医薬品により疾病や有害事象のリスクが増加する場合には，指標として寄与危険（ARI; Absolute Risk Increase，またはAR; Attributable Risk）が用いられる．

寄与危険（ARI）＝治療群におけるリスク －比較対照群におけるリスク

3）発生割合・発生率の比

発生割合の比をリスク比（RR; Risk Ratio），発生率の比を率比（RR; Rate Ratio）といい，これらを総称して相対リスク（RR; Relative Risk）という．いずれもRRと略されるが，どれを意味するかを区別する必要がある．上記の降圧薬Aと心筋梗塞の例では，リスク比は0.01/0.02＝0.5となる．

相対リスク減少（RRR; Relative Risk Reduction）は，1からリスク比を引いた値である．上記の例では，降圧薬Aは心筋梗塞のリスクを1－0.5＝0.5，すなわち50%減少させる．

4）オッズ比（OR）

オッズ比（Odds Ratio）は，オッズの比であり，主にケースコントロール研究で用いられる指標である．ある事象が発生する確率をpとすると，オッズは$p/(1-p)$と定義される．ケースコントロール研究では，曝露のオッズ比が指標として用いられる．表9-3にオッズ比の計算式を示す．

9-1-5. 臨床研究におけるバイアスと交絡

1）バイアスとは何か

臨床研究により得られた値（推定値）には，真の値との差，すなわち誤差（error）を含む．誤差は，偶然誤差（random error）と系統誤差（systematic error）に分類される．偶然によって値にランダムなばらつきが生じるときの誤差が偶然誤差であり，偶然ではない何らかの原因により系統的にずれた値となるときの誤差が系統誤差である．

キーワード 治療必要数，寄与危険，相対リスク，相対リスク減少，オッズ比

この系統誤差をバイアス（bias）という．バイアスには，後述する交絡も含まれる．偶然誤差が十分に小さいとき推定の精度（precision）が高いといい，得られた値に（ほとんど）バイアスがないとき妥当（valid）な推定値であるという．すなわち，研究結果の正確性（accuracy）は，精度（precision）と妥当性（validity）によって決まる．偶然誤差はサンプルサイズを大きくする（症例数を増やす）ことにより小さくすることができるが，バイアスの大きさは症例数を増やしても変化しない．また，偶然誤差の大きさは観察されたデータに基づく統計学的推定（すなわち信頼区間の幅）により評価が可能であるが，バイアスの評価では研究の過程でバイアスが生じる可能性についての論理的考察を必要とする．研究結果に重大なバイアスが生じる（生じた可能性が高い）と，その解釈は困難になるので，臨床研究ではバイアスを最小にする工夫が重要である．

　バイアスを最小にする工夫を考えるとき，またバイアスについて評価するとき，重視すべき妥当性の問題は記述的研究と分析的研究で異なる．記述的研究ではバイアスにより結果の外的妥当性（一般化可能性）（6章，10章参照）が損なわれることが問題であり，分析的研究では，群間の比較可能性すなわち内的妥当性（6章，10章参照）が損なわれることが最大の問題となる．

2）バイアスの分類

　バイアスは，その生じ方によって，選択バイアス（selection bias），情報バイアス（information bias），交絡（confounding）の3つに分類される．

　①選択バイアス：　選択バイアスは，研究対象者の選択の過程で偏りが起こることによって生じるバイアスである．たとえば，有害事象の発生を新薬群と既存薬群の間で比較するコホート研究を行う場合，対象者の選択のされ方が2群間で異なることにより，有害事象の真の発生率に差がない場合でも片方の群で発生率が見かけ上高くなるバイアスを生じ得る．また，研究対象者を途中で追跡できなくなる脱落（lost to follow-up）に伴って生じるバイアスも選択バイアスの1つである．

　②情報バイアス：　情報バイアスは，曝露やアウトカムなどに関する情報を取得する際の誤りによって生じるバイアスである．たとえば，妊娠中の薬剤使用と先天異常の関連を検討するケースコントロール研究で，妊娠中の薬剤使用を母親から聞き取る場合には，思い出しバイアス（recall bias）を生じ得ることが知られている．先天異常がある子供（ケース）の母親は妊娠中に使用した薬をよく思い出すが，健常な子供（コントロール）の母親は市販薬の使用などは思い出さないかもしれない．選択バイアスと情報バイアスは，どちらも解析の段階で取り除くことはできないため，計画の段階でバイアスを最小にする手段を講じることが重要である．

　③交絡：　交絡は，曝露がアウトカムに及ぼす影響と，曝露とは別の要因がアウトカムに及ぼす影響が混合（mixing）してしまうことによる研究結果の偏りである．交絡

キーワード　バイアス，交絡

図 9-1. 交絡のメカニズムと交絡の例

を起こす要因を交絡因子（confounder または confounding factor）という．交絡が起こるメカニズムを図 9-1 に示す．交絡は，研究対象集団において，曝露とは独立したアウトカムのリスク因子の分布が曝露の有無により異なるときに起こり得る．たとえば，図 9-1B では，年齢（高齢）が交絡因子となり，薬剤 A に真に脳卒中の予防効果がある場合でも，使用者群の方が高齢者の割合が高いと，薬剤 A の効果が過小評価されてしまう．逆に，薬剤 A に真に予防効果がない場合でも，使用者群の方が高齢者の割合が低いと，使用者群の方が脳卒中の発生率が低いという誤った結果を導く．

医薬品の使用を曝露とする薬剤疫学では，適応による交絡（confounding by indication）が問題となることが多い．適応による交絡は，処方理由による交絡とも呼ばれ，薬を選択する理由（適応疾患，重症度，合併症，併用薬など）が交絡因子となるときに起こる．図 9-1C は，喘息治療に用いられる吸入 β 刺激薬の定期的使用が喘息死のリスク増加と関連することが報告された例である．この例では，喘息の重症度が交絡因子（すなわち重症な喘息ほど β 刺激薬が使用される）と考えられた．

交絡を防ぐ最も有効な方法は無作為割付けである．観察研究では，研究対象集団の限定，コホート研究におけるマッチングなどが交絡の制御に用いられる．また，交絡因子が測定されていれば，標準化，層に分けた解析，および多変量解析により，解析の段階で交絡の制御が可能である．ただし，実際には，交絡因子の情報が得られない場合も多く，未測定の交絡因子がある場合には結果を慎重に解釈する必要がある．

9-1 参考文献

1) Rothman KJ: Epidemiology: an introduction, 2nd ed., Oxford University Press（2012）
2) 矢野栄二・橋本英樹・大脇和浩監訳：ロスマンの疫学 第 2 版，篠原出版新社（2013）
3) 山崎幹夫監修：医薬品情報学 第 4 版補訂版，東京大学出版会（2018）
4) 景山茂・久保田潔編：薬剤疫学の基礎と実践 第 2 版，医薬ジャーナル社（2016）
5) Rothman KJ, Greenland S, Lash TL, ed.: Modern epidemiology, 3rd ed., Lippincott Williams & Wilkins（2008）

9-2. 観察研究

佐藤嗣道

> **学習のポイント**
> ❶ 医薬品の市販後は，主に観察研究により，安全性と実診療下での有効性が評価される．
> ❷ 観察的な疫学研究には様々なデザインがあり，各々に利点と限界があるので，目的と状況に応じて適切な手法を用いる必要がある．
> ❸ 副作用が疑われる症例の個別評価では，評価基準やアルゴリズムが参考になるが，広く一般に受け入れられた方法は存在しない．
> ❹ 因果関係の評価では，推測と反証を繰り返す過程が重要である．

9-2-1. 観察研究での主な疫学研究デザイン

医薬品に関する臨床試験（介入研究）では，主として薬の効力（efficacy），すなわち薬効が評価される．これに対して，観察研究では，主に薬の安全性（safety）が評価されるが，市販後の実診療下（real world）での有効性（effectiveness）が評価されることもある[1]．市販後は，真のエンドポイントを効果指標とする場合を除いては無作為化比較試験の実施は現実的でないことが多いことから，観察的疫学研究の手法が用いられることが多い（ボックス参照）．安全性の評価では，未知または十分には知られていない副作用に関する仮説が生成され，より厳密な研究デザインにより仮説が強化・検証される過程を経る．以下，観察的な疫学研究のデザインについて概説する．

> **ボックス**
>
> **薬剤疫学**
>
> 医薬品の効果・影響を疫学の手法を用いて評価する研究分野は，薬剤疫学（pharmacoepidemiology）と呼ばれる．薬剤疫学は，「多数の人々の集団における薬物の使用や効果・影響を研究する学問」と定義される[1,2]．「薬の（pharmaco）」と「疫学（epidemiology）」の2つの語からなり，臨床薬理学に疫学の方法を応用する学問である．薬物治療の発展に伴い，これまで日本で薬害事件が多発したように，海外でも安全性の問題が数多く発生した．薬剤疫学は，安全性の問題を出発点に発展した学問であるが，薬のリスク評価に加えて薬の有効性や使用実態の研究を含む．また，薬のリスク最小化策の評価に貢献し得るなど，医薬品リスク管理とも密接に関係する．

1）症例報告

症例報告（case reports）は，1人の患者についての報告である．医薬品情報では，

キーワード 症例報告

医薬品使用後の有害事象または副作用（疑い）に関する報告に重きがおかれるが，薬の効果に関する症例報告もある．症例報告では，通常，その患者に起こった事象が，薬によるのか疾病の自然経過など薬とは別の要因によるのかを区別することは困難である[1,2]．したがって，症例報告は，主として薬とアウトカムの因果関係に関する仮説を提起するのに用いられる（副作用の因果関係の評価については，9-2-2. を参照）．症例報告は，学会や学術雑誌上で報告される場合と，副作用等報告制度（3章参照）により報告される場合がある．

近年，副作用等報告制度に基づく報告件数が飛躍的に増加した結果，各国の規制当局で症例報告を個別に検討することに限界が生じるようになった．そこで，最近では，多数の症例報告の中からデータマイニングの手法を用いて副作用のシグナルを検出し，より厳密な研究デザインで検証すべき問題の優先順位付けが行われるようになっている[3]．

2）症例集積

症例集積（case series）は，一連の症例を集積したものである．集積された症例に共通する特徴を明らかにすることにより，単一の症例報告からでは得られない情報を生み出すことができる[3]．たとえば，薬害スモン事件では，1960年代に日本で多発したスモン（SMON; Subacute Myelo-Optico-Neuropathy）患者に共通する特徴として発症前からのキノホルム服用に着目したことが，原因解明の重要な手掛かりとなった[4]．また，最近では，副作用（疑い）症例の集積から，副作用症状の発現パターンに関する情報を得ようとする研究が行われている[3]．症例集積は，比較対照群を持たないため，薬とアウトカムの因果関係を決定するには不十分で，主に因果関係に関する仮説の生成に用いられる．

3）傾向分析

傾向分析（analyses of secular trends）は，生態学的研究（ecological study）ともいわれ，曝露の傾向と疾病の傾向を集団レベルで比較・分析する研究である．たとえば，サリドマイド薬害事件では，西ドイツにおけるサリドマイドの販売量（サリドマイドの曝露の指標）の時間的変化と奇形発生数の時間的変化の傾向が一致した[5]．傾向分析で用いられるデータは，個人レベルではなく集団レベルの（この例では国を単位とする）データである．曝露と疾病の傾向は，時間的経過に伴う変化が比較されることもあれば，地域間で比較されることもある．傾向分析には簡便に実施できる利点があるが，この方法では交絡の制御ができないため，結果の解釈は困難なことが多い．

4）断面研究

断面研究（cross-sectional study）は，ある時点（または短い期間）での曝露やアウ

キーワード 症例集積，傾向分析，断面研究

トカムに関する情報を得る調査研究であり，横断的研究とも呼ばれる．断面研究は，その目的により記述的研究と分析的研究に分けられる．記述的研究では，ある特定の集団における，ある時点でのアウトカムや曝露の分布が記述される．たとえば，厚生労働省による「国民健康・栄養調査」では，日本の住民（無作為抽出されたサンプル）における，調査時点（たとえば2015年11月）での血圧，血中コレステロール，糖尿病（疑いを含む），食事，運動，飲酒，喫煙といった情報が収集され記述される[6]．この調査から，日本で糖尿病を有している人の割合（有病割合）を推定することができる．有病割合（prevalence）は有病率ともいわれ，健康政策立案の基礎的な資料となる．

分析的な断面研究は，曝露とアウトカムの関連を検討するため，ある時点における曝露とアウトカムの情報を同時に収集して分析する研究である．断面研究の利点は，研究対象集団を追跡する必要がないため比較的簡便に実施できることにある．しかし，曝露とアウトカムの時間的前後関係が不明であるため，曝露とアウトカムの関連が認められたとしても，それが因果関係であるか否かの判断はできず，慎重な解釈が必要となる．

5）ケースコントロール研究

ケースコントロール研究（case-control study）は，曝露とアウトカムの関連を調べるため，関心のある疾病／有害事象が発生した症例（cases）を特定し，疾病／有害事象が発生していない対照（controls）と，過去の曝露について比較する研究である（図9-2A参照）．症例対照研究ともいわれる．薬剤疫学では，通常，関心のある疾病／有害事象が発生したケースを特定し，未発生のコントロールと過去の薬剤使用について比較する．

ケースコントロール研究では，曝露とアウトカムの関連の指標としてオッズ比を用いるが，オッズ比がバイアスなく推定されるとき，それは相対リスクの妥当な推定値となる[7-9]．疾病／有害事象を発生するケースは集団のごく一部であることが多く，古典的なケースコントロール研究では，疾病／有害事象が発生しなかった残りの集団からコントロールがサンプリングされる．このとき，コントロールにおける曝露の分布が，ケースを生み出した集団（これをソース集団という）における曝露の分布を代表していれば，バイアスのないオッズ比が得られる．

ケースコントロール研究の利点は，コホート研究に比べて低いコスト（労力・費用）で実施できることにある．とくに，発生割合の低い疾病／有害事象の原因を検討するとき，コホート研究では大規模な集団を必要とするが，ケースコントロール研究ではケースとコントロール（ソース集団から抽出したサンプル）についてのみデータを収集すればよく効率がよい．このデザインでは，複数の曝露について同時に検討することができることも利点である．ただし，曝露がまれな場合には，大きなサンプルサイズが必要となるため，このデザインは不向きである．また，この手法では通常，疾病／有害事象の

キーワード 横断的研究，ケースコントロール研究，症例対照研究

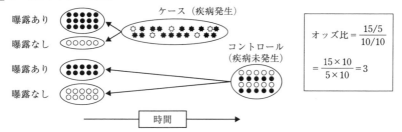
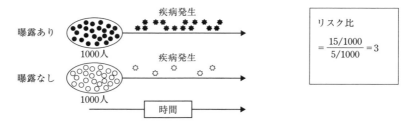
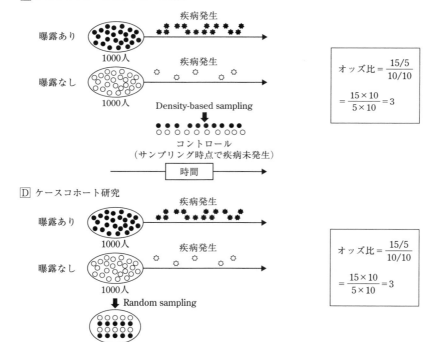

図 9-2. 主な比較観察研究のデザイン

発生割合や発生率を求めることができない．ケースコントロール研究では選択バイアスが生じやすいため，その計画と実施には細心の注意を要する．

6) コホート研究

　コホート研究（cohort study）は，研究対象とする集団（コホート）を時間経過に沿って追跡し，疾病／有害事象の発生を測定する研究である[7,8]．コホートは，追跡開始時には疾病／有害事象を発生しておらず，将来それが発生し得る（at risk な）人々の集団である．一般にコホート研究というとき，曝露とアウトカムの関連を明らかにすることを目的に，曝露ありと曝露なしにおける疾病／有害事象の発生を比較する研究を指すことが多い（図9-2B 参照）．しかし，疾病／有害事象の発生割合または発生率の記述を目的とする比較群を持たない研究もあり，それを記述的コホート研究と呼ぶことがある[3]．ここでは以下，比較群を持つ分析的コホート研究について述べる．

　薬剤疫学におけるコホート研究では，通常，ある薬剤（1つの薬剤または同種同効の複数の薬剤）の使用を曝露あり，非使用（または比較対照の薬剤の使用）を曝露なしとして，追跡開始後の疾病／有害事象の発生を比較する．曝露とアウトカムの関連の指標には，リスク差，リスク比，率差，率比があり，目的に応じて適切な指標が用いられる．このデザインは，曝露に関する無作為割付けを行わない点を除けば無作為化比較試験と似ており，薬の効果・影響を検討する観察研究のうち，最もストレートな方法である．ただし，無作為割付けを行っていないため，交絡をいかに制御するかが研究をデザインする際の課題となる．

　交絡を制御する方法の1つとして，傾向スコア（propensity score）が用いられることが少なくない．傾向スコアとは，研究対象集団において，ある対象者が特定の薬剤を使用する（曝露ありの）確率がどの程度あるかを，年齢，性，基礎疾患，合併症などの背景因子（背景因子の多くが交絡因子となり得る）の値をもとに予測するスコアである．研究対象者の一人ひとりについて計算し，0から1の間の値をとる．傾向スコアでマッチングすることにより，測定された交絡因子については曝露群と比較群の分布がおおむね等しくなる．しかし，未測定の交絡因子についてはその限りではなく，調整されずに残ること（残差交絡）に注意する必要がある．

　コホート研究はまた，複数のアウトカムについて同時に検討することが可能であるという利点を持つ．ただし，まれなアウトカムについて検討するときには，非常に大きな集団を追跡する必要があるため，大規模データベースが利用できる場合を除いて，甚大なコストがかかるか，その実施が現実的でないことが多い（ボックス参照）．

キーワード　コホート研究，傾向スコア

> **ボックス**
>
> **大規模データベースの活用**
>
> 薬剤疫学において，コホート研究などを低コストで迅速に行うために，欧米などで大規模データベース（いわゆるビッグデータ）が活用されている．日本でも，医療機関が診療報酬の請求に用いるレセプトのデータや，病院情報システムのデータがデータベース化されており，その適切な活用が期待されている．

7）ハイブリッドデザイン

ハイブリッドデザインは，コホート研究とケースコントロール研究の方法を組み合わせたデザインである．このデザインを用いることにより両者の利点を活かした研究を行うことができる．

①ネステッドケースコントロール研究： ケースコントロール研究を明確に定義されたコホート内で行うとき，これをネステッドケースコントロール研究（nested case-control study）という[7-9]（図9-2C参照）．このデザインでは，コホート研究と同様にコホートを時間経過に沿って追跡するが，詳細な情報はケースとコントロールについてのみ収集する．そのため，コホート研究より低コストで研究が実施できる点が利点である．古典的なケースコントロール研究ではソース集団が明確に定義されていないことが多いが，このデザインではソース集団（＝コホート）の人数が明らかであるため，発生割合や発生率を求めることができる．ネステッドケースコントロール研究では，追跡したコホートの人–時間における曝露を代表するようにコントロールが無作為に選択される（このサンプリング方法はdensity-based samplingと呼ばれる）[7]．このため，得られるオッズ比はコホート研究により得られる発生率比と理論的に等しくなる[7,8]．この方法により，サンプリングを行う分，コホート研究に比べて推定の精度は落ちるが，低コストでコホート研究に匹敵する結果を得ることができる．

②ケースコホート研究： ケースコホート研究（case-cohort study）は，コホートを時間経過に沿って追跡する過程で発生したケースにおける曝露を，サブコホートにおける曝露と比較する研究である（図9-4D参照）．サブコホートは，コホートの部分集団であり，追跡開始時点におけるコホートから無作為に抽出される．これはケースコントロール研究におけるコントロールに相当するが，疾病／有害事象がまだ誰にも発生していない（at riskにある）時点でサンプリングされる点が異なる．この方法で得られるオッズ比は，コホート研究により得られるリスク比と（サンプリングによる偶然誤差を除けば）理論的に等しくなる[7,8]．このデザインには，ネステッドケースコントロール研究と同様，詳細な情報をケースとサブコホートのみから得ることにより，コホート研究より低コストで研究を実施できる利点がある．それに加えて，ケースを特定する前に

キーワード ネステッドケースコントロール研究，ケースコホート研究

サブコホートを選択するので，曝露と複数のアウトカムとの関連を同時に検討できる利点がある．

8）実態調査

医薬品の使用実態，医療サービスの現状，医師・薬剤師の意識，患者の意識や満足度などを記述することを目的とする実態調査が行われている．薬剤疫学では，日常診療下での医薬品の使用実態を記述する医薬品使用実態研究（drug utilization study）が重要である[1]．医薬品使用の経年変化の記述，併用禁忌の薬の処方割合や副作用早期発見のための検査（例：肝機能検査）の実施割合の調査などを通じて，医薬品適正使用の状況が把握できる．また，緊急安全性情報発出などの企業・行政によるアクションが使用傾向に与えた影響を評価することができる．

9-2-2. 副作用の因果関係の評価

ある有害事象の原因として医薬品（の副作用）が疑われるとき，因果関係をどのように評価すればよいだろうか．副作用には，用量に関係する（薬理作用で説明可能な）もの，用量に関係しないもの（アレルギーなど），遅発性のもの，離脱反応など，様々なタイプがあることが知られている．また，副作用症状の多くは薬に特異的ではなく，基礎疾患・合併症やほかの原因によっても起こり得る．さらに，副作用は通常，発生頻度が低く，市販前の無作為化比較試験で明らかになるよりは，市販後に発見され，観察的疫学研究によって評価・検討されることが多い．こうした点から，副作用の評価は有効性の評価に比べて複雑であり，因果関係の定型的な評価方法は存在しない．

しかし，市販後の医薬品安全性監視においては，副作用を早期に発見し必要な対策を講じる必要から，報告された副作用（疑い）症例の個別評価が行われてきた．そして，個別症例に関する因果関係の評価基準や副作用判定アルゴリズムが数多く提案された．その1つが，世界保健機関（WHO; World Health Organization）のUppsala Monitoring Centre（UMC）による因果関係の評価基準である．UMCは，スウェーデンのウプサラに設置された国際的な副作用のモニタリングセンターである[10]．UMCによる因果関係の分類と評価基準を表9-4に示す．

副作用判定アルゴリズムは，このような評価基準をフローチャートにした形で提案された．「時間的関係が矛盾しないか」，「基礎疾患で説明できるか」などの質問にYes/Noで答えて矢印をたどると，因果関係のどれに区分されるかが決まる．しかし，一方向のフローチャートでは適合しない症例があり，また種々のアルゴリズム間で評価の不一致が見られた．そこで，因果関係の可能性を点数で表して定量的に評価するスケールが提唱された（Naranjoスケール[11]が代表的である）．このほかに確率論的方法もある[1]が，いずれの方法についても，副作用の因果関係を評価するために広く一般に受け入れ

キーワード　実態調査，因果関係，副作用判定アルゴリズム，Naranjoスケール

表 9-4. WHO Uppsala Monitoring Centre による因果関係の分類と評価基準

因果関係	評　価　基　準
Certain（確実）	・薬剤使用との時間的関係が妥当 ・疾患やほかの薬剤では説明できない ・中止後の反応が妥当 ・薬理学的，現象論的に確実 ・再投与の結果に納得がいく
Probable/Likely（おそらく）	・薬剤使用との時間的関係が合理的 ・疾患やほかの薬剤によるとは考えにくい ・中止後の反応が合理的 ・再投与の結果は不要
Possible（可能性あり）	・薬剤使用との時間的関係が合理的 ・疾患やほかの薬剤によっても説明できる ・中止後の情報が不足／不明
Unlikely（考えにくい）	・薬剤使用との時間的関係がありそうにない（あり得なくはない） ・疾患やほかの薬剤によるとの説明が妥当
Conditional/Unclassified（条件付き／未分類）	・適切な評価には追加データが必要 ・追加データを調査中
Unassessable/Unclassifiable（評価・分類不能）	・副作用を示唆するが， 　・情報が不十分または矛盾するため，判断できない 　・データを補完または確認できない

られた方法は存在しないといわれる[12]．

「ある関係が因果関係であるかをどのように決めるのか」という問いに対して，有名な疫学者であるロスマン（Kenneth J. Rothman）は，「答えはチェックリストや統計学的方法の中にはない」と述べている[7,8]．そして，「推測と反証に基づく因果推論が，きわめて望ましい批判的吟味を育む」ことを強調している[7,8]．すなわち，因果推論では，観察された事実を元に原因を推測し，それに対する反証にさらされることを繰り返す過程が重要とされる．

9-2 参考文献
1) Strom BL, Kimmel SE, Hennessy S ed.: Pharmacoepidemiology, 5th ed., John Wiley & Sons（2012）
2) Strom BL, Kimmel SE, Hennessy S ed.: Textbook of pharmacoepidemiology, 2nd ed., John Wiley & Sons（2013）
3) 景山茂・久保田潔編：薬剤疫学の基礎と実践 第2版，医薬ジャーナル社（2016）
4) 高野哲夫：戦後薬害問題の研究，文理閣（1981）
5) Lenz W: Epidemiologie von Mißbildungen. *Pädiatrie und Pädologie*, **1**, 38-50（1965）
6) 厚生労働省：国民健康・栄養調査．（https://www.mhlw.go.jp/bunya/kenkou/kenkou_eiyou_chousa.html）
7) Rothman KJ: Epidemiology: an introduction, 2nd ed., Oxford University Press（2012）
8) 矢野栄二・橋本英樹・大脇和浩監訳：ロスマンの疫学 第2版，篠原出版新社（2013）
9) Rothman KJ, Greenland S, Lash TL, ed.: Modern epidemiology, 3rd ed., Lippincott Williams & Wilkins（2008）
10) World Health Organization - the Uppsala Monitoring Centre: The use of the WHO-UMC system for standardised case causality assessment.（https://who-umc.org/Graphics/24734.pdf）

11) Naranjo CA, Busto U, Sellers EM *et al.*: A method for estimating the probability of adverse drug reactions. *Clin Pharmacol Ther*, **30**(2), 239-245 (1981)
12) Agbabiaka TB, Savović J, Ernst E: Methods for causality assessment of adverse drug reactions: a systematic review. *Drug Saf*, **31**(1), 21-37 (2008)

9-3. 介入研究

小野俊介

> **学習のポイント**
> ❶ 代表的な介入研究である臨床試験では，試験の目的（結果が何に使われるのか）に応じて，適切な試験デザインが採用される．
> ❷ 臨床試験の結果に入るバイアス（真の姿からの歪み）をできるだけ減らすため，無作為化，盲検化などの手法が必要となる．
> ❸ 臨床試験の質を保証するためには，プロトコール（試験実施計画書）に定められた実施方法の遵守，および，正しい統計解析手法の適用が求められる．

本節では介入研究としての臨床試験のデザイン・解析に関する基本概念や方法などを説明する．「介入」とは「研究目的で，ヒトの健康に関する様々な事象に影響を与える要因（健康の保持増進につながる行動及び医療における傷病の予防，診断又は治療のための投薬，検査等を含む．）の有無又は程度を制御する行為（通常の診療を超える医療行為であって，研究目的で実施するものを含む．）をいう」と公的な研究倫理指針で定義されており，本書もその定義に従う[1]．

介入を伴う臨床試験の典型は，新薬の開発過程で実施される薬効評価のための試験である．医薬品医療機器等法における新医薬品の製造販売承認の取得を目的とした臨床試験は特に治験と定義される（2章参照）．治験では治験依頼者（製薬企業），治験責任医師，治験実施スタッフなどがプロトコールと呼ばれる試験実施計画を遵守するのは当然だが，被験者（患者）にもインフォームドコンセントの下で一定の約束事に従ってもらうことが前提となる．すなわち臨床試験では，単に試験薬の服用のみならず，試験期間中にプロトコール上禁じられた併用薬を服用しないこと，決められた検査を予定通りに受けることなど，試験に参加すること自体から様々な健康への影響が生じる可能性がある．上述の「介入」とはこうした側面も含む．

9-3-1. 臨床試験計画の立案において留意すべき点

まずは臨床試験計画の立案段階で留意すべき点を順に挙げる．これらの留意点は，臨床試験の一般指針（ICH E8 ガイドライン），臨床試験のための統計的原則（ICH E9 ガイドライン），臨床試験における対照群の選択（ICH E10 ガイドライン）等に詳述され

キーワード 介入研究

ている[2-4].

1) 試験の位置付け

2) に述べる試験の（狭義の）目的の妥当性は「そもそも，あなたはなぜ試験を実施するのか」「試験の結果を何に使うのか」といった試験計画の文脈を考慮して判断される．具体的な試験デザイン要素の選択の妥当性についても同様である．

計画する試験が，たとえば新薬の製造販売承認取得を目指すものであれば，医薬品医療機器等法およびそれに付随する行政通達（各種ガイドライン等）や当局の個別の要請に従う必要があり，ここで述べる一般的な原則に従うのみではむろん不十分である．規制当局の要請は国ごとに当然異なることにも注意すべきである．たとえば，実施しようとする第Ⅲ相比較試験の目的を「プラセボに対する優越性の検証」とするか，あるいは「標準薬に対する非劣性の検証」とするか（詳細は 9-3-2. を参照）は，たとえば「どの国で申請を行うのか」等の意図によって決まる側面もあり，薬剤の種類，治療領域，患者集団の属性等から自動的に決まるものではない．

計画する試験が承認取得を目的としないものであっても，試験実施に関する国内の一般的な法令（倫理指針等を含む），研究資金提供者が求めるルール，臨床試験登録や医学論文公表に関する世界的なルールを遵守する必要がある．

2) 試験の目的

臨床試験の実施方法・取り決めなどを包括的に記載した文書をプロトコール（試験実施計画書，protocol）という．プロトコールの最初に書かれるのが試験のタイトルと目的である．医薬品の試験であれば，薬剤名，対象疾患，試験の相，試験デザインなどに加えて，試験の目的が探索的な（exploratory）ものか，それとも検証的な（confirmatory）ものか，検討の主眼が有効性か，それとも安全性か（あるいはその両方か）などを可能な限り明確に宣言すべきである．統計解析方法の詳細については，プロトコールとは別の統計解析計画書に規定することもある．近年，試験の目的に由来する臨床上の問いに対応する治療効果が何なのかを，エスティマンド（estimand）という概念を用いてより正確に表そうとする動きがある．エスティマンドは推定量（estimator）の上位の概念であり，具体的には治療（薬剤），対象集団，変数（エンドポイント），中間事象，集団レベルでの要約で規定される．

3) 適格条件

試験が対象にする現実の患者集団は適格条件（eligibility criteria）によって定義される．適格条件は，試験に含めるべき患者の条件を挙げた選択基準（inclusion criteria）と試験に含めてはならない患者の条件を挙げた除外基準（exclusion criteria）からなる．

キーワード プロトコール（試験実施計画書），適格条件，選択基準，除外基準

4）試験デザイン

臨床試験の基本デザインとしては，並行群間試験，クロスオーバー試験，要因試験，漸増法試験などがある．それぞれの特徴は次の通りである．

①並行群間試験： 患者間比較を基本としたデザインで，検証的試験で最も一般的に用いられる．被験者は異なる治療（薬剤）が割り当てられた2つ以上の群の1つに割り付けられる．割付けに際しては無作為化（後述）の手法が用いられることが多い．

②クロスオーバー試験： 患者内比較（自己対照）によって複数の（通常は2つの）治療を比較するデザインである．結果の個人差が大きい場合に採用される．各被験者が無作為化された順序で2つの治療を受けることにより，時期効果（治療の順序による効果）も定量的に評価できる．先に投与した薬剤が後から投与する薬剤に影響を与える持越し効果（carry-over-effect）があると正しい評価ができないため，十分に投与間隔を空けるなどのウォッシュアウト（washout）が必要になることもある．

③要因試験： 要因試験（factorial design trial）では複数の治療の組み合わせを用いて，組み合わせ治療の効果（併用効果）を評価する．2×2要因試験でAとBという2つの薬剤の組み合わせ投与の効果を見る試験では，被験者は「A単独」，「B単独」，「AB同時（併用）」，「どちらもなし」の4群に割り付けられる．

要因試験の例としては，脂質低下薬と降圧薬の配合剤（例：アトルバスタチンとアムロジピン），2種の糖尿病用薬の配合剤（例：ピオグリタゾンとメトホルミン）などの試験がある．いずれもそれぞれの薬剤の単独の効果と，それらを同時に併用投与した際の効果を観察し，同時併用投与による相乗・相加効果，安全性の懸念がないこと，付随する患者利益の有無などが確認された上で，これらの配合剤は承認された．

④漸増法試験： 任意漸増試験ではプロトコールに従って明確に定義された反応が出現するまで投与量を漸増する．反応が比較的速やかに出現し，かつ，それが不可逆的な事象（後遺症等が残る重大な副作用など）でない場合に至適投与量を探索する試験等に採用されるデザインである．強制漸増試験では，すべての被験者に投与量が順次増加される．試験期間を延長すればより広い範囲の用量まで検討が可能なので，用量反応検討のための初期の試験として用いられる場合がある．

⑤その他の試験デザイン： アダプティブデザイン（adaptive design）と呼ばれる方法を取り入れた試験が近年実施されている．アダプティブデザインとは，事前にプロトコールに定められた手順に従い，その試験で蓄積した結果を利用して中間解析を実施し，試験途中に試験デザインの一部を（いわば計画通りに）変更する方法である．たとえば複数の用量群を設けた用量設定試験の試験途中に，ある用量の効果が著しく低い（可能性が高い）ことが判明した場合にその用量群を中止し，別の用量群を新たに設けるといった変更を統計学的に厳密な制御の下で行うなどの例がある．ほかにも目標症例数や群間の割付比の変更，さらには中間解析での試験の成功・失敗の判断に基づいて試験中止

キーワード　アダプティブデザイン

を決定することなどがアダプティブデザインの考え方で実施されることがある．がん治療領域などでは，単一の疾患（がん種）に対してバイオマーカー別に異なる治療を行うアンブレラ試験，同一の対象遺伝子を有する複数の疾患に単一の治療を適用するバスケット試験，試験中に評価ずみの治療群を削除したり，新たな治療群を追加したりすることがあるプラットフォーム試験といった新たなデザインの試験が実施されている．1つのプロトコールにおいて，複数の疾患に対する複数の治療の有効性・安全性を確認するデザインの試験を一般にマスタープロトコール試験と呼ぶ．

5) エンドポイントの設定

臨床試験における評価指標をエンドポイント（endpoint）と呼ぶ．試験の主目的と直結する最も重要なエンドポイントを主要エンドポイント（primary endpoint）といい，主要エンドポイントとともにその結論を支える（複数の）エンドポイントを副次的エンドポイント（secondary endpoint）という．

抗がん剤の試験での延命効果（何年生き延びるか）に代表されるように，患者にとっての実質的な臨床上の価値を表す真のエンドポイント（true endpoint），真のエンドポイントによる評価が困難な場合に採用される代用エンドポイント（surrogate endpoint）という分類もある．たとえば脂質低下薬で血中脂質（LDL），降圧薬で血圧が代用エンドポイントとして使われてきたのは，真のエンドポイント（心血管イベントによる死亡）による評価に多大な時間，費用がかかることが背景にある．代用エンドポイントを真のエンドポイントに代えて用いる場合は，過去の疫学調査や病態学・薬理学の基礎研究などによる裏付けが必要となる．

その他にも，たとえば患者の死亡やがんの再発の有無のような「ハード」エンドポイント（どの評価者が評価しても変動しないもの），医師による主観評価のような「ソフト」エンドポイント（評価者・評価時点によって変動するもの）という分類もある．

6) 対照群の選択

有効性の証明にしばしば用いられる対照には，プラセボ対照，無治療対照，用量反応対照，実薬対照の4種類がある．対照群は試験ごとに被験薬群と同時に設置され，観察される同時対照（concurrent control）が原則とされる．同時対照でない対照としては，過去のデータを用いる既存対照（historical control），薬剤投与開始時の値と比較するベースライン対照（baseline control）などがあり，一般に外部対照（external control）と呼ばれる．外部対照は特に選択バイアス（selection bias）を防ぐことができないため，厳密な薬効評価で用いられることは少ない．

キーワード　主要エンドポイント，副次的エンドポイント，真のエンドポイント，代用エンドポイント

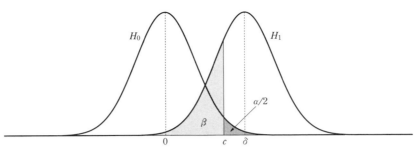

図9-3. 症例数設定の考え方（概念図）

7）症例数（サンプルサイズ）の設定

臨床試験の被験者数は，試験の目的に応じて，統計学的に信頼できる結論を得ることができるよう事前に設定され，その設定根拠とともにプロトコールに明示される．たとえば被験薬 X の効果が対照薬 Y の効果より大きいかどうかを片側検定することを目的とする場合を考える．帰無仮説は $H_0：\mu_X=\mu_Y$（両薬の効果に差がない），対立仮説は $H_1：\mu_X>\mu_Y$（X の効果が Y の効果より大きい）である．

適切な症例数は，期待される両薬群の効果の差（δ），必要とされる有意水準（significance level; 図9-3 の α）および検出力（power; 図9-3 の $1-\beta$）の関係に基づいて算出される．有意水準は一般的に両側5%または片側2.5%が採用されることが多い．検出力は80%程度が一般的である．期待される両薬群の効果の差は，過去の試験や類薬の結果等から推定される．図9-3 の左側の分布は H_0 が正しい場合の両群の差の分布，右側は H_1 が正しい場合の両群の差の分布を示す．この分布の広がりも事前の情報（各群の効果のデータのばらつき）から推定される．

分布 H_0, H_1 は症例数 n によって広がりが変化する（n が大きいほど狭くなる）．棄却限界値 c は H_0 の下で第一種の過誤の確率を有意水準以下に抑えるように定めることから，左側の分布（H_0）の c 以上の面積が片側検定の場合には $\alpha/2$ になる．一方，検出力は右側の分布（H_1）の c 以上の面積にあたる（検出力は β ではなく $1-\beta$ である）．症例数 n が大きいと分布の広がりが狭くなり，検出力を表す面積が大きくなる．

こうした関係を踏まえて計算すると，上述の例での1群あたりの症例数 n は次式で算出される．$Z_{\alpha/2}$, Z_β は標準正規分布の Z 値，s は効果のデータの標準偏差である．

$$n=2\times(Z_{\alpha/2}+Z_\beta)^2\Big/\left(\frac{\delta}{s}\right)^2$$

なお実際には上式で算出された症例数に，試験開始後の予想脱落数（たとえば10%程度）を上乗せして最終的な症例数が設定される．

8）バイアスを減らす・避ける方法

①割付けにおける無作為化： 無作為化（randomization，ランダム化ともいう）とは，試験対象とする被験者を乱数発生プログラムによりあらかじめ設定された試験群

（たとえばプラセボ群と試験薬群）に分ける方法である．通常前向きの試験デザインに適用される．適切に無作為化が行われた場合，結果として被験者の群間の属性・背景因子（例：年齢，性別，重症度等）がほぼ均等になることが期待される．

無作為化は，臨床試験の結果を「観察された結果（たとえば有効率の差）が，薬剤の違いによって引き起こされた」という因果関係として解釈することを可能にするという観点から，薬効評価を含む実験科学（社会科学を含む）にとってきわめて有用な方法である．無作為化により，結果に影響を与えるあらゆる潜在的な変数の条件付けの下で，結果変数と割付けが独立となる点がポイントである．無作為化を適切に行った比較試験では，統計解析モデルに用いられる共変量（例：年齢，性別，重症度等）の有無・種類にかかわらず，比較する薬剤同士の効果の差を正しく推定できる．

無作為化の直接の利益は，試験結果の評価において重大な問題となる選択バイアス（selection bias）の解消という形で表れる．XとYという2つの薬剤の比較試験の文脈での選択バイアスとは，何らかの（隠れた）理由があってX群に割り付けられる（Xを服用することになった）患者と，同様に何らかの理由でY群に割り付けられる患者が異なる薬剤への反応を有することに由来する効果の差である．正（または負）の選択バイアスが存在すると，次式に示すように，薬剤の違いに由来する効果の差とは別の種類の差が観測される差に混入してしまう．

　　（観測される両薬の効果の差）＝（同じ患者が両薬を服薬した時の差）＋（選択バイアス）

②割付けにおけるブロック化：　試験に用いる薬剤以外に臨床試験の結果に影響する要因（例：重症度）が知られている場合に，その要因を割付けにおいて事前に調整することをブロック化（blocking）という．たとえば軽症と重症の患者それぞれに2群の割付けを行う方法を層化割付け（stratified allocation）と呼ぶことがある．多施設試験で施設ごとに試験結果が（事前に調整できない何らかの理由で）異なる可能性がある場合には，各施設における割付けがどちらか一方の薬剤に偏ることがないよう，施設をブロックとして割り付けることも多い．様々なブロック化の方法は，①の無作為化の方法とともに割付けの際に実施される．

最近の治験では中央登録方式（試験実施施設とは別の中央センターに連絡して個々の被験者の割付けを実施する方式）で被験者を割り付けることが多い．

③盲検化：　盲検化（blinding）とは，臨床試験での群間の割付けを被験者および試験実施医師等の評価者が知っていることにより薬効評価に生じるバイアス（特に測定バイアス）を防ぐための手法である．たとえば，被験薬とプラセボの無作為比較試験で薬剤の割付けが（予期せぬ理由で）判明してしまった場合，自らが服用している薬剤を被験者が知ったことによる心理的・身体的な影響に加えて，医師の評価にも様々な影響が出る可能性がある．

キーワード　無作為化，選択バイアス，盲検化

盲検化にはいくつかのレベルがある．盲検でないときは非盲検（unblinded）という．患者は薬剤がわからない（医師はわかっている）ときは単盲検（single blinded），医師も患者も薬剤がわからない場合を二重盲検（double blinded）という．加えて，試験を実施する医師とは別のデータ評価者も薬剤割付けを知らない状況を三重盲検（triple blinded）ということもある．

2つの薬剤の比較試験では，製剤の外見・重量・味などを同じにする（含有成分は異なる）ことができれば理想的だが，それができない場合には，見た目の異なる薬剤ごとにプラセボを作り，すべての被験者が必ずどちらかのプラセボと，それとは逆の実薬を一緒に服用する方法（ダブルダミー法）が用いられることが多い．

盲検化は評価のバイアスを低減する有用な手段だが，すべての試験で盲検化ができるわけではない．たとえば薬剤等を投与しない無治療群を対照とする場合には，当然ながら盲検化はできない．薬剤の色調，味，粘度などの属性によりプラセボを製剤化できないことも多いし，服用する錠剤数が増えすぎる等の理由でダブルダミー法が事実上不可能なこともある．

9-3-2. 優越性試験と非劣性試験

新薬開発後期の検証試験（confirmatory trial）で新薬の有効性（通常はプラセボに対する効果の優越と概念的に定義する）を証明する流儀は大きく2つある．1つが対照薬に対して効果が優っていること，すなわち優越性（superiority）を示すこと，もう1つが実薬に対して一定以上劣らないこと，すなわち非劣性（non-inferiority）を示すことである（図9-4）．優越性の検証を主目的とする試験を優越性試験（superiority trial）と呼び，非劣性の検証を主目的とする試験を非劣性試験（non-inferiority trial）と呼ぶ．

優越性試験は，プラセボあるいは標準薬よりも有効性が高いことを直接的に統計学

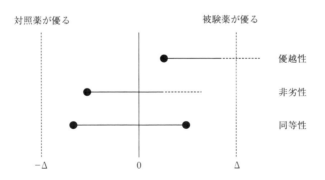

図9-4. 被験薬と対照薬の差の信頼区間で示す優越性，非劣性，同等性の概念

キーワード 検証試験，優越性，非劣性

に示すことを目的とする．非劣性試験は，同等と見なせる許容幅Δ（非劣性マージン，non-inferiority margin; デルタと呼ばれる）をあらかじめ設定し，被験薬の効果が対照薬に比べてΔ以上は劣らないことを統計学的に示すための試験である．非劣性の概念は，いわゆる「NS（Not Significant）同等（差の検定で有意でないことを同等と見なすこと）」の考え方を是正したものであり，現在の薬効評価で広く用いられているが，非劣性試験における有効性の検証が正しく行われるためには，次の2つの前提が必要である．

1つ目の前提は，その試験において分析感度（assay sensitivity），すなわち群間の差が本当にあった場合にその差を見つける力を当該試験が持っていることである．分析感度を欠く非劣性試験では，無効な薬剤を対照薬と同等あるいは非劣性と結論付け，結果としてその無効な薬剤を有効と誤って判断してしまう過ちを犯す危険が高くなる．この懸念に対する解決策の1つとして，プラセボ・被験薬・対照薬の3群比較試験をガイドラインは勧めている[4]．2つ目の前提は，非劣性マージンΔが十分に小さいことである．大きすぎるΔを用いた非劣性では被験薬の有効性を保証できない．Δは対照薬の過去の信頼できるプラセボ対照試験からメタアナリシス等により適切に設定しなければならない．

薬剤の有効性の立証ではなく，薬剤間の有効性の比較という目的で考えると，非劣性という概念に加えて同等性（equivalence）という概念も知っておく必要がある．同等性試験（equivalence trial）では，2つの試験薬の効果（反応）が臨床的に重要な意味を持つほど異ならないことを示すことが目的となる．具体的には，通常臨床的に許容できる差である上側同等限界と下側同等限界の間に試験薬の効果の差が存在する（可能性が高い）ことを統計学的に検討する（図9-4参照）．なお，直接の有効性の比較目的ではないが，たとえば先発医薬品と後発医薬品の生物学的同等性試験（bioequivalence trial）ではこの同等性の概念に従って薬剤の血中濃度の推移が同等か否かの判断が下される．

9-3-3. 臨床試験実施上の留意点

臨床試験の結果の信頼性は，試験デザインだけでなく，試験の実施の質によっても影響を受ける．統計解析に大きな影響を与えうる試験実施上の留意点を挙げる．これらの留意点は統計ガイドラインに整理されている[3]．

1）試験のモニタリング

試験期間中は，プロトコールが守られているか，症例数はその時点での集積目標に達しているか，計画策定時に用いた仮定は妥当かなどを継続的にチェックするモニタリングを適切に実施し，治験実施の質を監視しなければならない．治験のモニタリングの実施義務は治験依頼者（製薬企業）にある．

キーワード 分析感度，同等性

2) 登録基準の変更

　選択基準・除外基準は被験者募集期間を通じて一定に保たれるべきだが，こうした登録基準の制限が厳し過ぎて登録が進まない場合や，登録基準違反が頻発していることがモニタリングで確認された場合などには，プロトコールの登録基準を適切に変更することがある．

3) 必要な被験者数の調整

　盲検下のデータを用いて（割付けキーを開けずに）中間的な確認を行うことによって，それまでの試験全体での反応の分散，イベント発生率，生存状況などが予期していた状況と異なることが明らかになる場合がある．そうした場合には，修正した仮定に基づいて被験者数を再計算し，プロトコール等を改訂する必要がある．

4) 中間解析と早期中止

　中間解析はプロトコールに規定された方法（回数，タイミング，統計学手法，結果の適用法）で実施するのが原則である．割付けを明らかにして（キーオープンして）行う中間解析は，たとえば被験薬の優越性が試験途中で疑いなく立証された場合，目的とする大きさの試験薬間の効果の差が見出される見込みがないことが判明した場合，許容できない有害作用が発生していることが判明した場合などに，試験を早期に中止することを目的として実施されることがある．中間解析では試験全体の第一種の過誤の確率を適切に制御すべきである．

　試験途中での試験実施者（医師，スタッフ）の行動の変化や登録患者の変化が発生するのを避けるため，中間解析の結果は試験実施者・被験者に漏れないようにすべきとされる．

5) 独立データモニタリング委員会

　独立データモニタリング委員会（independent data monitoring committee）は，試験の進行状況，安全性データ，有効性に関する主要評価項目等を継続的に評価するとともに，治験依頼者に試験の継続・変更・中止を勧告するために，治験依頼者が設置することができる独立した委員会である．独自の手順書を持ち，情報を適切に管理した上で（たとえば企業スタッフには割付けを明らかにして行った解析結果の開示を制限するなどして），試験途中で重要な判断を下す組織である．主として倫理的な観点（被験者保護）から試験実施状況を見守る治験審査委員会（institutional review board）とは別組織である．

キーワード　中間解析

9-3-4. 臨床試験の統計解析における留意点

臨床試験の統計解析を実際に実施する際に留意すべき点を説明する．統計解析の基本的な概念・方法については8章を参照すること．

1）解析の事前明記

臨床試験の結果を具体的にどう解析するかは，プロトコール（および統計解析計画書）に事前に定められた手順に従わなければならない．解析方法を一部変更する必要が生じた場合には，盲検性が維持された状態で（最終解析前に），変更内容をプロトコール等に規定するのが原則である．

2）実際に解析対象とする集団について

試験に参加した被験者の一部は，たとえばプロトコール通りに服薬をしなかったなどの問題を抱えていることがある．こうしたプロトコール違反例等をどこまで解析対象とするのかについても可能な限り事前にプロトコールに定めておくべきであるが，予期せぬ違反・変則例が生じた場合には，1）と同様に，盲検下で取り扱いを決めるべきである．

最終的な解析対象集団の決定に際しては，バイアスの最小化と第一種の過誤の増大の回避という2つの原則に従うことが重要である．「（できる限り）最大の解析対象集団」，すなわち Intention-To-Treat（ITT）という理想に限りなく近付けた解析対象集団（FAS; Full Analysis Set）をどう決定するか，そして，「プロトコールに適合した対象集団（PPS; Per Protocol Set）」をどう決定するかは，これら2つの原則に照らして具体的に判断することになる．

一般に優越性試験ではFASを用いた分析が保守的（楽観的に「有意差あり」と誤って判断することが少ない）とされるが，逆に非劣性試験ではFASの使用は保守的とは見なされないことがガイドラインで指摘されている[3]．

3）欠測値と外れ値

欠測値と外れ値が生じた場合の扱いも事前にプロトコール等で定めておく必要がある．欠測値等に対応するための普遍的・万能の方法はないが，欠測値等の取り扱いによって最終的な結果がどのように影響されるかを確認することは必須である．

4）推定，信頼区間，仮説検定

事前に決められたやり方で仮説検定を実施し，信頼区間を提示することは当然である．選択する統計モデルは，統計学的な配慮に加えて，既存の医学・薬学的な知見も反映し

キーワード ITT，FAS，PPS，信頼区間

たものとすべきである．

5）有意水準と信頼水準の調整

主要評価項目が複数ある場合，群間の多重比較，多時点での繰り返し評価，中間解析を実施した場合など，繰り返し検定を行う場合には第一種の過誤に関する調整が必要となる．

6）部分集団，交互作用，共変量

被験者の一部の集団（例：高齢者，男性・女性）における効果の差や共変量の影響が予想される場合には，それらを解析上どのように扱うかをプロトコールで規定しておくべきである．部分集団における効果や共変量の影響は，交互作用（interaction）を含むモデルで検証的に解析されることもある．探索的に部分集団における効果（の差）などを検討することには意味があるが，探索的な部分集団解析の結果を当該試験の有効性や安全性の主たる結論とすることは通常は受け入れられない．

7）データマネジメント，統計解析ソフトウェア

臨床試験ではデータマネジメントを適切に実施し，解析結果の質・妥当性を保証しなければならない．データマネジメントの具体的な方法は標準業務手順書（SOP; Standard Operating Procedure）に規定される．統計解析には信頼できるソフトウェア（例：SAS）を用いる必要がある．

9-3 参考文献

1) 人を対象とする医学系研究に関する倫理指針ガイダンス．平成27年2月9日．文部科学省・厚生労働省
2) 臨床試験の一般指針．平成10年4月21日．厚生労働省
3) 臨床試験のための統計的原則．平成10年11月30日．厚生労働省
4) 臨床試験における対照群の選択．平成13年2月27日．厚生労働省

演習問題

問1　臨床研究を計画・実施する上で定められている基準を記しなさい．

問2　ケースコントロール研究とコホート研究について，各研究デザインの利点ならびに欠点を対比させて説明しなさい．

	ケースコントロール研究	コホート研究
データ収集に要する時間		
コスト		
まれな疾病・有害事象		
まれな曝露		
複数のアウトカム		
複数の曝露		
発生割合（絶対リスク）の推定		
用いられる指標		

問3　偶然誤差と系統誤差（バイアス）の違いを説明しなさい．

問4　臨床研究では，バイアスを最小限にすることが結果を解釈する上で重要である．以下のバイアスを説明しなさい．また，バイアスを最小にする工夫がある場合には，その方法を記述しなさい．
　　　　1）選択バイアス　　2）情報バイアス　　3）交絡

問5　代表的な臨床試験デザインを4種類挙げ，それぞれがどのような目的で採用されるかを説明しなさい．

問6　真のエンドポイントと代用エンドポイントの違いを説明し，それぞれの具体例を2つ挙げなさい．

問7　臨床試験の症例数（サンプルサイズ）を設定する際に考慮すべき要素を3つあげ，それらの要素がどのような関係でつながっているかを説明しなさい．

問8　臨床試験で無作為化（ランダム化）を行うことの統計学的な意義と有用性を説明しなさい．

問9　優越性，非劣性，同等性の概念を2群の比較の臨床試験の文脈で説明しなさい．

10章 EBMの実践と医薬品情報

真野泰成

> **学習のポイント**
> ❶ EBMの実践には5つのステップがある．
> ❷ 問題を定式化するにはPICO/PECOが基本となる．
> ❸ 研究デザインにはエビデンスレベルがある．
> ❹ 内的妥当性と外的妥当性を検討する必要がある．
> ❺ メタアナリシスは，複数の臨床研究のデータを統計的手法を用いて統合し，定量的に評価する研究手法である．
> ❻ コクラン共同計画はシステマティックレビューを世界的に行っているプロジェクトである．
> ❼ メタアナリシスは異質性と出版バイアスに留意する．

10-1. EBMの概念

10-1-1. EBMとは

　Evidence-based Medicine（EBM）は一般的に「根拠に基づく医療」と訳される．1991年Guyattによって提唱され[1]，質の高い医療を求める社会的な意識の高まりとともに，急速に普及した．EBMは「現今の最良のエビデンスを，良心的，明示的，そして妥当性のある用い方をして，個々の患者の臨床決断を下すこと」[2]であり，個々の患者の医療判断の決定に，従来の理論や経験則に頼るのではなく，最新で最善のエビデンスを利用することである．「入手可能で最良の科学的根拠を把握した上で，個々の患者に特有の臨床状況と価値観に配慮した医療を行うための一連の行動指針」[3]と解釈されている．エビデンスとは，「根拠または証拠」という意味があり，意思決定，治療判断の根拠となる．

10-1-2. EBMの要素

　「エビデンス＝EBM」という混同が散見されるが，エビデンスはEBMの要素の1つに過ぎない．EBMは，「臨床研究によるエビデンス（research evidence）」を「医療者の専門性・経験（clinical expertise）」，「患者の価値観（patient value）」と統合したものと定義され，これがEBMの3要素となっている[4]．EBMを実践していく上で重要

キーワード EBM

なことは，これら3つの要素を統合し，診療患者の臨床上の疑問点に関して，医療従事者が関連文献などを検索し，それらを批判的に吟味した上で患者への適用の妥当性を評価し，さらに患者の価値観や意向を考慮した上で臨床判断を下し，専門技能を活用し医療を行うことである．なお，近年では，「患者の臨床的状況と環境（patient circumstances）」が追加され（4要素）[5]，医療の行われる「場」や患者の状況も考慮すべきとされている．

10-2. EBM 実践のプロセス

10-2-1. EBM 実践の5つのステップ

EBM の実践は，以下の5つのステップにより行われる．
ステップ1：問題の定式化
ステップ2：問題解決のための情報収集
ステップ3：得られた情報の批判的吟味
ステップ4：情報の患者への適用
ステップ5：ステップ1～4の評価

10-2-2. ステップ1　問題の定式化

最初に，患者にとって重要な臨床上の問題（clinical question）を明らかにし，その後，その問題を定式化する．定式化にあたっては，PICO または PECO と呼ばれる頭文字で始まる4つの要素を考えるとよい．

P： Patient【対象患者】～どのような患者（年齢，性別，病状など）に対して
I/E： Intervention / Exposure【介入／要因への曝露】～どのような介入をすると／どのような曝露によって
C： Comparison【比較対象】～何と比較して
O： Outcome【結果・転帰】～どのような結果になるか

〈シナリオ〉　高血圧症の85歳男性患者から，高齢であるにもかかわらず降圧薬 A を服用する意味はあるのかとの質問を受けた．

臨床上の問題（clinical question）：　85歳高血圧症患者に降圧薬 A の服用は効果があるか．
この臨床上の問題を，定式化すると以下のようになる．

キーワード　PICO，PECO

P： Patient【対象患者】～高齢で高血圧症の患者に
I： Intervention【介入】～降圧薬 A を投与すると
C： Comparison【比較対象】～投与しないのと比べて
O： Outcome【結果・転帰】
- 死亡が減少するか ⎫
- 脳卒中が減少するか ⎬ 真のアウトカム
- 血圧が下がるか ── 代用のアウトカム

アウトカムは臨床経過の結末内容のことであり，それには「真のアウトカム」と「代用のアウトカム」がある．真のアウトカムは，死亡，脳卒中・心筋梗塞の減少などの，患者にとって重要な健康問題の結果をいう．しかし，それらを短期間で評価することができない場合は，一般に血圧，血糖値，血清脂質値などの間接的な指標である「代用のアウトカム」を用いる．PICO または PECO による問題の定式化の際には，できるだけ真のアウトカムを用いる．なお，臨床研究で仮説を検証するために最終的に統計処理の対象となるアウトカムをエンドポイント（評価指標）というが，実際，アウトカムとエンドポイントは厳密に使い分けしていないことが多い．

10-2-3. ステップ2 問題解決のための情報収集

1）情報収集のアプローチ

ステップ2では質の高い情報を効率よく収集することが大切である．ステップ1で作成した PICO または PECO をキーワードとして情報を収集・検索するとよい．現在，以下に示すような，EBM に有用な情報源を利用した段階的なアプローチが提唱されている．

①根拠に基づいた診療ガイドライン・教科書（各種診療ガイドライン，UpToDate など）：

UpToDate（診断・治療・予防に関する電子教科書）
　米国の臨床医学の学会が中心となり編集している電子書籍．エビデンスに基づく最新・最善の治療指針が要約され，逐次更新される．記載は英文だが日本語での検索も可能である．

Clinical Evidence（臨床的介入のエビデンス）
　日常的な臨床問題に対するエビデンスを簡潔に要約したエビデンス集であり，英国医師会が提供している．

②原著論文やメタアナリシスなどの要約（ACP Journal Club など）：

ACP Journal Club（論文要約集）
　主要医学雑誌から一定の基準を満たした優れた原著論文を定期的に拾い出し，評

キーワード 真のアウトカム，代用のアウトカム

価が加えられている.
③メタアナリシス,システマティックレビュー(The Cochrane Libraryなど):
The Cochrane Library(治療等に関する質の高いシステマティックレビュー)
治療・予防・診断など,医療上の介入の有効性に関する質の高いシステマティックレビューを収載したデータベース(10-4-2.参照).
④原著論文(MEDLINE,医中誌など):
原著論文を検索する際には,基礎実験や動物実験ではなく,臨床研究に焦点を絞る.

2) 代表的な臨床研究法(研究デザイン)の特徴

目的とする情報を収集するためには,適切な研究デザインを選択することが大切である.表10-1に研究デザインの特徴を示す.

表10-1. 代表的な臨床研究法(研究デザイン)の特徴

研究方法	メタアナリシス(メタ分析)	無作為化比較試験(ランダム化比較試験)	コホート研究	症例対照研究(ケースコントロール研究)
概要	複数の研究を系統的に収集し,理論的にそれらを要約,統合して定量的に評価する研究手法.	投与群と対照群に偏り(バイアス)が生じないように無作為(ランダム)に割り付け,疾病等の発症を経時的に観察する.	ある患者集団(コホート)を調査対象として,投与群と対照群に分け,疾病等の発症を経時的に観察する.	疾病等有無により設定した症例群(ケース)と対照群(コントロール)に対し,回顧的に投与(曝露)を調査する.
長所	複数の研究間で効果が一致しない,症例数が少なくて個々の報告では明確な回答が得られなかった場合などに有用であり,より精度の高い結果を得ることができる.	バイアスや未知ないし測定不能な潜在的交絡因子の混入を防ぐ唯一の理想的な方法とされている.	・発生率に関する情報が得られる. ・1つの曝露に多くの事象の可能性を研究できる.	・1つの疾患について多くの疑わしい原因を研究したいときに有用. ・比較的まれな疾患を対象とするときに有用.
短所	・個々の研究の質の評価が難しい. ・出版バイアスの可能性がある.	・被験者にとって有益であることが予測される場合にのみ倫理的に許される研究デザイン. ・費用と時間がかかる. ・患者のインフォームドコンセントが必要となる. ・ネガティブデータは公表されにくい.	背景因子と投与(曝露)の間の関連制御が困難.	・曝露情報の後ろ向き収集の妥当性に限界がある. ・適切なコントロール群の選択が必要となる.

10-2-4. ステップ3　得られた情報の批判的吟味

　ステップ2で得られた臨床研究論文などの情報を批判的に吟味する（6章参照）．その際，その情報の元となった臨床研究の手法が正しかったのか，得られた結果が信用できるのかといった情報そのものの妥当性（内的妥当性）について評価する．内的妥当性とは，臨床研究の対象となった患者集団について得られた結論がどの程度正確かを問う指標であり，研究対象と同じ集団に対して同様の介入を行った場合，同等の結果が再現される程度を指す（研究結果の正確度や再現性）．適切に実施されたバイアスの少ない無作為化比較試験ほど，内的妥当性が高いと考えられている．

　臨床研究で得られた結果が真実を反映していないという状況を引き起こす要因は，バイアス（データの偏り）と偶然の2つの因子が考えられる．内的妥当性の評価は，この2つの因子が適切に制御されているかどうかを検討する作業である．

1）内的妥当性のチェック項目

　治療に関する論文の内的妥当性を評価するためには，以下に示すような項目を吟味するとよい[6,7]．

〈内的妥当性のチェック項目〉
①研究方法は妥当か
　1. 適切に無作為（ランダム）割付けがされているか
　2. 追跡率，追跡期間は十分か
　3. 割付け通りに解析されているか（ITT解析）
　4. 盲検化されているか
　5. 各群の患者背景に差はないか（ベースラインは同等か）
　6. 介入以外の治療は同等か
②結果は何か
　1. 治療効果の大きさはどれくらいか（治療必要数，相対リスク減少率など）
　2. 治療効果の推定はどのくらい精密か（95%信頼区間の計算）

　まず，研究方法の評価については，バイアスの対策として無作為化や盲検化などが行われているかを検討する．脱落例や中止例がないか追跡率も確認する．盲検には患者のみ治療内容を知らない単純盲検，患者も医師も知らない二重盲検，加えて薬効などのアウトカムの評価を盲検化する三重盲検がある．さらに，割付け通りに解析されているかも大切である．Intention-To-Treat解析（ITT解析）は，割付け通りにすべての患者数を用いた解析であり，当初の無作為化による背景因子の同等性が保持されている．一方，脱落者を除いて解析することをPer-Protocol解析という．脱落者を除いた場合，当初

キーワード　内的妥当性，ITT解析，Per-Protocol解析，盲検化

表10-2. エビデンスレベルの分類と代表的な研究デザイン（米国健康政策・研究局 AHCRP）

	レベル	分類	無作為化割付けの有無	代表的な研究デザイン
介入研究	Ia	システマティックレビュー／メタアナリシス	あり	複数の無作為化比較試験
	Ib	少なくとも1つの無作為化比較試験	あり	無作為化比較試験
	IIa	少なくとも1つのよくデザインされた非無作為化比較試験	なし	非無作為化比較試験
観察研究	IIb	少なくとも1つのよくデザインされた準実験的研究	なし	コホート研究
	III	比較研究や相関研究，症例対照研究などよくデザインされた非実験的記述研究	なし	症例対照研究，症例集積，症例報告
	IV	専門家委員会や権威者の意見	なし	エキスパートコンセンサス

エビデンスレベルは，本表の上が最も高く，下に行くほど低くなる．

の無作為化が維持できなくなりバイアスの要因となる．

次に，結果の評価については，アウトカムデータの種類（真のアウトカム，代用のアウトカム）は何か，また，それに応じた適切な検定と推定であるかを確認し，結果の再現性（偶然の可能性）を検討する．

2) 研究デザインから見たエビデンスレベル

研究デザインとその信頼度に関する評価基準としてエビデンスレベルがある（表10-2）．この基準によれば，無作為化比較試験の結果をまとめたメタアナリシスが最も信頼性が高く，専門家の意見が最も信頼性が低い．

> **ボックス**
>
> PROBE法
>
> PROBE法（Prospective Randomized Open Blind Endpoint，前向き無作為化オープンエンドポイント盲検化試験）は，無作為化は行うが二重盲検を採用せず，アウトカム（薬効の判定）の盲検化のみ行う試験方法をいう．医師患者間の情報バイアスはコントロールされていないが，割付け後は日常に近い形で経過を追うことができる．

10-2-5. ステップ4 情報の患者への適用

ここまで評価した情報を目の前に患者に適用できるのか，つまり，情報の外的妥当性を評価する．外的妥当性とは，ある臨床研究で得られた結果や情報を，実際の患者にど

キーワード エビデンスレベル，外的妥当性

の程度適用できるかの指標をいう（研究結果の一般化の可能性）．内的妥当性が適切であっても，直ちに目の前の患者に適用してよいとは限らない．外的妥当性の評価では，下記に示すような項目を吟味するとよい[6,7]．

〈外的妥当性のチェック項目〉
1. 論文の患者と目の前の患者と異なるところはどこか
2. 臨床的に意味のあるすべてのアウトカムを評価したか
3. 副作用とコストを考慮しても治療効果が期待できるか

情報を患者に適用する際には，EBMの要素である「臨床研究によるエビデンス」，「医療者の専門性・経験」，「患者の価値観」および「患者の臨床的状況と環境」を考慮すべきとされている．具体的には医療施設の能力や医療体制，患者が置かれている社会状況，病態生理，合併症等の患者の病状，患者や家族の意向・価値観，さらに経済効果や倫理面への配慮なども検討する．最終的にはこれらを総合して，患者とのコミュニケーションを通じて，よりよい患者ケアのための意思決定を行う．

近年，GRADE（Grading of Recommendations Assessment, Development and Evaluation）システムという概念が提唱されている．診療ガイドライン作成時に用いられ，エビデンスレベルで内的妥当性を評価した上で，外的妥当性も加味して評価し，エビデンスの質や推奨度を表現する方法である．具体的には，全体的なエビデンスの質（確実性）の評価に加え，治療の有益性と有害性のバランス，患者の価値観・好み，コストや資源を考慮して推奨度が決定される．推奨の強さ（1強い，2弱い，の2通り）と方向性（推奨する，推奨しない）とともに，エビデンスの確実性（質）（A高，B中，C低，D非常に低，の4通り）との組み合わせで表記される（1Aから2Dまでの8分類など）．

10-2-6. ステップ5 ステップ1～4の評価

適用した治療が患者にとって最善のものであったか，ステップ1～4までの過程を検証する．

10-3. EBMの実践例

> 〈シナリオ〉 44歳女性．2型糖尿病と高血圧で定期外来通院中．本日，医師から脂質低下薬アトルバスタチン10 mgを1日1錠処方された．患者から，コレステロールの値はそれほど高くないが，なぜ服用しなければならないのかと質問を受けた．
> 　患者は食事療法を行い，メトホルミンとリシノプリルを内服中．糖尿病の家族歴あり．血圧は134/78．血清脂質値は，総コレステロール値194 mg/dL，LDL-コレステロール値110 mg/dL，HDL-コレステロール値49 mg/dL，トリグリセリド175 mg/mL．HbA1c 7.5%，肝機能，腎機能の異常はない．

EBMのステップに基づき実践する．

10-3-1. ステップ1　問題の定式化

目の前の患者にとって最も臨床的に重要な問題をPICOに沿って具体的に定式化する．

P： Patient【対象患者】～糖尿病の患者
I： Intervention【介入】～アトルバスタチンによる治療を行うと
C： Comparison【比較対象】～アトルバスタチンによる治療を行わない場合に比べて
O： Outcome【結果・転帰】～冠動脈疾患発症は抑制されるのか

ここでは冠動脈疾患の発症を真のアウトカムとして設定する．

10-3-2. ステップ2　問題解決のための情報収集

EBMのステップ2に基づき情報収集を行ったところ，LDLコレステロールがそれほど高くない2型糖尿病患者を対象としたアトルバスタチン治療による冠動脈疾患発症の一次予防に関する論文[8]を得た．

10-3-3. ステップ3　得られた情報の批判的吟味

ここでは*Lancet*に掲載された本論文（CARDS Study）の内的妥当性を検討する．冠動脈疾患の既往歴がなくかつLDLコレステロール値160 mg/dL以下の2型糖尿病患者2838例（40-75歳）を対象に，アトルバスタチン投与群（10 mg/日）とプラセボ群に無作為に割付け，冠動脈疾患の発症を主要アウトカムとして比較検討した臨床試験である．

1) 研究方法は妥当か

試験デザインは無作為化比較試験であり，アトルバスタチン群の有効性が明確になったため試験予定期間を2年早く切り上げ，3.9年（追跡期間の中央値）で中止になった試験である．追跡率は99%，追跡期間も妥当である．真のアウトカムを用いており，統計解析はITT解析に基づいて行われている．また，盲検化は適切であり，各群の患者背景およびほかの治療方法に差はなかった．

2) 結果は何か

結果を表10-3および図10-1に示す．冠動脈疾患発生までの時間曲線をカプラン・マイヤー（Kaplan-Meier）法（8-12-1.参照）で推定し，Cox比例ハザードモデルを用いてハザード比とその95%信頼区間を算出している．ここでは，p値，信頼区間から結果の確実性・再現性を評価する．

冠動脈疾患の発症はアトルバスタチン群83例（5.8%），プラセボ群127例（9.0%）

表 10-3. 冠動脈疾患発症リスクの比較

主要アウトカム	アトルバスタチン群 (1428例)	プラセボ群 (1410例)	ハザード比 (95% 信頼区間)	p 値
冠動脈疾患発症数 (%)	83例 (5.8%)	127例 (9.0%)	0.63 (0.48-0.83)	0.001

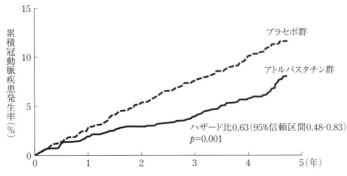

図 10-1. カプラン・マイヤー法による冠動脈疾患発症率の比較

であった．相対危険度を表すハザード比が 0.63（95% 信頼区間 0.48-0.83，$p=0.001$）であることから，アトルバスタチン群はプラセボ群に比べ，冠動脈疾患発症の相対的な発症リスクを 37% 有意に低下させた．つまり，相対リスク減少（RRR; Relative Risk Reduction）は 37% である（＝1－0.63）．絶対リスク減少（ARR; Absolute Risk Reduction）は両群の発症の差（9.0%－5.8%）をとり 3.2% となる．したがって，治療必要数（NNT; Number Needed to Treat）は ARR の逆数（1/0.032）であるため 31 となる．これら NNT や RRR，p 値および信頼区間から，有効性に関する結果については偶然ではなく，確実性・再現性が高いと考えられる．

これらのことから，内的妥当性は良好と判断できる．

10-3-4. ステップ4　情報の患者への適用

ステップ 3 で吟味した情報が目の前の患者に適用できるか，外的妥当性を検討する．

1）論文の患者と目の前の患者と異なるところはどこか

論文の対象患者の背景（平均値）は，年齢が 62 歳，総コレステロールは 207 mg/dL，LDL コレステロールが 117 mg/dL，HDL コレステロールが 54 mg/dL，トリグリセリドが 150 mg/dL，HbA1c は 7.8% であった．目の前の患者は糖尿病，高血圧を有する 44 歳であり，論文の対象患者に比べ若いが，LDL コレステロールは 110 mg/dL であり論文の対象患者同様に正常範囲である．これらのことから，目の前の患者と論文の対象患者については，年齢以外の項目で大きく異なっていないと考えられる．

2）臨床的に意味のあるすべてのアウトカムを評価したか

　糖尿病患者の合併症である大血管障害について，心筋梗塞や狭心症，脳梗塞などといった冠動脈疾患を主要アウトカムとして検討している．また，ここでは詳細は割愛するが，項目別に急性冠疾患イベントの発生，冠動脈血行再建術の実施，脳卒中の発生について検討しており，二次アウトカム（副次評価項目）として総死亡についても評価している．以上から，臨床的に意味のあるすべてのアウトカムが検討されていると考えられる．

3）副作用とコストを考慮しても治療効果が期待できるか

　有害事象あるいは重篤な有害事象は19例と20例であり，両群間で発生率に有意な差は見られなかった．また，横紋筋融解症の発生はなかった．さらに，アトルバスタチン10 mgという投与量は，海外では比較的，低用量とされているが，本邦で使用される投与量と同等であることからも，安全で有用な治療効果が期待できる．

　これらのことから外的妥当性は良好と判断できる．

　以上のことから，今回の研究は，2型糖尿病でLDLコレステロールがそれほど高くない患者に対して，アトルバスタチン10 mgの投与により心筋梗塞や脳卒中などを含む冠動脈疾患発症の一次予防に有用であることを示している．内的妥当性および外的妥当性も良好なことから，この結果は患者に役立つものと考える．まず，目の前の患者へこれらの情報を適用し，アトルバスタチン投与の意味についてよく説明する必要がある．ただし，エビデンスをそのまま患者に伝えることは誤解を招いたり，患者の気持ちを否定することにつながりかねない．副作用やコストをどうとらえるかなど患者の価値観を尊重した上で，医療者の経験や患者を取り巻く環境などを踏まえて，情報提供や意思決定をすることが大切である．

10-3-5. ステップ5　ステップ1〜4の評価

　最善の治療であったか，ステップ1〜4までの過程を検証する．

10-4. メタアナリシス

10-4-1. メタアナリシスとは

　メタアナリシス（メタ分析，メタ解析，meta-analysis）とは，すでに発表されている同じテーマ（臨床上の特定の疑問）に関する複数の臨床研究を定量的・統計学的にまとめて，結論を引き出す研究手法である．複数の研究間で効果が一致しない，症例数が

キーワード　メタアナリシス

> **ボックス**
>
> **システマティックレビューとは**
>
> システマティックレビューは、あるテーマに関する論文をあらかじめ定めた基準で網羅的に収集し、批判的吟味を加え要約したものをいう。定量的な結果の統合は問わない。
>
> **メタアナリシスとは**
>
> システマティックレビューにおける統計解析方法の一部であり、定量的な結果の統合がある。つまり、複数の研究を系統的に収集し、理論的にそれらを要約、統合して定量的に評価する研究手法である。

少なくて個々の報告では明確な回答が得られなかった場合などに有用であり、より精度の高い結果を得ることができる。多くの場合、複数の無作為化比較試験を統合する手法をとる。これは最もエビデンスレベルが高い研究方法とされている。統合できる臨床研究は無作為化比較試験に限らず、コホート研究、症例対照研究なども対象となる。

10-4-2. コクラン共同計画

　コクラン共同計画（The Cochrane Collaboration）は、1992年にイギリスの国民保健サービス（NHS; National Health Service）の一環として始まったもので、あらゆるヘルスケアの有効性に関するシステマティックレビューを「つくり」、「手入れし」、「アクセス性を高める」ことによって、人々がヘルスケアの情報を知り、判断することに役立つことを目指す国際プロジェクトである。つまり、無数の医療情報の中から、目的に合致した信頼できる臨床試験を網羅的に収集し、批判的吟味をし、メタアナリシスを実施して、その結果を利用者に提供している。

　コクラン共同計画で作成されたシステマティックレビューは、Cochrane Database of Systematic Reviews（Cochrane Reviews）と呼ばれ、質の高い系統的レビューとして定評がある。その成果は、Cochrane Reviews を中心したデータベースである The Cochrane Library として提供されている。データは更新され CD-ROM やウェブサイト（https://www.cochrane.org/）を通じて利用することができる。レビューの書誌事項と抄録は MEDLINE に収録されており、PubMed などで無料で検索することができる。また、Minds（日本医療機能評価機構の医療情報サービス）にて、レビュー論文の抄録の一部が日本語訳で公開されている。

10-4-3. メタアナリシスの手順

　臨床現場における疑問や問題等を研究テーマとして設定した後、以下の手順でメタアナリシスを行う。

キーワード　コクラン共同計画、システマティックレビュー

1) 関連する文献の検索

関連する文献を系統的，網羅的に収集することが大切である．そのため，MEDLINE，EMBASE，The Cochrane Library，医中誌など，可能な限り複数のデータベースを利用して検索する．

2) 解析対象とする文献の選択基準の設定

メタアナリシスに使用する文献の選択基準を明確化し，適格な文献を選別する．考慮すべき事項として，研究デザイン，介入の類似性，サンプル数や観察期間，出版や研究が行われた時期，複数発表による重複などがある．通常，研究結果，出典，著者名を隠して，2人以上で適格性を判定する．

3) データの抽出

選択基準に合致し適格と判断された文献から，メタアナリシスに使用するデータを抽出する．

4) データの統計解析

メタアナリシスでは，各研究におけるリスク比，リスク差，オッズ比などの治療効果である効果量（effect size）を使用して，数量的に合成し，解析に用いた全研究の総合的結果を算出する．その際，各研究における効果量を単純に平均するのではなく，重み付けして平均化する．重み付けには，効果量の分散の逆数をかけたものを使うことが多い．算出された全体の平均は，統合推定量（pooled estimate），要約推定量（summary estimate），統合効果量（pooled effect size）などと呼ばれ，メタアナリシスによって統合された効果量を意味する．

メタアナリシスのデータ統合方法には，固定（母数）効果モデル（fixed effect model）とランダム（変量）効果モデル（random effect model）の2種類がある．固定効果モデルは，個々の試験間で対象者は異なるが，それ以外の点ではまったく同じであると仮定したもので，均一性の検定は，このモデルがあてはまるかどうかの検定ともいえる．ランダム効果モデルは，個々の試験は種々の要素によりランダムな影響を受け，それぞれ異なる推定値を持つと仮定したものである．

5) 出版バイアス（publication bias）に関する検討

出版バイアスとは，統計的に有意な結果を得た研究は投稿されやすく，また掲載されやすい，ということから生じるバイアスをいう．出版バイアスの存在を視覚的に評価する方法として，ファンネルプロット（funnel plot，ファンネルは漏斗の意）を描く図式法がある．ファンネルプロットの見方は後述する．

キーワード 出版バイアス，ファンネルプロット，フォレストプロット

10-4-4. フォレストプロットを用いたメタアナリシスの結果解釈

メタアナリシスの統合結果は通常，フォレストプロット（forest plot，串刺し図，ブロボグラム）と呼ばれる図で表示される．個々の研究の結果は1行ずつ並べられ，最下段にこれらを統合した結果が示される．一例として，脳血管疾患の既往がある患者に対するスタチン投与群とプラセボ群の脳血管イベントの発生リスクを比較検討したメタアナリシスの解析結果[9]を図10-2に示す．

研究ごとに，左から順に，Study名（筆頭著者名と発表年次が記載されることもある），介入群と対照群におけるイベント発症数／症例数，各研究の相対リスク（RR），各研究の重み付け（ウエイト），点推定値と95％信頼区間の実数が表記されている．真ん中の四角（■）は各研究の効果量の点推定値を示し（ここではRR），■の大きさは各研究のウエイトを示す．左右の横棒は95％信頼区間を示す．重み付け平均による統合効果量の推定値は，一番下のひし形（◆）で示され，ひし形の左右の幅は95％信頼区間を表す．図の中央の垂直線がRR＝1を表しているので，垂直線より左側はイベント発生が低いこと（脳血管イベントの発症リスクが低いこと）を表し，治療が有効であることを示す．逆に，垂直線より右側は治療がむしろ有害であることを意味する．95％信頼区間の幅が広いのはその研究の推定値の精度が悪く，「ばらつき」が大きいことを意味する．95％信頼区間が1を含んでいるもの（1を挟んでいるもの）は統計学的有意差がないことを示し，1を含まないもの（1を挟んでいないもの）は有意差ありということを示す．

①上から1番目の研究は，症例が少ないので，ばらつきが大きく，95％信頼区間の幅が広い．その結果，軽くウエイトされている．

②上から4番目の研究は，症例が多いので，ばらつきが小さく，95％信頼区間は狭く，ウエイトも重い．

③上から1，2および3つ目の研究は，信頼区間が1を挟んでいるため有意な結果とはいえない．

④上から4つ目の研究は，信頼区間が1を挟んでいないため，有意な結果である．

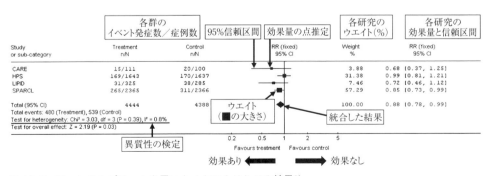

図10-2．フォレストプロットを用いたメタアナリシスの結果[9]
脳血管疾患の既往がある患者に対するスタチンの脳血管イベント抑制効果．

⑤統合した結果は，信頼区間が0.78-0.99で1を挟んでいないため，有意な結果である．さらに，RRが0.88であり，1より小さい．また，統合結果の検定結果（z＝2.19, p＝0.03）からも，この統合結果は統計的に有意であることが確認できる．

以上のことから，スタチン投与群はプラセボ群に比べて，脳血管疾患の既往がある患者の脳血管イベントを有意に低下させることが示唆された．

10-4-5. メタアナリシスの留意点

1） 異質性（heterogeneity）

メタアナリシスでは，同じテーマの複数の研究の結論が常に一致するとは限らない．異質性とは，複数の臨床研究がある場合，中には結論が一致しないものが出てくることがあることを意味している．大雑把には，フォレストプロット上でそれぞれの研究結果が1カ所に集まっていれば「同質」，左右にばらついていれば「異質」と読み取る（図10-3）．異質性の要因としては，それぞれの研究患者や研究デザインは表面上似ているが，実際には対象患者の臨床的特徴や研究デザインが同一ではなかったなどがある．

異質性を統計学的に検定することができる．異質性の検定ではCochran's Q testとI^2統計量で評価されることが多い．Cochran Q（χ^2検定）では，p値が0.05未満であれば統計学的に異質性ありとなる．I^2統計量では，0-25％なら異質性が低い，25-50％なら中程度，50-75％なら高い，75-100％ならきわめて高いと考えてよい．図10-2のメタアナリシスの研究結果においては，χ^2検定の結果がp＝0.39, I^2＝0.8％であるため異質性は低いと考えられる．

2） 出版バイアス

出版バイアスの評価にはファンネルプロットが用いられる．x軸に臨床研究の効果量（オッズ比またはオッズ比の対数など），y軸に研究の精度（サンプルサイズの大きさ）をプロットする．サンプルサイズ（研究規模）の大きさは，標準誤差の逆数で表されることがあり，サンプルサイズが大きければその結果の信頼区間は狭く，標準誤差は小さ

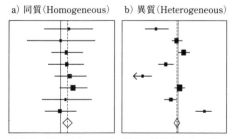

図10-3. メタアナリシスにおける異質性[10]
a）は同質，b）は異質と読み取ることができる．

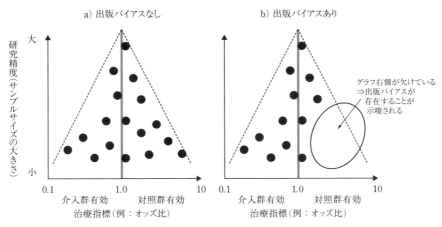

図 10-4. 出版バイアスの検討のためのファンネルプロット

いうことになる．

　サンプルサイズの小さい研究は実施が容易で多く行われているが，サンプルサイズが小さいために結果がばらつきやすい．そのため，研究の結果は y 軸の下の方に x 軸に沿って幅広く分布しやすい．一方，サンプルサイズの大きい研究は実施が困難なため，数は少ないが精度は高く（ばらつきが少なく），真の値に近くなる．そのため，y 軸の上の方で x 軸から見れば狭い範囲に分布することになる．図 10-4 に示すように，実際に行われた研究の結果がすべて公表されれば（つまり，出版バイアスがなければ），二等辺三角形に近い漏斗を伏せた形になる．出版バイアスがある場合は，サンプルサイズが小さく，有意な結果が出なかった研究は報告されないため，対照群有効の側が欠けた非対称な三角形になると予想される．

参考文献

1) Guyatt GH: *ACP Jornal Club*, **114**, A-16（1991）
2) Sackett DL, *et al.*: *BMJ*, **312**, 71-71（1996）
3) 福井次矢編：EBM 実践ガイド，医学書院（1999）
4) Sackett DL, *et al.*: Evidence-based medicine: how to Practice and Teach EBM 2nd ed, Churchill Livingstone, London（2000）
5) Straus MD, *et al.*: Evidence-based Medicine: How to Practice and Teach It 4th ed, Churchill Livingstone, London（2010）
6) Guyatt GH, *et al.*: *JAMA*, **270**, 2598-2601（1993）
7) 名郷直樹：ステップアップ EBM 実践ワークブック，南江堂（2009）
8) Colhoun HM, *et al.*: *Lancet*, **364**, 685-696（2004）
9) Vergouwen MD, *et al.*: *Stroke*, **39**, 497-502（2008）
10) 野口善令：はじめてのメタアナリシス，NPO 健康医療評価研究機構 第 2 版（2015）

演習問題

問 1　EBM の基本的概念と医薬品情報における重要性について述べなさい．
問 2　EBM の要素は何か．
問 3　EBM 実践の 5 つのステップをあげなさい．

問4　内的妥当性と外的妥当性とは何か説明しなさい．
問5　代表的な研究方法の特長を述べ，それらのエビデンスレベルを説明しなさい．
問6　ITT解析とは何か説明しなさい．
問7　NNTとは何か説明しなさい．
問8　メタアナリシスとは何か説明しなさい．
問9　コクランレビューとは何か説明しなさい．
問10　メタアナリシスの留意点を述べなさい．

11章 薬剤経済学の実践

坂巻弘之

学習のポイント

❶ 医療経済評価とは，医療技術評価の一領域であり，医療技術を経済的な視点から評価するものである．医療経済評価のうち医薬品を対象とするものを薬剤経済学と呼んでいる．
❷ 薬剤経済学は，ある医薬品を代替案との比較で，アウトカムの変化と費用の変化とを同時に比較するものである．
❸ 分析に用いるアウトカムの違いにより，費用効果分析と費用便益分析に大別され，費用効果分析では，医学的効果や質調整生存年などがアウトカムの指標として用いられる．
❹ 費用は，資源消費でとらえられるが，疾病の診療に関わる医療費や介護費などの直接費と生産性費用とに大別される．
❺ 薬剤経済学研究には，患者アウトカム研究とモデル分析とがある．

11-1. 医療技術評価と医療経済評価，薬剤経済学

　医療経済評価とは医療技術評価（HTA; Health Technology Assessment）の一部である．医療技術には，医薬品，医療機器，診断，手技に加え，公衆衛生など集団への介入が含まれ，これらの医療技術について，臨床的（clinical），経済的（economic），社会的（social），法的（legal），倫理的（ethical）等の側面から評価するものを医療技術評価としている[1]．医療経済評価は，医療技術評価のうち経済的側面から評価するものである．上述のように医療技術評価の対象は，医薬品以外も含み多様である．医療経済評価のうち，分析対象を医薬品とするものを古くから薬剤経済学（pharmacoeconomics）と呼んでいる．最近の政策議論では，評価の対象が医薬品以外にも広がっていることから，薬剤経済学と呼ばず，「医療経済評価」とすることが一般的であるが，本書の読者は，分析対象として医薬品を対象とすることが多いと思われることから「薬剤経済学」を使うことにする．

　薬剤経済学は，諸外国では，新医薬品の保険償還や価格交渉の参考など政策の場の意思決定の参考や，診療ガイドライン策定にも用いられているが，医療現場において用いることも可能である．我が国でも，医療機関の経営効率化や質の改善が求められており，高額な医薬品による患者の自己負担増などもあって，医療現場での薬剤経済学の取り組

キーワード 医療経済評価，薬剤経済学

みも重要になってくるものと考えられる．

11-2．薬剤経済学の考え方

効果の指標として生存年で示される架空の医薬品A（新薬）とB（既存薬）とについて考えてみる（表11-1）．新薬Aの生存年延長は患者1人あたりの平均で15年，既存薬Bの生存年延長は10年と，Aが優れている．この場合，安全性プロファイルにも問題がなければ，新薬Aが選択されるであろう．しかしながら，経済的に資源の制約のあるところで新薬をどのように使うかの判断については経済的な評価も必要になる．

この例において，Aは1人あたり2000万円，Bは1人あたり1500万円かかっている．すなわち，Aは，Bに比べて効果において優れているが，費用も多くかかっている．これらの情報からどのように判断すればよいだろうか．

費用を延長生存年で割ることで，それぞれの医薬品について生存年1年延長にかかる費用を計算することができ，Aでは133.3万円／年，Bでは150.0万円／年となり，これを平均費用対効果比と呼ぶ．効果1単位を得るのに安い方を選択するが，このとき，Aの方がBより費用対効果に優れるといい，Aが選択されることになる．

AかBのどちらかを選択するには，単にそれぞれの平均費用対効果を比較すればよいが，この考え方では，新薬Aが費用に見合うだけの価値があるかどうかの判断はできない．たとえば，既存薬Bが市販されている状況下で，新たに新薬Aを保険償還の対象にするかどうかを判断する場合には，違った考え方が必要である．すなわち，BからAに変えることにより得られる追加効果が追加費用に見合うかどうかの判断になる．

この例では，追加効果は5年，追加費用は500万円である．すなわちBからAに変更することでの追加的な生存年1年延長にかかる費用は100万円となる．この100万円を支払う価値があるかどうかで新薬Aが採用されるかどうかの判断が行われる．

こうした考え方での計算を「増分費用対効果比」，英語表記 Incremental Cost/Effectiveness Ratio の頭文字をとって「ICER」（アイサーと読む）と呼ぶ．また，支払う価値があるかどうかの判断基準（上限金額）を「基準値」というが，「閾値」（いきち，

表 11-1．薬剤経済学の考え方

	医薬品 A（新薬）	医薬品 B（既存薬）
効果（生存年延長）	15 年	10 年
費用	2000 万円	1500 万円

- 平均費用対効果比：それぞれの医薬品について費用対効果を計算．
  医薬品 A＝2000/15＝133.3 万円／年
  医薬品 B＝1500/10＝150.0 万円／年
  効果（生存年）1 単位を得るのにかかる費用が小さい方がよい（費用対効果に優れる）．AかBかを選択する場合はよいが，新薬Aが価格に見合うだけの価値があるかどうかの判断はできないため，増分費用対効果比を用いる．
- 増分費用対効果比（ICER: Incremental Cost/Effectiveness Ratio）：
  （新薬の費用－既存薬の費用）／（新薬の効果－既存薬の効果）
  ＝（2000－1500）/（15－10）＝100.0 万円／年

threshold）とも呼ばれる．

11-3．アウトカムの種類と分析手法

　薬剤経済学とは費用と効果（一般には「アウトカム」という）とを同時に，代替案との比較において検討するものである．アウトカムには様々な指標がある．高血圧治療のアウトカムを例に考えると，血圧変化のほかにも合併症（虚血性心疾患，脳血管疾患など）の罹患率，死亡率，延命などの医学的な結果，影響がありうる．これらを臨床的アウトカムと呼ぶ．また，QOLや満足度などで表される指標もあり，これらは人的アウトカムと呼ばれる．合併症罹患により入院頻度や期間に違いが生じて医療費に影響が及ぶことがある．こうした医療費の変化などを経済的アウトカムと呼ぶ．

　薬剤経済学の分析手法については，アウトカムの扱い方の違いにより，古くは以下の4つに分類されてきた．

①費用最小化分析（CMA; Cost-Minimization Analysis）：アウトカムを同等と考えられる場合，費用のみを検討するもの．
②費用効果分析（CEA; Cost-Effectiveness Analysis）：QALY（後述）以外の種々のアウトカム指標（血圧などの検査値，生存年，イベント回避などの変化）を用いるもの．
③費用効用分析（CUA; Cost-Utility Analysis）：QALYを用いるもの．
④費用便益分析（CBA; Cost-Benefit Analysis）：アウトカムを金銭化して評価するもの．

　しかしながら，近年では，費用最小化分析，費用効果分析，費用効用分析の3手法を区別せず，まとめて「費用効果分析」とすることが一般的となっている[2]．また，研究手法として費用効果分析が推奨されており，費用便益分析についてはほかの参考書[3]等を参照されたい．

11-4．QOLと質調整生存年 QALY

　血圧や血糖値の変化など，疾病に特異的なアウトカムは，当該領域のみで分析をするにはよいが，領域を超えた比較はできなくなる．血圧をアウトカム指標とする高血圧の評価では，糖尿病とは比較できない．そこで疾病横断的な指標が必要になる．生存年は，薬効間で比較的広く使えるものであるが，更年期障害の治療薬と降圧薬との比較のように，QOLへの影響度合いに大きな違いがありそうな疾病間を比較する場合には，生存期間のみでの比較では不十分なこともある．

　疾病や治療による症状の変化を，患者の主観的健康価値であるQOL（Quality of

キーワード　増分費用対効果比（ICER），費用，アウトカム

Life）で評価するという方法がある（ボックス参照）．一方，生存年は疾病横断的な指標ではあるが，完全な健康状態での1年と，健康状態に問題のある状態での1年とが同じ価値とはいいがたい．そこで，生存期間とQOLで評価した健康状態とを勘案した効果指標として「質調整生存年（Quality Adjusted Life Year）」が用いられる．質調整生存年は，英語表記の頭文字をとって「QALY」（クオーリーと読む）と標記される．

ボックス

QOL（Quality of Life）

QOLとは，患者や住民の主観的な健康価値の1つの指標であり，厳密には，特に疾病や健康介入に関連するものを健康関連QOL（HRQOL; Health Related QOL）と呼ぶ．さらに，QOL評価を含む自覚症状変化やアドヒアランスなど，患者の主観的な評価を総合して「患者報告アウトカム」（PRO; Patient-Reported Outcome）と呼んでいる．

QOLの評価には一般的に自己記入式の調査用紙が用いられ，どんな疾病においてでも評価可能な全般的尺度（generic type instrument）と特定の疾病や病態に対して利用する特異的尺度（specific instrument）とに分けられる．

さらに，全般的尺度は，「身体機能」，「メンタルヘルス」，「社会生活機能」などのようにいくつかの異なった構成要素（domains）それぞれを測定するプロファイル型と，複数の構成要素の評価を単一のQOL値に変換できる選好に基づく尺度とに分けることができる．

全般的尺度は疾病横断的な評価が可能であり，そのうちの選好に基づく尺度は単一のQOL値を求めることができることから，薬剤経済学研究に用いられる．疾病特異型尺度は，介入効果の評価に用いられることが多く，様々な疾病領域のQOL尺度が開発あるいは翻訳されている．

全般的尺度
　プロファイル型尺度：　SF-36, NHPなど
　選好に基づく尺度：　EQ-5D, HUIなど

疾病特異的尺度
　疾病や状態特異的な評価を行うもの．たとえば，糖尿病では，すべての糖尿病を対象としたDTSQやインスリン治療を対象としたITR-QOLなどのように，特定の疾患や病態に対応するものがある．

QALYは，「完全な健康状態」を1点，「死亡」を0点として，ある健康状態のQOLをスコア化する．この値をQOL値（もともとは「効用値」と呼んでいた）と呼ぶ．これに生存年数を掛け合わせた値を効果指標として計算するものがQALYである（図11-1）．たとえば，透析の状態でのQOL値が0.2であったとし，その状態で10年生存したとすれば，0.2×10＝2.0 QALYsとなる．

QALYは質と生存期間で評価するため，すべての疾患について共通して使用できる効果指標であることから，薬剤経済学を政策的に利用する場合には，アウトカム指標と

キーワード　質調整生存年，QALY

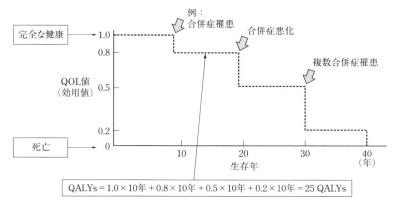

図 11-1. QALY（質調整生存年）
（池田俊也・小林慎・福田敬・坂巻弘之：薬剤経済学の新薬の薬価算定への利用可能性と課題（上）．社会保険旬報，No. 2467（8.1号），16-21（2011）を元に作成）

して QALY を用いた費用効果分析が推奨されている．

11-5. 費用効果分析における判断基準

　健康アウトカムと費用との関係について見てみよう．図 11-2 における「A」のように，健康アウトカムが優れており，かつ費用削減にもなる医薬品は，明らかに選択されることになる．こうした選択肢は「優位」（dominant）と呼ばれる．逆に「D」では，健康アウトカムが劣り，かつ費用も増加している．一般的にはこうした医薬品は選択されない．それでは，図 11-2 の「B」（健康成果は劣るが費用は削減される）や「C」（費用はかかるが健康成果は優れる）の場合は，どのように判断すべきであろうか．一般に，新薬についてアウトカムが既存薬に比べ劣る場合には，医薬品として承認されることはないので，B も採用されることはまれであるが，B, C については，ICER を計算し，新たに得られる健康アウトカムの増分が新たに必要とされる費用に見合うものであるかどうかの評価が行われる．結果の数値が意思決定のための基準値（閾値）を超えていれば，採用することになる．その基準となる値が斜めの直線で表されており，これが基準値のラインである．

　基準値のラインより下にくれば（たとえば C），この医療技術は採用してもよいとの判断が下される．国の政策判断への利用では，ICER としての増分費用対 QALY 比を指標として用いることが多く，英国の基準では 2 万〜3 万ポンドとされている．また日本では，がんなどを除き，500 万円／QALY を基準とすることが一般的になっている．

11-6. 費用の種類と分析の立場

　薬剤経済学における費用は，概念的に保健医療に関わる資源利用の変化として捉えられる．医療における資源には，当該傷病治療のための医薬品だけでなく，医療従事者の

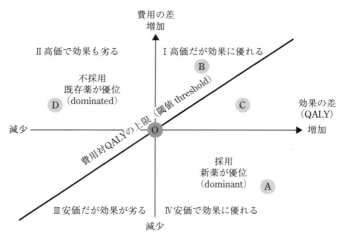

図11-2. 費用とQALYとの変化における採否の意思決定
費用および効果の差は代替案（O）との差を示している．また，斜めの線は，費用対QALYの基準値（閾値）を結んだ直線であり，これより上に位置するもの（BおよびD）は，費用対効果が劣る（基準を満たさない）ことを意味する．

時間費用や設備，建物など，すべてが含まれる．これらの医療資源が傷病の治療のために利用され消費されると「費用」として計算される．

傷病やその診療に関わる費用を「直接費」と呼んでいる．傷病が原因となって生ずる介護費用，保険でカバーされないOTC医薬品なども直接費に含まれる．ほかにも，傷病による通院時間や家族のために費やす時間などを「時間費用」と呼び，これも概念的に直接費に分類されるが，実際の分析に加えることは方法論上の問題もある．

一方，費用の中には，「生産性費用」（productivity cost）と呼ばれるものもある．これは，傷病そのものや，早期死亡のために仕事や余暇活動を行う能力の喪失・減退に伴う価値の損失を意味する．さらに生産性費用には，「罹患費用」（morbidity cost）と「死亡費用」（mortality cost）の2つが含まれる．これらは，患者の立場でいえば，本来得られたであろう収入が病気のために失われた逸失所得と考えられる．また，社会の側から見れば，労働者が病気によって仕事の生産性が低下したと見ることができる．

これらの費用の種類を表11-2にまとめた[4]．費用の考え方においては，当該疾病の治療・医薬品使用に関わる費用だけでなく，分析しようとする疾病の全期間の費用を勘案する必要がある．また，分析の立場により費用の範囲が異なることも重要である．

分析の立場によって費用の範囲が異なることで，利害が対立し，ある立場では費用削減になるが，社会全体で見ると費用が増えることが見逃されたり，特定の立場で不利になったりすることが起こりうる．そこで，本来は，社会全体の立場で分析し，費用変化をすべて計測することが望ましい．しかしながら，近年では，すべての費用データ収集が現実的と考えられないことから「公的医療費支払者の立場」での分析を分析の基本と

キーワード　分析の立場

表11-2. 費用の種類

	項　目	範囲・内容
直接費	（A）健康保険で給付される医療費（公的医療費）	健康保険における現物給付部分
	（B）介護保険で給付される介護費（公的介護費）	介護保険における現物給付部分
	（C）社会保険で給付されない医療費，介護費	自費による一般用医薬品購入や介護サービス利用など
	（D）時間費用	患者の時間費用や無報酬労働（家族のサポートなど）
（E）生産性費用		罹患費用と死亡費用労働者の補充のための費用など

表11-3. 我が国における分析の立場と費用の範囲

	公的医療費支払者の立場	公的医療・介護費支払者の立場	より広範な費用を考慮する立場（社会全体の立場）
（A）公的医療費	●	●	●
（B）公的介護費		●	（●）
（C）その他の支出			（●）
（D）時間費用			
（E）生産性費用			●

その他の支出には，表11-2の（C）社会保険で給付されない医療費，介護費などが含まれる．また，（D）時間費用はより広範な費用を考慮する立場でも含めない．

することが推奨されている．一般的に分類されるこれら3つの立場と含まれる費用の範囲について表11-3にまとめた．

11-7. 分析のためのデータの収集・研究デザイン

実際に薬剤経済学研究を実施する場合には，一般の臨床試験と同様に，目的と分析手法とに合わせて適切に収集する必要がある．研究アプローチは，「患者アウトカム研究」と「モデル分析」（modeling）とがある．

患者アウトカム研究は，分析しようとする傷病について分析対象医薬品による薬剤経済学的な仮説（research question）を立案し，統計学的に必要十分な患者数を観察して，仮説に基づく成果が達成されたかどうかを計測するものである．これに対し，すでに実施された臨床試験等，公表されたデータをもとに，シミュレーションを行うための分析モデルにあてはめて分析を行うものをモデル分析と呼ぶ（ボックス参照）．分析に用いられるモデルには，決定樹モデル，マルコフモデルなどが用いられる．実際の分析では，入手可能なデータに制約があり，臨床試験データを基本とし，QOLや疾病の長期的予後，費用については別のデータソースを用い，それらを総合してモデル技法で分析する．

キーワード 患者アウトカム研究，モデル分析

ボックス

モデル分析[3]

モデル分析は，疾病の推移の記述や予測などを目的として，決定樹モデル（decision tree model）とマルコフモデル（Markov model）などが用いられることが多い．

決定樹モデルは，疾病の介入ポイントや推移の記述を行い，いくつかの選択肢から最適なものを選択するための技法であり，選択点（decision node）と確率点（chance node）との組み合わせによって記述する決定樹を使って分析する方法である．

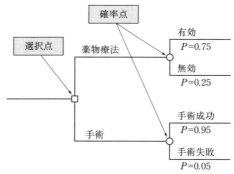

- 時間の流れに沿って，左から右に記述する．
- 選択点（decision node）：意思決定者により選択可能（□で表す）．
- 確率点（chance node）：選択はできない．事象の発現は確率で示される（○で表す）．

マルコフモデルは，観察期間複数の状態間を各観察期間（たとえば1年）において同じ確率で推移するようなモデルを記述するのに用いる手法である．たとえば，脂質異常症に関連する健康状態が脂質異常症，狭心症，死亡の3つの状態であるとして，それぞれの状態間の移行確率は毎年一定であるとした場合，各観察期間におけるそれぞれの状態の度数をシミュレーションし，費用とアウトカムとを計算する．

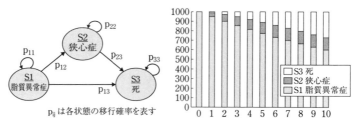

- 各状態間の移行確率（図左）をもとに，将来の各状態の期待値をシミュレーションする（図右）．各状態の費用とQOLスコアのデータをあてはめることで，総費用とQALYが計算できる．

11-8. まとめ

薬剤経済学研究を実施するにあたっては，薬学の知識に加え，医薬品の臨床評価に関わる生物統計学，モデル分析のためのオペレーションズリサーチ，経済学あるいは会計学など学際的な知識が求められる．また，質の高い薬剤経済学研究を実施するためには，

ベースとなる疫学研究や QOL 研究,費用研究などのデータ収集と,それらの研究結果を薬剤経済学研究に利用するためのデータベース構築が必要であるが,これらについても開発が進むことが望まれる.

参考文献
1) Health Technology Assessment International: Health Technology Assessment. https://www.htai.org/htai/health-technology-assessment.html
2) 医療経済評価研究における分析手法に関するガイドライン.厚生労働科学研究費補助金(政策科学総合研究事業)「医療経済評価を応用した医療給付制度のあり方に関する研究」(研究代表者:福田敬)平成 24 年度総合研究報告書(2013)https://www.mhlw.go.jp/file/05-Shingikai-12404000-Hokenkyoku-Iryouka/0000033418.pdf
3) 坂巻弘之:やさしく学ぶ薬剤経済学,じほう社(2003)
4) 坂巻弘之・石田博・福田敬・白岩健・下妻晃二郎:医療経済評価における費用の取り扱いに関する論点.薬剤疫学,**17**, 14-20(2012)
    すでに実施された薬剤経済学研究論文を参考にする場合には,医療経済研究機構ホームページ https://www.ihep.jp にて閲覧できる.

演習問題

問 1 医療技術評価と薬剤経済学の関係について説明しなさい.

問 2 費用効果分析と費用便益分析の違いについて説明しなさい.

問 3 糖尿病であるが完全な健康状態と同様(QOL 値=1.0)で 5 年,その後,網膜症で視力低下(QOL 値=0.75)で 8 年,さらに透析(QOL 値=0.3)で 7 年の生活だった場合,この間(20 年間)の QALY を計算しなさい.

問 4 以下の事例について B から A に変更した場合の増分費用対効果比(ICER)を計算しなさい.

	既存治療 B	新 薬 A
効 果(QALY)	0.85	0.9
費 用(円)	150 万円	180 万円

問 5 問 4 において基準値(閾値)が 500 万円/QALY である場合,採否の意思決定をしなさい.

第2部 各論

12 病院・診療所薬局における医薬品情報　冨田隆志
13 薬局における医薬品情報　出石啓治
14 製薬企業における医薬品情報　浅田和広
15 医薬品卸売販売業における医薬品情報　松浦 聡・浅野貴代
16 医薬品行政と医薬品情報　渡邊伸一
17 日本薬剤師会と医薬品情報　橋場 元
18 情報センター（情報機関）と医薬品情報　榊原統子
19 医薬品情報と国際化　富永俊義

12章 病院・診療所薬局における医薬品情報

冨田隆志

学習のポイント

❶ 医薬品の取り扱いにあたっては,その適正使用のために必要な情報を利用できる環境,リスク最小化のための体制整備が必要である.
❷ 臨床現場で必要とされる情報は,職種・環境・患者により異なっており,ニーズに応じた情報提供が求められる.
❸ 医薬品情報業務担当者には医薬品情報の収集・評価・比較を行う能力と,それらを整理し,発信する能力が求められる.
❹ 各種の医薬品情報源の特徴をあらかじめよく把握し,利用可能な状態で準備し,必要な際に最適な情報源を選択する.
❺ 施設内で認められた医薬品などによる副作用情報を把握,管理し,必要に応じ対策立案につなげる必要がある.

近年,チーム医療が推進される中,薬の専門家である薬剤師は,適切な医薬品情報を医療従事者や患者に提供し,薬物療法のベネフィット・リスクバランスの最適化に努めることが必要である.ここで言う医薬品情報には製薬企業や官公庁から発出されるもの,研究者や学術団体が発表するもの,施設内で発生するものがある.これらを効率的に収集・評価し,自施設に有益な形で提供していくことが医薬品情報管理業務である.インターネット情報の充実などにより,発信される情報量は膨大なものとなっており,これらを把握し,的確に評価・選別できる能力が求められる.

日本病院薬剤師会 医薬情報委員会が2018年(平成30年)に「医薬品情報業務の進め方2018」としてとりまとめたガイダンスに,薬剤部門が提供すべき医薬品情報業務が示されている[1].本章ではガイダンスに沿って業務の内容を概説していく.薬剤部門に求められる医薬品情報業務は多様化しており,基幹となる情報管理部門の働きのみならず,病棟,手術部門や医療安全部門などの各中央部門に配置された医療従事者・薬剤師との情報共有,密接な連携が重要となっている.さらに,地域医療システムの中で通院,在宅が医療の重要な場面となったことから,患者の退院後の生活を見据えた情報提供,保険薬局などとの質の高い情報連携の体制確立が必要である.

キーワード 医薬品情報業務の進め方2018

12-1. 医薬品情報の収集と評価，整理および加工

　最も基本的な医薬品の情報源である医薬品添付文書，医薬品インタビューフォームのほか，医薬品ごとに作成される情報資材については，収集すると同時に，改訂される情報を確実に補足していく必要がある．常に最新の情報を入手できる体制整備が必要となり，医薬品医療機器総合機構（PMDA; Pharmaceuticals and Medical Devices Agency）の発出するPMDAメディナビをはじめとするプッシュサービスが利用できる．

　また近年，医薬品関連に限っても，入手可能な情報量は膨大なものになっている．FDA（The United States Food and Drug Administration），EMA（European Medicines Agency）など，海外規制当局の動向にも注意を払うべきものがあるほか，学会，関連団体からも様々な情報が発信されている．他方，網羅的な情報収集が求められるとはいえ，信頼性の高い情報源を選別し，施設のニーズに合わせた情報収集計画を確立し，効率的に収集することも意識しなければならない．正しさ，偏りのなさ，網羅性，費用などを勘案した上で，情報要約サービスを利用することも考慮される．

　入手した情報は，その特性を理解し，批判的吟味など専門的な評価を行った上で情報を利用することが必要である．非臨床試験や臨床試験の結果に関して，不適切なデザインや統計手法，あるいは不都合なデータの排除により誤った結論が導かれていることもあるため，薬学的見地に基づく正しい情報評価に努めたい．

　収集した情報は，各医療従事者が容易に利用できるよう，施設内ネットワークを活用するなど，保管の手段を考慮する．また，資料は内容を再構築し，自施設に適した形で加工することも有用である．医薬品間の比較資料，使用条件を整理した一覧など，適正使用や業務効率化に資する有益な資材となりうる．

12-1-1. 医薬品情報業務で頻用される資材・書籍類

　個々の医薬品に関連する情報源となる医薬品添付文書や医薬品インタビューフォームのほか，審査報告書，申請資料概要，医薬品リスク管理計画（RMP; Risk Management Plan），RMPに基づいて作成されるリスク最小化活動としての資材（適正使用ガイドや患者向け指導冊子），重篤副作用疾患別対応マニュアル，最適使用推進ガイドラインなど，多様な資材類がPMDAの情報提供ウェブサイトで提供されている．

　その他，各種診療ガイドラインや医薬品集，注射剤や軟膏剤の配合変化，内用剤の粉砕可否，腎・肝機能障害時の投与設計，妊婦・授乳婦での薬剤の使用可否など，自施設の特性や情報ニーズに応じ，必要な資料を用意しておく必要がある（詳細な事例は4章参照）．

（キーワード）　PMDAメディナビ，医薬品添付文書，医薬品インタビューフォーム，審査報告書，申請資料概要，医薬品リスク管理計画

表 12-1. 利用頻度の高い医薬品情報関連のウェブサイト

名　称	URL
医薬品医療機器総合機構（PMDA）	https://www.pmda.go.jp/
厚生労働省	https://www.mhlw.go.jp/
Food and Drug Administration（FDA）	https://www.fda.gov/
European Medicines Agency（EMA）	https://www.ema.europa.eu/
Minds ガイドラインライブラリ	https://minds.jcqhc.or.jp/
MSD マニュアル	https://www.msdmanuals.com/ja-jp/
医学中央雑誌刊行会（医中誌 Web）	https://www.jamas.or.jp/
iyakuSearch	https://database.japic.or.jp/
CiNii Research	https://cir.nii.ac.jp/
PubMed	https://pubmed.ncbi.nlm.nih.gov/
The Cochrane Library	https://www.cochranelibrary.com/
国立成育医療研究センター	https://www.ncchd.go.jp/
Drugs and Lactation Database（LactMed）	https://www.ncbi.nlm.nih.gov/books/NBK501922/
社会保険診療報酬支払基金	https://www.ssk.or.jp/
日本中毒情報センター	https://www.j-poison-ic.jp/
Drugs.com	https://www.drugs.com/
RxList	https://www.rxlist.com/
SAFE-DI	https://www.safe-di.jp/
Clinical Cloud	https://clinicalcloud.jp/
Click-MI2	https://click-mi2.jp/
健康食品の安全性・有効性情報	https://hfnet.nibiohn.go.jp/
日本医薬情報センター（JAPIC）	https://www.japic.or.jp/
国立医薬品食品衛生研究所	https://www.nihs.go.jp/index-j.html

12-1-2. 医学論文

　整理加工された三次資料あるいは二次資料から得られない情報は，専門誌に掲載された研究論文などの一次資料から得る必要がある．個々の発表内容の信頼性や自施設の患者集団への適用可否は個別に評価しつつ，注目度の高い論文などは内容を把握できるよう努める．

　近年はオンラインジャーナルをオープンアクセスとしてだれでも無料で利用できる形で公開している雑誌も増加しているが，中には査読体制の不十分な雑誌もあるため，精査を要する．

12-1-3. ウェブサイト

　公的機関や医療機関，医療関連サービスの事業者などが運営する医薬品情報関連の有用なウェブサイトが多数存在する．信頼性を十分評価した上で利用したい．有償データベースなども図書同様その特性を把握した上で自施設のニーズに合わせた契約を検討する必要がある．詳細は他章に譲るが，一部を表 12-1 に示す．

12-1-4. 製薬企業，卸売企業の情報提供

　製薬企業は，主に営業部門に所属する医薬情報担当者（MR; Medical Representative）

と主に学術部門に所属するメディカルアフェアーズ,メディカルサイエンスリエゾンを通じて医療現場に情報提供している.自社製品については当然多くの情報を把握しており,多くの場合有益な情報源となりうる.製剤の特性,他施設での使用やリスク対策の実態などの確認には特に有用である可能性がある.MRからの情報提供は自社製品の優越性に偏ったものになる傾向があるとされるが,自らの調査内容と合わせて評価することで適切に取り扱うことが肝要であろう.なお,医薬品,医療機器等の品質,有効性及び安全性の確保等に関する法律(医薬品医療機器等法)と医薬品適正広告基準,そして2019年に発効した医療用医薬品の販売情報提供活動に関するガイドライン(ボックス参照)により,承認外の効能効果・用法用量に関する情報提供は制限されている.規制の現状を把握した上で,問いかけ方の工夫や内容の絞り込みにより情報提供が行われやすくするような配慮も必要である.

卸売企業の営業職はMS(Marketing Specialist)と呼ばれる.製薬企業と異なり,各社の医薬品を横断的に取り扱っており,同種同効薬の比較表や,医薬品の供給状況の一覧などを提供してくれることもあるが,利用に際しては出典の確認が重要である.

ボックス

医療用医薬品の販売情報提供活動に関するガイドライン

医薬品製造販売業者に対し,医療従事者への医療用医薬品について提供する情報は効能効果・用法用量の承認範囲内のものとし,海外で承認を得ている場合を含め,適応外使用を推奨するような行為を禁じている.通常の情報提供活動と切り分けること,要求に沿った内容を要求者のみに提供すること,などの多くの条件が示されているが,医療関係者からの求めがあった場合には,承認外情報であっても提供は差し支えないものともされている.承認外情報の提供は医薬品医療機器等法,医薬品適正使用広告基準などで制限されており,本ガイドラインにより医療関係者の求めがあれば提供可能になったとも捉えることができる.

12-2. 医薬品に関する情報の伝達・周知

医薬品に関する情報伝達は,ニュースレターなどにより定期的に行うものと,緊急性の高い情報に基づき,情報の受け手が直ちに的確な行動がとれるよう適時実施されるものがある.情報の受け手が医療従事者か患者かによって情報提供内容の範囲と加工度を検討し,効果的に伝達,提供することが重要である.

外部から得られる医薬品の安全性情報としては,まず厚生労働省・PMDAや製薬企業,海外規制当局から発出される情報がある.中でも,緊急安全性情報などの重篤かつ

キーワード 医薬情報担当者,メディカルアフェアーズ,メディカルサイエンスリエゾン,医薬品適正広告基準,医療用医薬品の販売情報提供活動に関するガイドライン

致死的な副作用に関連する安全性情報，リスク関連情報や，製品の回収・供給停止などの情報は，網羅的かつ迅速に入手できる環境を整える必要があり，その内容を評価した上，施設内で速やかな対応が取れるよう，診療科，医療安全管理部門との連絡・協働体制を構築しておくことが重要である．特定医薬品の使用医師や使用患者を特定した上で対策を立案していく必要のある場面も考えられ，これらを速やかに把握可能な体制を整えておかなければならない．

昨今，テレビ番組や雑誌，インターネットメディアなどを通じて医薬品に関連する情報が広まることも多い．これらの情報の中には根拠が不十分なものや，誤りが含まれることがある．事実に基づく報道であっても，センセーショナルな伝え方や誤認を招く表現などにより，当該医薬品を使用している患者の不安を煽り，使用の拒否につながる場合もある．こういったマスメディアで発信される情報にも一定のアンテナを張り，情報の裏付けを確認し，患者や医療従事者からの質問に速やかに対応できるよう努めることも必要である．なお，緊急安全性情報や安全性速報の発出の際には厚生労働省から記者発表があり，ほぼ確実にマスメディアでの報道が行われる．患者からの問い合わせも多数発生することが予想されるため，対応の検討を進めつつ，施設内で迅速な情報共有を図る必要がある．

情報の伝達・周知の手段としては，印刷物での配布のほか，施設の状況に応じて電子掲示板やメーリングリスト，グループウェアなどといった施設内の情報伝達システムの整備が必要である．カンファレンスなどへの参加，各種委員会を通じての情報伝達・周知も効果的である．

また，医薬品，医療機器，再生医療等製品の使用に伴う副作用・感染症・不具合といった安全性情報を医療従事者が把握した際には，これらを厚生労働大臣に報告することが求められている（医薬品医療機器等法第68条の10第2項，医薬品・医療機器等安全性情報報告制度，報告窓口はPMDA）．医薬品などの市販後の情報蓄積に重要な制度の1つであり，本制度の意義の周知，報告推進のための啓発，並びに報告の支援が必要となる．発生した事象が医薬品などに起因するものかどうかの評価のほか，発生した問題が自施設での使用方法やモニタリング方法などに起因するもの，すなわち取り扱い上改善すべき点を見出せるものでないかの評価が必要となるため，施設内での発生事案が適切に収集・一元管理されなければならず，未知の副作用などの担当部門まで情報が伝わりにくい事例を拾い上げられるような体制整備が求められる．

12-2-1. 医療従事者への情報提供

特に医師には，医薬品の選択などの材料となる有効性，安全性（副作用症状と発生頻度，予防・対処法），同種同効薬との比較，製剤学的な特徴，薬物動態情報，相互作用，薬価および保険診療上の取り扱いなどの情報が求められる．昨今は供給の制限を伴う流

キーワード　医薬品・医療機器等安全性情報報告制度

通管理がとられる医薬品も増加しており，制限解除に必要な手続きや，個々の医師が受講を要する e-learning などについても情報提供が求められる．

看護師に必要な情報としては，施用に関連する情報として，注射薬の配合変化，溶解調製後の安定性，配合変化，施用速度，デバイスの取り扱いといった情報もあげられる．

12-2-2. 薬剤師への情報提供

薬剤師に必要とされる情報としては，12-2-1. であげているようなもののほか，処方監査，調剤時に必要な情報や，服薬指導のための情報などがある．処方監査や調剤では，電子カルテシステムや薬剤部門システムで一定のチェックが機能していることがあるが，併用禁忌・注意，用量，処方日数制限などの情報を適切に利用できるよう整備する必要がある．

服薬指導にあたっては，患者自身が認識できる副作用の初期症状や頻度の高い発現時期などの情報が，副作用の早期発見，重篤化回避のためにも重要である．

12-2-3. 患者への情報提供

薬物治療の有効性・安全性，医薬品の正しい使用・保管のための情報，想定される使用上の間違い（服用忘れや操作ミス）への対応，他の医薬品や食品・サプリメントなどとの相互作用や生活上の注意点などを知らせる必要がある．平易な表現を用いるだけでなく，対象となる患者の実際の治療計画にも配慮を要する．

12-3. 医薬品に関する質疑応答

医療従事者および患者からの要請に応じ，適切な情報を提供する．質疑を受けた際に，質問者の職種・専門領域，解決したい問題とその背景，対応の緊急性を把握することが重要である．職種や専門領域によって背景知識も異なり，必要とされ，調査すべき情報の範囲や詳細度が異なる．問われた質疑に対する直接的な回答を提供するだけでなく，疑問の背景にある実際の問題を引き出し，その問題の解決に資する情報を提供できるよう心掛ける[2]．回答の期限を明確にしておくことも重要である．

必要な情報を整理し，緊急性や環境に応じて可能かつ必要な範囲で情報収集に用いる情報源や検索の手段を選択する．UpToDate のような意思決定支援ツールや PubMed や医中誌などによる文献調査のほか，目的に応じて使用すべき情報源が選択できるよう，利用可能な情報源の内容や特性を把握しておかなければならない．中毒医療など，特に緊急性の高い事案で利用する資料は，有事に速やかに利用できるよう準備しておかなければならず，有毒動植物や農薬などといった地域特性なども踏まえた整備が必要である．

収集した情報は，十分な吟味の上整理し，質問者の要望，回答の内容や緊急度に応じ

キーワード 流通管理，生活上の注意点，意思決定支援ツール

て，口頭，文書などの適切な手段で提供する．診療録への記載や，根拠資料の提供も望まれる．回答後は，医薬品使用や患者転帰の変化につながったかどうかの追跡も行うべきである．

質疑応答の内容は，記録し，事後評価により質の確保に努めるとともに，薬剤部門内，施設内で共有することで，同様な質疑に対応するためのデータベースとして活用できる．記録を振り返ることで施設内の情報ニーズを把握し，業務改善や情報共有にもつなげられる．なお，情報の共有の際には，個人情報保護や根拠資料の著作権に留意する．

12-4．医薬品の適正使用や安全管理に係る各種委員会への参画

多くの医療施設で，医薬品の採用，後発医薬品への切り替え，適正使用や安全管理などの運用を審議する会議体として，薬事委員会が設けられている．医薬品の新規採用の審議にあたっては，申請の受付，申請品目についての情報収集，資料作成および委員会での説明を担う．既存の治療との有効性・安全性・経済性の比較，相対的な位置づけ，既採用の同種同効薬の使用状況やこれらとの使い分けなどが理解できるよう情報整理を行う．また，医薬品の持つリスクを評価した上で，自施設で運用する際の安全対策としてプロトコルなどの立案も重要である．これらの安全管理上の問題点の把握には，承認審査時の問題点を読み取れる審査報告書や，RMPが活用できる．

また，採用後も適宜あるいは定期的に施設での使用状況の調査・評価を行い，採用医薬品や取り扱いルールの見直しを行う必要もある．使用状況評価を実施する上では，添付文書に記載された使用上の注意や確立した標準的治療，診療ガイドライン，施設で立案されたプロトコルなどに基づき，医薬品使用のプロセス（患者選択，検査，処方内容，調剤，観察）および種々のアウトカムの実態を収集・評価することで，現在起きているあるいは将来発生しうる問題点を見つけ出し，改善策立案につなげることができる[3]．

このほか，化学療法委員会，未承認新規医薬品等評価委員会，治験審査委員会，医療安全管理委員会など，様々な委員会活動において，医薬品の有効性と安全性に係る科学的根拠を示し，対策立案などの役割を担うことが求められる．化学療法レジメンに従った治療が積極的に行われる昨今では，薬剤師によるレジメンの管理，個別の患者への適用に係る薬学的管理が，がん化学療法の質向上に欠かせないものとなっている．レジメンの当該がん種への適格性や安全性などを判断する化学療法委員会では，臨床試験報告，国内外のガイドラインの調査・評価が求められる．また，施設内での未承認等の医薬品（国内未承認新規医薬品・院内製剤，適応外使用，禁忌例での使用）についての把握や，適用適否の検討に際しても，一定の寄与が期待される．

キーワード　事後評価，使用状況の調査・評価

12-5. 病棟担当薬剤師などとの連携・支援

　薬剤管理指導料や病棟薬剤業務実施加算の算定には，医薬品情報管理部門への適正な人員配置，情報収集・情報提供や医療従事者からの相談への対応機能が条件として求められている．病棟での薬剤業務は，個々の患者に対する最適な医薬品の選択，副作用回避を目指したプレアボイド（ボックス参照）などのファーマシューティカルケアの実践であり，そこに医薬品情報は欠くことのできないものである．病棟薬剤業務に有益な情報を日々整理し，カンファレンスなどを通じて的確に提供していくことが望まれる．他方，12-3. で述べているように，情報管理部門で特定の患者の薬物療法に関する質疑に応じる際には，患者背景を正しく把握した上で，具体的な状況に適した情報提供を行うよう努めなければならない．情報管理部門と病棟担当薬剤師は随時コミュニケーションを図り，連携できることが必要である．

> **ボックス**
>
> プレアボイド
>
> 有効かつ安全な薬物治療を推進することを目的に，ファーマシューティカルケアにより副作用，相互作用などを重篤化回避，未然回避した事例，治療効果向上に寄与した事例を指し，日本病院薬剤師会が独自事業として収集，評価，公表を行っている．
>
> プレアボイドは Be PREpared to AVOID the adverse drug reactions のコンセプトから生み出された造語である．

　また近年，チーム医療の必要性の高まりや，医療安全に対する薬剤師の職能発揮が求められる中で，薬剤師が複数の中央部門に配置される機会が増加している．特に医療事故は医薬品に起因するものも多く，医療安全管理部門での薬剤師の重要度が増している．各部門の医療従事者の要望や意見を医薬品情報業務に反映していく必要があるほか，各部門に配属される薬剤師の活動を薬剤部門として支援していく体制構築が重要である．

12-6. 医薬品の製造販売後調査などへの関与

　医薬品の安全性確保のためには，実臨床での有効性・安全性を評価する市販後の情報収集が不可欠である．市販直後調査，一般使用成績調査，特定使用成績調査，使用成績比較調査，製造販売後データベース調査，製造販売後臨床試験などが実施されている．これらの製造販売後調査（PMS; Post Marketing Surveillance）は，多くの場合製薬企業などの依頼者が医療機関との契約の上で実施している．承認条件として全例調査や流通管理が課せられた医薬品では，当該契約の締結されていない医療機関は製品の納入が

キーワード　医薬品情報管理部門，製造販売後調査

受けられない例もあるため，事前の把握が求められる．PMS の実施にあたっては，プロトコルや患者同意文書の確認，施設内の運用調整，審査対応，患者対応および記録といったプロセスがある．PMS への対応は治験担当部門などの専門部門が担う施設も多くなっているが，薬剤部門としての対応や連携体制構築も重要となる．

2011 年にアセトアミノフェン製剤が変形性関節症の効能効果および 1 日最大用量が増量された際に課せられた承認条件の，「高用量で長期投与された際の肝障害の発現状況を確認すること」について，特定使用成績調査として日本病院薬剤師会主導で病院情報システムを用いた後方視調査を実施した事例があるが，今後各施設での PMS が円滑に実施できるよう，薬剤部門が積極的な役割を持つことが求められてくるだろう．

12-7. 薬剤師およびその他の医療従事者に対する教育

医師，看護師をはじめ，医薬品の取り扱いに関与する医療従事者およびその分野の学生に対し，医薬品添付文書の読み方・法的位置づけをはじめとする医薬品の適正使用に関する情報や，医薬品・医療機器等安全性情報報告制度や医薬品副作用被害救済制度といった制度についての教育を行うことが求められる．自施設の職員に対しては，医薬品採用の手続き，医薬品の採用有無や適正使用情報の確認手段を周知するほか，薬剤部門からの発信情報を確認し，必要な対応を行うことを定期的に啓発すべきである．

若手の薬剤師やレジデント，薬学生に対しては，各種の情報源を適切に扱い，他の医療従事者や患者に対する情報提供を通じて医薬品の適正使用に貢献できるよう，医薬品情報管理の技能についての教育機能を持つ必要がある．医薬品情報業務担当者にはより専門的な業務の実践が求められるが，そのためには医薬品情報の評価能力，インターネットを含む情報通信技術（ICT; Information and Communication Technology）を活用する能力が必要とされるほか，オーダ入力システムをはじめとした病院情報システムにも精通しておく必要がある．こうした能力を有する医薬品情報業務担当者を養成するための教育や訓練も必要である．

12-8. 医薬品情報関連の情報科学に関する研究

医薬品の適正使用には多くの情報を利用することが必要となるが，新たな情報を生み出す役割も重要である．薬剤部門は，各施設での処方情報，疑義照会・質疑応答記録，副作用・有害事象情報といった医薬品使用に関連する情報を一元的に管理しうる立場であり，これらの情報を統合的に評価し，統計学的手法などにより解析することで，新たな視点での知見を見出しうる．医薬品の有効性・安全性・経済性評価，関連情報の信頼

キーワード　医薬品・医療機器等安全性情報報告制度，医薬品副作用被害救済制度，医薬品採用の手続き，情報通信技術

性評価，適正使用情報の周知・対策の実践とその効果の評価，情報処理技術・人工知能技術の活用といった内容の研究が考えられる．近年では医療関連の患者情報をビッグデータとして新薬開発や市販後調査に利用できるようになりつつあるが，自施設の情報を体系的に利用可能なデータベースとして整え，施設間での共有・共同利用に対応していくことにも一定の役割を担うことが期待される．

患者個人情報を含むデータを利用する際には，「人を対象とする医学系研究に関する倫理指針」などを遵守した適切な取り扱いが必要である．また昨今，特に医薬品の評価につながる研究発表では，利益相反（COI; Conflict of Interest）の開示が要求されている．不正があってはならないのはもちろんだが，客観的な妥当性評価を受けられるよう，適切な形でCOI開示を行う必要がある．

12-9. 地域における医薬品情報業務の連携

医薬分業，地域医療システムの進展の中で，病院薬剤部と保険薬局間における患者薬歴や服薬指導内容の情報共有は不可欠となってきている．個人情報保護法に基づくプライバシー保護，セキュリティ確保に努めつつ，情報共有を進めていく必要がある．

また，情報源が多様化する中で，単施設での情報収集，情報処理には限界もある．地域の職能団体の委員会・研修会や，薬事情報センターの活動などを通じた情報共有，相互協力の体制構築も望まれる．

参考文献
1) 日本病院薬剤師会 医薬情報委員会：医薬品情報業務の進め方2018. 日本病院薬剤師会雑誌, **54**, 784-796 (2018)
2) Ghaibi S *et al.*: ASHP guidelines on the pharmacist's role in providing drug information. *Am J Health Syst Pharm*, **72**, 573-577 (2015)
3) Fanikos J *et al.*: Medication use evaluation: Pharmacist rubric for performance improvement. *Pharmacotherapy*, **34**, 5S-13S (2014)

演習問題
問1 緊急安全性情報や安全性速報などの重大なリスク情報を入手した際の医薬品情報部門の基本的な対応について述べなさい．
問2 医薬品情報部門で対応する医薬品に関連する質疑応答の基本的手順と注意点について述べなさい．
問3 薬事委員会で新規採用医薬品候補を審議するにあたり，提示すべき情報について述べなさい．
問4 医薬品情報業務担当者に求められる能力・技能について簡潔に述べなさい．

キーワード 人を対象とする医学系研究に関する倫理指針，利益相反

13章 薬局における医薬品情報

出石啓治

学習のポイント

❶「薬剤師法第25条の2」の重要性を認識する.
❷薬局薬剤師の医薬品情報の基本は薬歴と患者情報にある.
❸患者の使用する医薬品の情報収集は,適正使用に重要な意味を持つ.
❹処方箋の臨床検査値情報は,医薬品の適正使用に繋がる.
❺患者に医薬品の副作用を伝えることの重要性を認識する.
❻医療用医薬品のみならず要指導・一般用医薬品においても医薬品情報は重要である.
❼今後,地域における医薬品情報の連携は重要な意味を持つ.
❽薬局薬剤師も積極的に医薬品情報のエビデンス収集に努めている.

　2003年度に医薬分業率（処方箋受取率）が50%を超えて,2012年度には約70%に達した.このことは保険薬局（以下,「薬局」という）における調剤が広く行われている実態を示している.これに加えて,薬剤師法も改正されており,1997年に薬剤師法第25条の2として「薬剤師は,販売又は授与の目的で調剤したときには,患者または現にその看護にあたっている者に対し,調剤した薬剤の適正な使用のために必要な情報を提供しなければならない」とされた.そして,2014年にその第25条の2が「薬剤師は,調剤した薬剤の適正な使用のため,販売又は授与の目的で調剤したときには,患者または現にその看護にあたっている者に対し,必要な情報を提供し,及び必要な薬学的知見に基づく指導を行わなければならない」と改正された.さらに2019年には,第25条の2第2項として「薬剤師は,前項に定める場合のほか,調剤した薬剤の適正な使用のため必要があると認める場合には,患者の当該薬剤の使用の状況を継続的かつ的確に把握するとともに,患者又は現にその看護に当たっている者に対し,必要な情報を提供し,及び必要な薬学的知見に基づく指導を行わなければならない」と再度改正され,単なる情報提供だけでなく服薬期間を通じた継続的な薬学的知見に基づく指導も義務とされた.

　薬剤師は,医薬品情報を積極的に収集・評価して情報提供および指導に生かし,医薬品の適正使用を実現する必要がある.つまり,医薬品情報が薬剤師を通じて患者に適切に提供され十分に理解されることにより適正使用に繋がり,疾病の治療やコントロールという目的が達成できる.

キーワード　薬剤師法第25条の2

13-1. 医薬品に繋がる患者情報の記録

　薬局では処方箋に基づく調剤だけではなく，要指導・一般用医薬品の販売も積極的に行っており，日常的に医薬品を適正に使用するための情報は欠くことのできないものである．また，調剤では薬剤服用歴（以下，「薬歴」という），要指導・一般用医薬品の販売では販売記録などを用いることによって，医薬品情報の収集・評価から適正使用や副作用防止に繋げることができる．その医薬品の先には，それを使用する生活者がいることを実感できるのが薬局であり，それらを実行できれば「かかりつけ薬局，かかりつけ薬剤師」となることができるであろう．その生活者にも様々な情報があり，それらと医薬品情報を重ね合わせることにより適切な情報提供が可能となる．すなわち薬局では医薬品情報と患者情報は密接な関係にあり，患者情報も積極的に収集することで医薬品情報が生きる．

　調剤報酬の「薬剤服用歴管理指導料」では患者情報として，「患者の体質・アレルギー歴・副作用歴等の患者についての情報の記録，患者又はその家族等からの相談事項の要点，服薬状況，残薬の状況の確認，患者の服薬中の体調の変化，併用薬等（一般用医薬品，医薬部外品及びいわゆる健康食品を含む．）の情報，合併症を含む既往歴に関する情報，他科受診の有無，副作用が疑われる症状の有無，飲食物（現に患者が服用している薬剤との相互作用が認められているものに限る．）の摂取状況等」を確認，記録をして調剤することが求められている．これらのことは，得られた患者情報を元に提供する医薬品情報を判断することを意味している．

　そして，2016年4月の調剤報酬改定において患者の服用薬を一元的・継続的に把握した上で患者に対して服薬指導等を行うことを目的に「かかりつけ薬剤師指導料・包括管理料」が項目として新設された．このことは患者の医薬品情報を一元管理することの重要性が評価されたものである．この「かかりつけ薬剤師」は，調剤報酬上でのものであり，前述した「かかりつけ薬局，かかりつけ薬剤師」の意味とは若干異なるが，調剤業務を通じて断片的な医薬品情報ではなく患者の使用しているすべての医薬品の薬学的な医薬品情報を判断することの重要性が期待されている．

　また，2019年の医薬品医療機器等法の改正において継続的な服薬管理が盛り込まれたが，上記の薬剤服用歴管理に関する要件に関して，実際に薬剤を提供したときだけでなく，必要に応じて服薬期間中に服薬状況，薬剤の効果確認や副作用発現などを確認することが求められている．特に，副作用の発現が生じれば処方医と連携して対応することが必要とされる．

キーワード　薬剤服用歴（薬歴），かかりつけ薬局，かかりつけ薬剤師，薬剤服用歴管理指導料

13-2. オンライン服薬指導での情報提供

13-1.では患者情報の重要性を述べたが，それに関連して2020年9月よりインターネットを利用したオンラインによる服薬指導の運用が開始されることになった．オンラインでの服薬指導は，オンライン診療時の処方箋に基づく服薬指導と，在宅訪問診療時の処方箋に基づく服薬指導の2つに加え，新型コロナウイルス（Covid-19）感染拡大に伴う時限的・特例的な対応（0410対応）がある．オンライン服薬指導は双方向での情報共有であり，患者情報と医薬品情報のやり取りが中心となる．それを行うためには，セキュリティーに配慮した通信環境が必要であり，あくまで誰でも利用可能といったものではない．しかし，オンライン診療とともに今後の利用促進が期待されており，運用開始にあたり表13-1のように患者，薬剤師，薬局に対しての要件が定められている．そして，オンライン服薬指導を行うにあたっては施設基準としての届出が必要である．

オンライン服薬指導では，第一に患者本人の確認が最も重要なポイントとなる．本人でなければ医薬品情報も含めて医療情報を他人に伝えることになり，個人情報保護の観点からも避ける必要がある．そのためにも指導する薬剤師が，患者を認識できなければならない．また，患者の立場から考えると話もしたことのない薬剤師とオンラインで話ができるだろうか．そのためにも患者のことがわかっている同じ薬剤師が患者の確認をして指導を実施することが求められる．また，調剤業務の中での服薬指導のみをオンラインで行うことになるため，調剤された薬剤を患者の手元に提供する方法についても手順を定めて実施することは必要である．一方的に郵送や配送するだけではなく，患者の手元に間違いなく届いたことを確認しなければ調剤は完了しない．

まだ現段階（2020年10月）では運用開始が許可されたばかりで現実としての実績が未知数であるが，今後のインターネットを介した双方向での情報共有が進めば日常的な調剤業務として定着することは十分に想定できる．しかしながら，患者の医薬品情報を含む医療情報や個人情報をインターネット上で共有していることに対しては十分な注意

表13-1. オンラインでの服薬指導に必要とされる要件（厚生労働省「令和2年度診療報酬改定の概要（調剤）」より抜粋）

対象	要件
患者	・オンライン診療により処方箋が交付されている ・3カ月以内に対面により服薬指導を受けている ・同一内容の処方箋である　　　　　　　　　　　　　　　　など
薬剤師	・原則として同じ薬剤師が指導し，実施の可否をその都度判断する ・服薬指導計画を策定する ・調剤を行った薬局内で実施する　　　　　　　　　　　　　　など
薬局	・薬剤の提供に関する業務手順を策定する ・患者に品質を確保したうえで調剤した薬剤を提供する ・提供した薬剤の受領等の確認を行う　　　　　　　　　　　　など

キーワード　オンライン服薬指導

を払って情報管理を運用していかなければならない．

13-3. 患者の使用医薬品情報収集の重要性

　薬局における医薬品情報の収集に関しては，現に使用している医薬品の情報の提供・指導だけでは不十分な場合が多い．処方箋調剤だけでなく要指導・一般用医薬品の販売においても，ほかに使用している医薬品や健康食品などはないかなど総合的に情報収集する必要性がある．それらの情報があって初めて，そのときに使用する医薬品が妥当であるのかを判断できる．

　2000年からは調剤報酬に「お薬手帳」の使用が盛り込まれるようになり，過去には「血圧の薬を飲んでいる」といわれても何を飲んでいるのか実薬を確認しない限り不明であったものが，「アダラートCR錠® 40 mg」とお薬手帳に記載されることにより，確実に併用薬の確認ができるようになった．さらに，お薬手帳には要指導・一般用医薬品や健康食品も記載することが可能であり，情報の収集の精度が格段に上がったといえる．最近ではスマートフォンの普及により，電子お薬手帳のアプリが種々開発されており，今後の有効利用が期待されている．

〈実例1〉
　夏のある日，いつも薬局を利用されている高齢の女性が「肩から背中に湿疹ができた」といって来局された．診てみると，確かに赤くただれたようになっており，草刈りで大量の汗をかいていたことからも納得できるものであった．念のため，その女性の薬歴を確認すると，家の近くの眼科で花粉症の時期にリボスチン点眼液®が処方されていること，一般用医薬品であるキューピーコーワα®とゼナF-1®をときどき購入されていること，そして整形外科でモーラステープ®を院内投薬されている情報を確認した．モーラステープには光線過敏症の副作用があることから，単なる湿疹ではなくて草刈りで太陽の光に当たったことによる光線過敏症ではないかと考え，その女性に皮膚科を受診してもらったところ，担当医から「やはりモーラステープの副作用でしょう」と返事があった．そこで整形外科の医師にもそのことを伝えたところ「ではテープを中止して，すぐにこちらを受診するように伝えてください」との返事であった．

　もし併用薬の確認ができていなかったらどうであろう．おそらく，夏の暑い日に汗をかいて湿疹ができたといわれれば「湿疹でしょうね」となったかもしれない．これは，実際に薬歴を有効利用することで医薬品情報が生かされた例ではないだろうか．一般的には薬歴は，調剤での利用のみがイメージされるが，患者や顧客の使用している医薬品などの一元管理をするものであることから，医薬品情報には欠かせないものである．

キーワード　お薬手帳

13-4. 医薬品情報に繋がる処方箋の臨床検査値表示

　最近，大学病院をはじめとして様々な形式で臨床検査値を記載した処方箋が病院から発行されるようになってきた．そのような処方箋の例を図13-1に示す．その検査値表示は薬局薬剤師にとって適正な医薬品情報の提供に繋がる非常に重要な判断材料になっている．第一には，現在服用している医薬品で効果があったのかどうかを客観的な数値をもって判断できる．一方，服用している医薬品で副作用が発現しているのかについても検査値から判断することができ，有用なツールとなっている．たとえば，脂質低下薬を服用している場合にクレアチニンキナーゼ（CK）が高値を示すと，横紋筋融解症が疑われるなどが挙げられる．また逆に，その検査値から使用する医薬品の適正使用に繋がる情報が得られる場合もある．代表的なものとしては，腎機能に応じた投与量設定の

図 13-1. 検査値表示処方箋

キーワード　検査値表示

ある医薬品がある．この場合にも副作用回避としての重要なヒントが検査値を通じて提供される．代表的な医薬品として，ファモチジンやバラシクロビルなどが挙げられる．

〈実例2〉

　67歳男性．肋骨の下あたりに焼けるような痛みを感じて，かかりつけ病院の皮膚科を受診したところ帯状疱疹と診断された．その病院では内科も受診しており，皮膚科は初めての受診だった．内科の薬は，いつも病院の近くの他の薬局で調剤されており，今回初めて処方箋を当薬局に持参された．処方内容は，以下の通りであった．

（処方）
1. バルトレックス錠® 500 mg　1回2錠
　　1日3回　毎食後　5日分

　この処方箋には検査値が記載されており，その中に「eGFR（推算糸球体濾過量）; 38」とあった．バルトレックス（バラシクロビル）は腎機能低下時には投与量を減量することが添付文書に記載されており，この腎機能の値では1回1000 mg，1日2回となっている．そこで，担当医にそのことを電話にて疑義照会したところ，検査値から判断しておらず，またバルトレックスでそのような投与量の設定になっていることも知らなかったとの返事があり，最終的に「では，おっしゃるように1日2回の4錠に変更しましょう」となった．

　このように，処方箋への検査値表示によって処方されている医薬品の用法・用量が適切であるかどうかが判断できることで，処方監査において的確な医薬品情報を適用することができる．今後，さらに検査値が記載された処方箋の発行が多くなることにより，薬局における医薬品情報の確認，そして有効利用が期待される．

13-5. 医薬品情報から判断する疾病

　薬局で受け付ける処方箋のほとんどにおいて，その診断された病名が不明である．薬局薬剤師は「病名がわからない」ことが多いが，医師の診断名を完全に知りたいわけではない．ほとんどは，おおまかにどのような病態を考えて処方されたかがイメージできるという程度である．特に，医師が患者にどのように病態を伝えているのかは，患者情報，ひいては提供する医薬品の重要な情報を与える．特に複数の異なる疾病に使用される医薬品であれば，目の前の患者にどの目的で使用されるのかを適切に判断して情報提供しないと，何の目的で使用するのかが不明瞭になり，最悪の場合には使用しないことに繋がる恐れもある．このようなことからも提供する医薬品については「適応症」は確実に把握した上で情報提供されなければならない．

　さらに，「適応外使用」といわれるように添付文書上には記載されていない医薬品の使用法もあることも忘れてはならない．病院においては医師からの情報を元に情報収集が可能であるが，薬局においては疑義が生じない限り医師に確認することは非常にまれである．日常的に処方監査時に疑問が生じた場合には，来局者に確認を取るなどの情報

キーワード　疑義照会，適応症，適応外使用

収集に努めることも要求される．そのためにも医薬品情報の収集としては医薬品添付文書や製薬企業への問い合わせ，医薬品医療機器総合機構のPMDAメディナビなどのメール配信サービスなどだけではなく，医学薬学専門書籍やインターネット上の医薬品情報専門サイトなどの使用できるツールを日頃から活用する姿勢が大切である．

〈実例3〉
　55歳女性．大学病院の婦人科の処方箋を持参された．

（処方）
　1．ツムラ半夏瀉心湯エキス顆粒®　7.5 g
　　　1日3回　毎食前　90日分
　2．ツムラ十全大補湯エキス顆粒®　7.5 g
　　　1日3回　毎食前　90日分

　特に問題を感じる処方ではなかったが，投与日数が90日分であることに疑問を持ち，調剤の前に薬歴を確認したところ，半年前に来局されたときに子宮がんの診断を受けていることが記載されていた．今回処方との関連性はあるのかと考えて，インターネットで検索した後に漢方薬の薬学専門書をすぐに調べた．その要約として「子宮頸がんに用いられるイリノテカン塩酸塩の投与後3-7日後から発症する遅延性下痢の頻発に対して，半夏瀉心湯と十全大補湯の併用療法が汎用されている．これは，イリノテカンは静脈投与されると肝臓で活性代謝物（SN-38）となり，さらにグルクロン酸抱合体（SN-38-G）となって胆汁中に排泄される．このSN-38-Gは腸内細菌によりSN-38になり，消化管上皮細胞を傷害して下痢を誘発する．半夏瀉心湯の構成生薬である黄芩に含まれるバイカリンはSN-38の代謝を競合的に阻害すると考えられている」と記載されていた．

　そこで調剤を始める前に本人と話をしたところ，今週から抗がん剤の治療を受けることになり，副作用防止のために服用しておくことを医師からいわれていることを確認できた．そのとき，なぜこの薬が処方されているかを説明したところ，本人も「では，副作用の予防のためにもきちんと飲む必要性がありますね」と充分に納得され，薬を渡した後に確認の連絡を入れたときには副作用の下痢もほとんど起きておらず，快適に生活されていた．

13-6．医薬品情報における副作用の伝達

　副作用対策としては，早期発見が重要なポイントとなる．薬局に限らず，医薬品情報の伝達において専門用語を連発して説明しても理解できないことが多い．そこで副作用を症候群として提供することも重要である．「眠気」や「低血圧」であれば誰が聞いても理解可能かもしれないが，脂質低下薬の代表的な副作用である「横紋筋融解症」をそのまま伝えてもどのような副作用かほとんど理解できない．そこで「症候群」として伝えることが重要となる．たとえば，横紋筋融解症であれば「おしっこが赤っぽい色になる」「手足の筋肉痛が出る」などの具体的な症状で情報提供し，そのような症状が出た場合には薬剤師，医師に連絡をするように伝えることが重要である．

（キーワード）　副作用，症候群

確かに，副作用の未然防止が情報伝達の前提ではあるが，実際に使用してみないと副作用が生じるかどうかはわからない．たとえば，抗ヒスタミン薬の代表的な副作用として「眠気」があるが，必ず起こるものではない．したがって，初回投与時には相手の納得する表現で副作用についての注意や対処法について説明することは必要である．また，予想外の副作用の症状もあることも事実であり，何気ない一言が副作用の前兆であったりすることもある．そこで再来局されたときには，患者との会話における自覚症状から情報を収集することも重要である．一般的に，医師の診断を受けて医薬品が処方されていると，その医薬品の処方は妥当であろうと考えがちになるが，それは避けて，患者の状態からどう判断するのかが要求される．

〈実例 4〉
　78 歳女性．処方箋受付時に話を聞いてみると，前日の夜に胸が苦しくなり，内科を受診したら医師から心不全といわれたとのことであった．ジゴキシン錠が処方されており，特に問題もないだろうと判断したが，この薬は初めての服用であることから副作用については注意する必要性があった．その女性は，家族同伴で来局されていたので一緒に副作用について説明した．特に嘔気については，胃がムカムカしたり嘔吐をしたりすることがあるなどの注意を家族の方にも説明した．2 日後の休日に家族の方より，女性が嘔吐をしたので休日当番の病院を一人で受診したら嘔吐下痢症といわれたが，先日の話もあるのでどうなのかと連絡があった．そこで，その病院の医師に連絡をしたところ「では，血中濃度を測ってみましょう」と返事があり，そのことを家族の方に伝え，病院にて再度検査を受けられた．結果は，やはりジゴキシンの副作用の可能性が高く，入院して加療することになった．

　もし，嘔吐などの副作用について患者や家族の方に伝えていなかったらどうなったであろうか．おそらく，嘔吐下痢症として処置されていたに違いない．副作用を伝えることは一般的に敬遠されがちであるが，医薬品情報として伝えておくことは副作用に対する処置や回避の観点からも重要である．

13-7．後発医薬品に関する医薬品情報

　後発医薬品の使用促進は，今後の高齢化社会において医療保険の薬剤費削減などを目的として積極的に導入されてきた．特に薬局においては，度重なる処方箋の記載様式の変更や一般名処方の導入により，後発医薬品への変更調剤をより使用しやすい環境が整えられてきた．薬局における後発医薬品の採用に関しては，その医薬品の安定供給や情報提供体制が整っているかが重要なポイントとなる．
　また，後発医薬品への変更調剤において，剤形変更，つまり異なる含量規格への変更および類似する別剤形への変更が可能となった．後発医薬品への変更調剤は，患者の同意を得ることが原則である．しかし，それ以上に収集した患者情報からより服用しやす

キーワード　後発医薬品

い剤形を提供できることは，医薬品情報を患者が直接実感できるのではないだろうか．たとえば，錠剤が飲みにくいことを患者から聞き取ることができれば，後発医薬品の口腔内崩壊錠に変更することにより服薬を容易にすることが可能となる．最近では，先発医薬品にない剤形の後発医薬品が販売されており，収集した患者情報からどの剤形がより服薬に適しているのかを選択することができる．

13-8. 要指導・一般用医薬品，健康食品に関する情報

薬局では，医療用医薬品のみならず要指導・一般用医薬品や健康食品の提供も行っている．患者情報の収集において，要指導・一般用医薬品や健康食品を使用していることに気が付く薬剤師は多く，医療用医薬品との併用の可否を判断する上でも，これらの情報収集は必須である．処方箋調剤だけでなく要指導・一般用医薬品の販売においても，

表 13-2. 要指導・一般用医薬品と健康食品の主な情報源

要指導・一般用医薬品	インターネット	・医薬品医療機器総合機構（PMDA） 　https://www.pmda.go.jp/PmdaSearch/otcSearch/ ・日本OTC医薬品協会 　https://www.jsmi.jp/index.html ・JSM-DB セルフメディケーションデータベース 　https://jsm-db.info/　　など
	書　籍	・JAPIC 一般用医薬品集：日本医薬情報センター（丸善） ・日本医薬品集 一般薬：日本医薬品集フォーラム（じほう） ・OTC医薬品事典：日本OTC医薬品情報研究会（じほう）　など
健康食品	インターネット	・国立健康・栄養研究所 　https://www.nibiohn.go.jp/eiken/ ・国立医薬品食品衛生研究所 　http://www.nihs.go.jp/index-j.html ・厚生労働省 　https://www.mhlw.go.jp/stf/seisakunitsuite/bunya/kenkou_iryou/shokuhin/hokenkinou/ ・日本健康食品・サプリメント情報センター 　http://jahfic.or.jp/　　など
	書　籍	・健康食品・サプリメントと医薬品との相互作用早引き事典：日本健康食品・サプリメント情報センター（同文書院） ・ナチュラルメディシン・データベース 健康食品・サプリメント（成分）のすべて：田中平三ほか（同文書院） ・新版 健康食品の基礎知識：金森きよ子ほか（じほう）　など

キーワード　要指導・一般用医薬品添付文書

ほかに使用している医薬品や健康食品などはないかなど総合的に判断する必要性がある．代表的な健康食品と医療用医薬品との相互作用として，健康食品に含まれるクロレラとワルファリンが挙げられる．このように摂取している健康食品などに何が含まれているのかを調べることで，服用しようとしている医薬品と併用可能であるのかを判断する必要性がある．これらの情報源としては書籍やインターネットで収集することができるが，その代表的な情報源を表 13-2 に示す．

医療用医薬品の添付文書を見たことのない薬剤師はいないと思われるが，要指導・一般用医薬品の添付文書にどのような記載がなされているかについては，薬局薬剤師でなくても薬剤師であれば知っておくべき事柄である．医療用医薬品の添付文書では「禁忌」と記載されている項目があるが，要指導・一般用医薬品の添付文書では「してはいけないこと」および「相談すること」として記載されている（図 4-4 参照）．

要指導・一般用医薬品の添付文書では，薬剤師や医師に相談することが繰り返し記載されており，医薬品に関する情報提供の重要性がここでも示されている．

13-9. 地域での医薬品情報の共有

今後の高齢化社会に向けて，地域包括ケアシステムの構築が進んでいる．その中でかかりつけ薬局が服薬情報の一元的・継続的な把握や，在宅での対応を含む薬学的管理・指導などの機能を果たすことが期待されている．その中でも医薬品に関わる情報をどのように地域における多職種連携に生かしたらよいだろうか．たとえば，特に高齢者においては多剤併用による服薬低下が多く，それに対して一包化調剤，剤数の削減や残薬調整などがケアマネージャー，ヘルパーや訪問看護師などからリクエストされている．これらに対して，これまで述べてきたように患者情報，特に使用する医薬品情報を元に評価し，服薬情報書などを用いて医療機関に提供することができれば，医師などの医療者を含む多職種間で情報の共有が図れ，課題を解決していくことができるであろう．

この情報共有の重要性から地域包括ケアシステムの中で，かかりつけ薬剤師・薬局が地域生活者の健康サポートを行うことを目的に「健康サポート薬局」が 2016 年 4 月より法令上位置付けられ，「患者が継続して利用するために必要な機能及び個人の主体的な健康の保持増進への取組を積極的に支援する機能を有する薬局」（医薬品医療機器法施行規則第 1 条第 2 項第 5 号）と定義されている．そして，健康サポート薬局として一定の基準を満たす薬局が所定の手続き（届出）を行った場合に，その表示を行うことが認められている．健康サポート薬局は，地域住民が気軽に一般用医薬品の選択や健康に関する相談のために立ち寄れるような薬局となり，地域生活者の健康意識を高めていくことが期待される．また，地域包括ケアシステムの中で多職種と連携して地域住民の相談役の一つとしての役割も求められている．

キーワード　地域包括ケアシステム

13-10. DEM事業での医薬品情報

　薬局薬剤師の多くが会員である日本薬剤師会では，2002年度からDEM（Drug Event Monitoring）事業を開始している．これは，薬局で使用した薬剤でのイベント情報を全国で大規模に収集しようとした事業である．2002年度の「抗アレルギー剤の眠気の発現頻度調査」から始まり，2015年度には「SGLT-2阻害剤の調査」にまで及んでおり，種々の医薬品に関するイベントが集積されている（17章参照）．これらの調査から，薬局薬剤師がこのような情報収集に積極的であること，また医薬品に関するイベント情報の収集を日常的に行っていることが示された．これらの結果から，添付文書に記載されていない副作用も報告されており，医薬品情報の集積に重要な示唆を与えるものであると考えられる．

　このように，現在では専門書以外にも電子薬歴などの情報機器も一般化され，医薬品の相互作用や副作用などの医薬品情報が薬局薬剤師の業務に生かされる環境にある．また，全国の薬局薬剤師による医薬品に関する情報収集および解析によるエビデンスの構築も重要であり，それらの積み重ねにより，さらに有効かつ安全に医薬品が使用される．また，それを薬剤師のみで利用するのではなく，それらを地域の生活者に還元していくことが薬局薬剤師の業務として重要である．そして，これこそが薬局で取り扱うすべての医薬品のリスクマネジメントであり，最終的にはファーマコヴィジランス（pharmacovigilance，医薬品安全性監視）に繋がる薬局薬剤師の重要な業務である．

演習問題

問1　「薬剤師法第25条の2」について説明しなさい．
問2　かかりつけ薬局・かかりつけ薬剤師の役割と必要性について説明しなさい．
問3　薬局薬剤師の医薬品情報提供における薬歴の重要性について述べなさい．
問4　お薬手帳により収集できる情報について，どのようなメリットが生まれるのか具体的に例を挙げて述べなさい．
問5　医薬品の副作用の伝え方について具体例を挙げて説明しなさい．
問6　臨床検査値が投与量に関係している医薬品について具体例を挙げて，その必要な検査値を挙げなさい．
問7　下記の用語について説明しなさい．
　　　1）DEM事業　　　　2）薬剤服用歴

キーワード　DEM事業，ファーマコヴィジランス（医薬品安全性監視）

14章 製薬企業における医薬品情報

浅田和広

学習のポイント

❶ 製薬企業における医薬品情報創出の位置付けを理解する．
❷ 医薬品情報源として，製薬企業の関わる部門を理解する．
❸ 製薬企業が発信する医薬品情報の概要を理解する．
❹ 医薬品添付文書の作成（改訂）と届出の概要を理解する．
❺ 緊急安全性情報，安全性速報等の情報伝達の概要を理解する．

医薬品の最も基本となる情報は，製造販売業者（以下，「製薬企業」という）や各種の研究機関による基礎的研究に始まり，非臨床試験や，治験により有効性・安全性データ等が収集・評価され，「医薬品情報」として蓄積される．この「医薬品情報」が承認申請や製造販売後（以下，一部固有名詞を除き「市販後」という）に提供する情報の基本となる．

また製薬企業は，市販後も医薬品の使用実態下における有効性・安全性，特に安全性に関する情報を収集・評価し，行政への報告や適正使用に活用する．

このように製薬企業は「医薬品情報」の起点であり，研究開発から市販後まで多くの「医薬品情報」を創出し，行政，医療関係者や医療消費者に提供し，医薬品の適正使用と育薬に努めている．

本章では製薬企業における医薬品情報に関わる（取り扱う）部門と各種情報について紹介する．

* 2019年12月医薬品医療機器等法が改正され，医療用医薬品については添付文書の製品の包装への封入（同梱）が廃止となり，電子的提供が主体となった（2021年8月施行，猶予期間2年）．これに伴い「添付文書」との呼び名が「電子化された添付文書（電子添文）」と変わったが，本書ではこれまで広く用いられてきた「添付文書」の呼称を用いている．

14-1. 製薬企業と医薬品情報の関わり方

製薬企業において医薬品情報に関わる部門については，企業により組織，部署名が異なるため，比較的よく用いられている名称で表記する．

> **キーワード** 企業の医薬品情報の創出

14-1-1. 研究開発，承認申請（薬事）

医薬品の基礎的情報（物性，製法，毒性，薬理作用，代謝等），製剤情報（組成，性状，安定性等）から，臨床情報（薬物動態，有効性，安全性等）まで，研究開発部門*が各種ガイドライン，GLP（Good Laboratory Practice），GCP（Good Clinical Practice）等の法規制に基づき，情報の創出に関わる（図 14-1）．

その後，薬事部門が得られた情報を集約し，承認申請資料（eCTD；電子化 Common Technical Document 等，2 章参照）を取りまとめ，申請業務を行う．この承認申請資料が製薬企業における市販後の「医薬品情報」の基本となる．

* 研究，開発（治験）については，2 章参照．基礎，臨床情報の創出・収集は外部の研究機関，創薬ベンチャー企業，医薬品開発業務受託機関（CRO；ボックス参照）が実施している場合もある．

ボックス

CRO（Contract Research Organization，医薬品開発業務受託機関）

臨床試験（治験，製造販売後臨床試験）や製造販売後調査等の依頼，管理に関わる業務（治験薬概要書の作成，CRF［Case Report Form；症例報告書］作成の補助等），モニタリング業務（治験等が GCP 等の各種法令を遵守し適切に行われていることの確認），データマネジメント等を製薬企業等から受託する．

CRA（Clinical Research Associate，臨床開発モニター）

治験に際し，医療機関の選定，IRB（Institutional Review Board，治験審査委員会）用資料の作成，契約，モニタリング業務，CRF のチェック・回収，治験終了の手続きなどを行う．

DM（Data Management，データマネジメント）

治験等におけるプロトコルの作成支援，CRF の作成から回収した CRF のデータ入力・チェック・修正，再調査の指示などデータを取り扱うための品質管理を実施し，データの品質を保証する．治験等のデータマネジメントに携わる者をデータマネージャー（Data Manager）と称す．

メディカルライティング（ライター）

治験実施に関わる各種申請書類や，承認申請のための CTD 等各種申請書類，報告書，医学論文投稿用原稿作成．医薬品医療機器等法や各種ガイドラインを遵守し作成する．

参考：CRC（Clinical Research Coordinator，治験コーディネーター）

製薬企業ではなく治験実施医療機関において，患者同意説明補助，来院・検査スケジュール管理，製薬会社への報告書作成支援など，治験の補助業務全般を行う治験が円滑に行えるよう医師を支援する．看護師，薬剤師，臨床検査技師が担当することが多い．

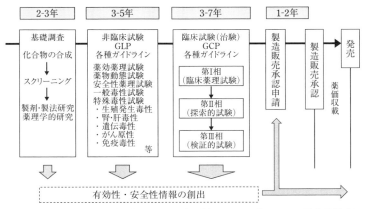

図14-1. 研究開発から製造販売承認（発売）までのプロセスと医薬品情報の創出

14-1-2. 医薬品の製造，品質保証

製薬企業は製造した製品の品質に責任を負うが，製造部門，および独立した品質保証部門が，原料や製品の品質に関する情報（物性，組成・性状，安定性等）を扱う（品質保証責任者を置く）．

14-1-3. 市販後の各部門

医薬品は市販後多様な患者に使用されるため，治験時には収集できない情報も得られる．このため製薬企業は市販後も有効性・安全性，特に安全性についての情報を収集・評価し（3章参照），適正使用に関する情報提供を行う（図14-2）．

1）市販後の調査・試験部門

治験は厳格な基準に基づき実施されるため限界もある．このため市販後の使用実態下で，使用成績調査（一般使用成績調査，特定使用成績調査，使用成績比較調査），製造販売後データベース調査や製造販売後臨床試験（GPSP; Good Post-Marketing Study Practice や GCP に基づく）を実施し，まれな副作用の検出や，真のエンドポイントによる有効性評価等，治験では得られなかった情報を収集する（製造販売後調査等管理責任者を置く）（調査・試験については3章参照）．

なお，市販後に更なる有効性・安全性情報の収集（育薬）を目的として臨床研究が行われることもある．

また，2019年12月改正の医薬品医療機器等法により「先駆け審査指定制度」，「条件付き早期承認制度」が法制化され（ボックス参照），市販後における有効性・安全性の確認がより重要となっている．

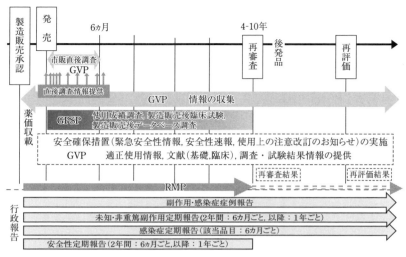

図 14-2. 市販後の安全性（適正使用）情報の収集・提供，報告

> **ボックス**
>
> **臨床研究法**[1]
>
> 近年臨床研究において製薬企業による不適切な事案が生じたことを受けて，臨床研究に対する信頼性確保と実施の推進を目的として 2018 年 4 月に臨床研究法が施行された．本法では医薬品等の臨床研究のうち，特定臨床研究（未承認・適応外の医薬品等の臨床研究，製薬企業等から資金提供を受けて行う医薬品等の臨床研究）について法的な規制を設けたもので，製薬企業が臨床研究を医療関係者に依頼する場合等に適用され，資金を提供する際の契約の締結，資金提供の情報等の公表が義務付けられている．
>
> **先駆け審査指定制度，条件付き早期承認制度**
>
> 先駆け審査指定制度： 世界に先駆けて日本で申請を目指す画期的な新薬，医療機器，再生医療等製品，体外診断用医薬品を指定し，承認審査で優遇する制度．2015 年より試行的に実施され，2019 年 12 月法制化，2020 年 9 月施行．
> 新規作用機序，対象疾患が重篤，高い有効性，世界に先駆けて日本で早期開発・申請の要件を満たす医薬品について，治験相談期間の短縮，審査期間通常 1 年を 6 カ月で承認する．市販後の安全対策として再審査期間を通常の 8 年から最長 10 年の範囲で延長する．
> 条件付き早期承認制度： 重篤で有効な治療法が少ない疾患に対する医薬品について，市販後に有効性・安全性を再確認することを条件に，検証的臨床試験なしで早期に承認する制度．
> 添付文書に条件付き早期承認品目であることを明示する[2]．
> 2014 年の医薬品医療機器等法で再生医療等製品を対象に始まった．その後 2017 年 7 月に医療機器，同年 10 月に医薬品を対象とする制度が厚生労働省の通知にて運用を開始し，2019 年 12 月法制化，2020 年 9 月施行．

2) 市販後の安全管理部門

　副作用・感染症等の安全性情報を医療関係者，国内外の学会・文献などの研究報告，海外の企業や規制当局から収集・評価し，医薬品医療機器等法に基づき，PMDAへ報告する（副作用報告については3章参照）．また収集・評価した情報に基づき安全対策の措置を立案・実施し，安全性を確保する部門で，医薬品の適正使用のための安全管理情報（品質，有効性および安全性，その他医薬品等の適正な使用のために必要な情報）を統括する（安全管理責任者を置く）．市販直後調査，医薬品リスク管理計画（RMP; Risk Management Plan）等も通常安全管理部門が実施する（3章参照）．

　なお，近年研究開発から市販後まで一貫した医薬品の安全管理部門としてファーマコヴィジランス（PV; Pharmacovigilance）といった名称も用いられている．

ボックス

医薬品等総括製造販売責任者

医薬品医療機器等法　第17条　医薬品等を製造販売する企業には，医薬品等の品質管理及び製造販売後安全管理を行わせるために，薬剤師（2019年12月改正の医薬品医療機器等法で例外規定あり）を医薬品等総括製造販売責任者として置かなければならない．
また，GVP（Good Vigilance Practice）において安全管理責任者，GQP（Good Quality Practice）において品質保証責任者の設置が義務づけられている．すなわち，医療用医薬品の製造販売業者は，総括製造販売責任者，安全管理責任者，品質保証責任者の三役を置かなければならない．
なお，2019年12月改正の医薬品医療機器等法において，製薬企業における法令遵守体制を整備するため，承認申請や製造販売など薬事に責任を持つ「責任役員制度」を医薬品医療機器等法上に位置づけ，経営陣の責任を明確化している．

---

3) 医薬情報担当者（MR; Medical Representative）

　MRは，医薬品の適正な使用に資するために，医療関係者への訪問等により安全性情報等を収集・提供することを主な業務として行う．MRから得られた情報を元に，安全対策等を検討し，適正使用情報としてMRが医療現場にフィードバックする．

　通常我が国ではMRは営業部門に属し，普及促進（プロモーション）としての情報提供活動も行っているが，他社製品の誹謗・中傷といった過度な販売促進とならないよう，2019年4月「医療用医薬品の販売情報提供活動に関するガイドライン」[3]が施行され，企業の倫理規定等の遵守が求められている（15-3-1.参照）．また企業の情報提供活動に大幅な制限が設けられた（たとえばMRによる適応外使用や簡易懸濁法に関する情報提供の制限等）ことから，MRの活動も大きく変わろうとしている．

　なお，MR業務のアウトソーシングとして，CSO（Contract Sales Organization，医薬品販売業務受託機関）やCROに属し依頼先製薬企業のMR業務の一部（専門領域等）を担当するコントラクトMR（Contract MR）といった業務形態もある．コントラ

クトMRもガイドラインの遵守は同様である．

> **ボックス**
>
> **医療用医薬品の販売情報提供活動に関するガイドライン[3]**
> （厚労省通知　2018年9月制定，2019年4月施行）
>
> 医薬品は物と情報の両方が存在して初めて医薬品となる．そのため，医薬品医療機器等法において，医薬品製造販売業者等（製販業者等）に対して，医薬品の適正な使用のために必要な情報の収集と提供が求められている（法第68条の2）．
> 医薬品の広告（プロモーション）については医薬品医療機器等法や医薬品等適正広告基準により適正化が図られてきたが，口頭説明等は証拠が残りにくく，また利益相反関係があいまいな研究論文等による不適切な情報提供等が認められ，医薬品の適正使用に影響することも懸念されたことから「医療用医薬品の販売情報提供活動に関するガイドライン」が制定された．本ガイドラインでは，提供方法や媒体を問わず，販売情報提供活動に使用されるすべての資料・情報が適用範囲となる．また営業部門等から独立した販売情報提供活動監督部門を設け，販売情報提供活動の資材等や情報提供活動自体の適切性等をモニタリングする．使用する資材等は，予めこの監督部門による審査を受ける必要がある．また監督部門は販売情報提供活動の担当部門・担当者が適切な情報提供活動を行っているか，定期的にモニタリングを行い，必要な監督指導を行う．本ガイドラインは営業部門だけではなく他の部門（学術部門，くすり相談等）にも適用される（ただし，GCP，GPSP，GVPに基づく情報提供活動は対象外）．

4）学術部門

　製薬企業は，自社の製品情報だけではなく関連する疾患等周辺領域に関わる学術的情報等も収集・蓄積し，適正使用やプロモーションの一環として情報提供を行う学術部門を設けていることが多い．医薬品インタビューフォーム等の基本的医薬品情報の作成を行う企業や，学術講演等の実施や製品情報概要等のプロモーション資材の作成等，製品の普及を行うなど，幅広く医薬品情報および関連情報を取り扱っている．最近ではメディカルアフェアーズ部門がこれらの一部を行っている企業もある．

5）くすり相談窓口

　製薬企業は，医療関係者，医療消費者等からの相談（問い合わせ）に対し適切な医薬品情報を提供する相談窓口（コールセンター）を設置している．相談内容は，製品の品質，有効性，安全性，疾患関連まで多岐にわたり，また入手する情報の中には副作用のシグナル，製品改良や新製品開発に繋がる情報が含まれていることもあるため，基礎，臨床，生産，市販後まで社内の関連部門と連携を図り，情報の収集・整備に努めている．また問い合わせ対応のデータベース化，さらにはAI（人工知能）を活用する企業など，

キーワード　医薬品情報の部門と役割

ICTの活用も進んでいる．

> **ボックス**
>
> **MR認定制度**
>
> 公益財団法人MR認定センターが試験を実施し，合格者にはMR認定証を発行する制度．また，企業はMRに倫理，製品知識等の教育を継続的に行い，MRの資質向上に努めている．
>
> **メディカルアフェアーズ（Medical Affairs; MA），**
> **メディカルサイエンスリエゾン（Medical Science Liaison; MSL）**
>
> 最近医薬品の適正使用推進のためにメディカルアフェアーズ（MA）といった組織や，医学・薬学の専門職のメディカルサイエンスリエゾン（MSL）を設ける企業も増えている．
> 現時点では各社で組織・ミッションの考え方は異なるが，日本製薬工業協会[4]は，すべての患者へ最適な医療を届けるため，①アンメットメディカルニーズ（いまだに治療法が見つかっていない疾患に対する医療ニーズ）を充足させる医学・科学的なエビデンスを構築し，医療関係者等へ情報を発信する，②高度または最新の科学的知見等を用い，医学的・科学的交流を社外医科学的専門家に対し行う，ことをMAのミッションとして挙げている．
> また，MSLは医療関係者との医学的・科学的な交流を役割とし，医科学専門家に対する高度または最新の科学的知見の提供等を通じ，医学の進歩並びに医療の発展に貢献するための活動を行っている．MSLには医師，薬剤師，看護師等の医療専門家が多く所属している．

14-2. 製薬企業が発信する医薬品情報

製薬企業は創出（収集・評価・蓄積）した医薬品情報を加工し，医療関係者向け（適正使用，プロモーション等）や医療消費者・一般向けに，紙・視聴覚・ICT利用等，様々な媒体で提供している．主にMRにより医療関係者に提供されるが，自社のホームページ（HP）の医療関係者向けサイトでも各種の情報を公開している．

以下に医薬品情報の最も基本となる医療用医薬品添付文書と，使用上の注意改訂時の情報伝達について製薬企業の役割を解説する（その他の資材は表4-11参照）．

14-2-1. 医療用医薬品添付文書（以下，添付文書）

1）添付文書の作成・改訂

添付文書は医薬品医療機器等法で規定された，医薬品の最も基本となる情報源である．添付文書は厚生労働省の記載要領*や業界の自主基準に従い製薬企業が作成する．

　　* 従来の添付文書記載要領は1997年2月[5-7]に定められたものであるが，その後新たな薬

キーワード　医療用医薬品添付文書

効を有する医薬品の開発，安全性確保等の適正使用が必要な医薬品も増えており，記載要領の見直しが検討され，2017 年 6 月新記載要領が通知された[8,9]．新記載要領は 2019 年 4 月以降適用され，既存の医薬品の添付文書についてはその後 5 年以内（2024 年 3 月まで）に新記載要領に改訂される．

なお，2019 年 12 月改正の医薬品医療機器等法により，医療用医薬品等の添付文書はこれまでの製品（箱）に同梱する方式から，最新の情報を速やかに医療現場に届けるため，原則として容器に表記した符号等（GS1 コード）からウェブサイトにて閲覧する等の電子的な提供方法となる（2021 年 8 月施行，猶予期間 2 年）．

①承認申請時： 基礎・臨床試験情報に基づき作成した添付文書（案）について，使用上の注意の設定理由等を付して，承認申請書（eCTD）に添付し提出する．提出した添付文書（案）は，承認審査の段階で PMDA，厚生労働省において内容の確認が行われ，薬事・食品衛生審議会薬事分科会の新薬を審査する部会で審議され，承認時の添付文書となる．

②市販後： 製薬企業は市販後の使用実態下で収集した情報等に基づき，適正使用のために厚生労働省の通知（薬生安通知），あるいは行政との相談に基づき企業が自主的に添付文書の「使用上の注意」等を改訂し，お知らせを配布するなど周知に努めている．

2）添付文書の届出

添付文書は 2015 年 11 月 27 日施行の医薬品医療機器等法により，最新の知見を記載し，また新規作成・改訂に際しては製造販売（出荷）前にあらかじめ添付文書を届け出ることが規定された＊．製薬企業はあらかじめ添付文書を PMDA に届出し，PMDA が内容を確認・受理した後に，PMDA の HP に公開し，製品の製造販売（出荷）や情報提供（適正使用，プロモーション）を開始する．

＊ 最新の知見を掲載しなければならない項目，届出を行う範囲は添付文書全体ではなく法第 52 条で規定された範囲である．

14-2-2. 情報伝達

製薬企業は添付文書使用上の注意の改訂時や医薬品の安全確保や適正使用のため，医療関係者に情報伝達を行う．以下に代表的情報伝達資材を紹介する（図 14-3）．

1）緊急安全性情報（イエローレター）[10]

表 14-1 の状況から見て，国民（患者），医薬関係者に対して緊急かつ重大な注意喚起や使用制限に係る対策が必要な状況にある場合に行う情報伝達である（用紙は黄色紙を用いる）．医療関係者向けに加え，国民（患者）向け情報も原則として作成する．緊急安全性情報配布開始時には報道発表（記者会見）を行い，また回収等，国民（患者）が

キーワード 情報伝達，緊急安全性情報

黄色の用紙　　　　　　　　青色の用紙

図14-3．左：緊急安全性情報（イエローレター）表紙，中：安全性速報（ブルーレター）表紙，右：医薬品安全対策情報（DSU）表紙

表14-1．緊急安全性情報発出の要件

- 法第68条の10に基づく副作用・不具合等の報告における死亡，障害若しくはこれらにつながるおそれのある症例又は治療の困難な症例の発生状況
- 未知重篤な副作用・不具合等の発現など安全性上の問題が有効性に比して顕著である等の新たな知見
- 外国における緊急かつ重大な安全性に関する行政措置の実施
- 緊急安全性情報又は安全性速報等による対策によってもなお効果が十分でないと評価された安全性上の問題

直接対応を行う必要がある事案は「新聞の社告」等で知らせる．

医療関係者にはMRによる直接配布を原則とするが，迅速・網羅性を考慮し，直接配布，DM（ダイレクトメール），FAX，e-mail等を活用し情報伝達する．また自社等のHP（特定の利用者のみを対象としたものではない場所）に掲載する．

また医学，薬学等の関係団体に対して情報提供し，効果的な広報手段での周知の依頼や，患者団体を把握している場合には情報提供を行う等，広く情報提供を行う．

2) 安全性速報（ブルーレター）[10]

緊急安全性情報に準じ（表14-1），医薬関係者に対して一般的な使用上の注意の改訂情報よりも迅速な注意喚起や適正使用のための対応（注意の周知および徹底，臨床検査の実施等の対応）の注意喚起が必要な状況にある場合に行う情報伝達である（用紙は青色紙を用いる）．

国民（患者）への情報提供（報道発表や新聞の社告等）を除き緊急安全性情報と実施する内容はほぼ同様である．

* 企業は緊急安全性情報，安全性速報の提供の際，製品の納入が確認されている医療機関

キーワード　安全性速報

の適切な部署（医療安全管理者，医薬品安全管理責任者，医療機器安全管理責任者，または医療機関の製品情報担当者等の所属する部署），薬局等に，通知日等から1カ月以内に情報が到着していることを確認する．

3）使用上の注意（等）改訂のお知らせ

緊急安全性情報，安全性速報以外の厚生労働省の使用上の注意改訂通知や，製薬企業の自主的な使用上の注意（等）の改訂時の情報伝達として，改訂箇所，改訂理由等を記したお知らせを配布する．

企業によって記載内容，レイアウトは異なるが，おおむね表紙の上段に「医薬品の適正使用に欠かせない情報です．必ずお読みください」の記載がある．「黄色紙」，「青色紙」は使用せず通常「白色紙」が多いが，他の色を用いる場合もある．

なお企業は改訂添付文書をPMDAに届出し，受理後PMDAおよび自社等のHPに掲載する．情報伝達は通常1カ月を目途に行われている．

4）医薬品安全対策情報（DSU; Drug Safety Update）

業界団体の日本製薬団体連合会が発行する冊子（厚生労働省医薬・生活衛生局監修）で，製薬企業約300社が加盟しており，厚生労働省の使用上の注意改訂の通知，および企業の自主的な判断で使用上の注意を改訂する際，その情報を掲載する．年10回通知発出後1カ月以内に発行され，病院，診療所，保険薬局等の医療機関約24万施設に網羅的に郵送されている．またPMDAのHPにも掲載される．通常の使用上の注意（等）の改訂の場合は，DSUへの掲載が1カ月以内に情報伝達を行ったことの確認となる．

14-2-3. その他医薬品の適正使用のための資材

1）医療関係者向け資材

添付文書や改訂のお知らせ等の情報伝達資材以外に，製薬企業が作成し，医療関係者に提供する代表的資材として新医薬品の「使用上の注意」の解説，「医薬品インタビューフォーム」，「適正使用ガイド」や「医療用医薬品製品情報概要」等多くの資材がある（表4-11参照）．

2）患者やその家族（医療消費者）向けの資材

製薬企業は，医薬品を使用する患者やその家族（医療消費者）向けに服薬方法の説明書や疾患解説資材を作成し，適正使用の推進に努めている．ただし，わが国では医療用医薬品について医療消費者に対しその使用を誘因（宣伝）するような内容の情報は作成できない．

なお，記載要領が定まっているものとして，「患者向医薬品ガイド」（厚生労働省）と，

（キーワード）　DSU，患者向医薬品ガイド

「くすりのしおり」（くすりの適正使用協議会）がある（表4-11参照）．いずれもPMDAや各企業のHPにて公開されている．

3）医薬品リスク管理計画（RMP）のリスク最小化資材

RMPにおける追加のリスク最小化の目的で医療関係者向け資材や患者向けの資材が作成されている．医療関係者向けには「適正使用ガイド」等，また患者向けの資材が各医薬品の特徴に応じて作成・提供されているが，RMP以外の目的で作成される資材も多くあるため，2017年9月より日本製薬団体の自主申し合わせとしてRMPのための資材である旨のマークを付すことになった[11]．

医療関係者向け事例　　　患者向け事例

上記1）～3）の資材の作成部門は企業により異なるが，添付文書，安全管理，くすり相談，学術，営業部門などが作成に関わっている．

4）製品のバーコード表示と医薬品情報

製品（調剤包装単位，販売包装単位，元梱包装単位）のバーコード（GS1コード）表示はすでに行われているが，2021年4月以降製薬企業から出荷される医薬品には原則として商品コードの他，変動情報（有効期間，製造番号又は製造記号，元梱包装では数量も）を含んだバーコードの表示が行われる[12]（一部任意表示あり）．バーコードの管理により医薬品のトレーサビリティ（追跡可能性）が向上することから製品の回収等の流通管理が容易となる．また医療機関や薬局においてもシステム構築により，患者への投薬までのトレーサビリティが確保でき，製品の回収や，医薬品情報の提供による安全対策に活用できる．

また，今後製品のGS1コードからアプリによりPMDAの添付文書が閲覧できるようになるため，GS1コードは医薬品情報利活用の有用な情報となる．

14-2-4. 各種資材と情報提供の考え方

上述のように製薬企業は多くの医薬品情報資材を作成し，医療関係者向け，患者向けに提供している．また最近厚生労働省から特定の医薬品については「最適使用推進ガイドライン」が出され，企業はガイドラインに基づいた情報提供，適正使用の推進を行っている．

しかしこれらの情報の提供はあくまで手段であり，提供することがゴールではない．

キーワード　くすりのしおり

重要なこと（ゴール）は，製薬企業，医療関係者，患者・家族が医薬品情報をもとにそれぞれの役割を果たし，リスクの最小化が図られ，医薬品が適正に使用されることである（RMP の考え方）．

> **ボックス**
>
> 最適使用推進ガイドライン[13]
>
> 近年革新的な新規作用機序を有し，薬理作用や安全性が従来と異なる医薬品が開発されている．このため有効性・安全性の情報が十分蓄積されるまでは，医薬品の恩恵を強く受けることが期待される患者に，副作用が発現した際の迅速な対応が可能な一定の要件を満たす医療機関で使用することが重要である．最適使用推進ガイドラインは 2017 年 9 月の厚生労働省通知にもとづき，使用する患者，医療機関等の用件，考え方や留意事項をまとめたものであり，製薬企業が案を作成し，厚生労働省は専門家の意見を聞き確定し通知する．
> なお，最適使用推進ガイドラインが作成された品目については，添付文書の販売名の右または下側に「最適使用推進ガイドライン対象品目」と記載する[3]．

引用文献

1) 「臨床研究法の公布について」平成 29 年 4 月 14 日，医政発 0414 第 22 号．
2) 「条件付き承認等の添付文書等上での取扱いについて」令和 2 年 8 月 31 日，薬生安発 0831 第 4 号．
3) 「医療用医薬品の販売情報提供活動に関するガイドラインについて」平成 30 年 9 月 25 日，薬生発 0925 第 1 号．
4) 「MA/MSL 活動に関する基本的考え方」日本製薬工業協会 http://www.jpma.or.jp/about/basis/mamsl/
5) 「医療用医薬品添付文書の記載要領について」平成 9 年 4 月 25 日，薬発第 606 号．
6) 「医療用医薬品の使用上の注意記載要領について」平成 9 年 4 月 25 日，薬発第 607 号．
7) 「医療用医薬品添付文書の記載要領について」平成 9 年 4 月 25 日，薬安第 59 号．
8) 「医療用薬品の添付文書等の記載要領について」平成 29 年 6 月 8 日，薬生発 0608 第 1 号．
9) 「医療用薬品の添付文書等の記載要領の留意事項について」平成 29 年 6 月 8 日，薬生安発 0608 第 1 号．
10) 「緊急安全性情報等の提供に関する指針について」令和 2 年 5 月 15 日，薬食安発 0515 第 1 号．
11) 「医薬品リスク管理計画（RMP）における追加のリスク最小化活動のために　作成・配布する資材への表示の自主申し合せ」について」平成 29 年 6 月 5 日，日薬連発第 367 号．
12) 「医療用医薬品へのバーコード表示の実施要領」の一部改正について　平成 28 年 8 月 30 日　医政経発 0830 第 1 号　薬生安発 0830 第 1 号，薬生監麻発 0830 第 1 号　厚生労働省　医政局経済課長，医薬・生活衛生局安全対策課長，医薬・生活衛生局監視指導・麻薬対策課長連名通知
13) 「最適使用推進ガイドラインの取扱いについて」平成 29 年 9 月 15 日，薬生薬審発 0915 第 1 号，保医発 0915 第 1 号．

演習問題

問 1　製薬企業と医薬品情報の関わり方を簡単にまとめなさい．
問 2　製薬企業の医薬品情報に関わる部署と扱う情報についてまとめなさい．
問 3　代表的な情報伝達手段についてまとめなさい．
問 4　製薬企業が作成する患者・医療消費者向けの代表的資材についてまとめなさい．

15章 医薬品卸売販売業における医薬品情報

松浦 聡・浅野貴代

> **学習のポイント**
> ❶ 医薬品卸売販売業の医薬品情報の収集・検討・提供については,医薬品医療機器等法で規定されている.
> ❷ 医薬品卸売販売業は,医療機関・薬局等より,有害事象情報,有効性情報,品質情報を収集する.
> ❸ 医薬品卸売販売業は,医療機関・薬局等に,MS,情報誌等を通じて情報を提供する.

15-1. 医薬品卸売販売業

15-1-1. 医薬品流通における医薬品卸の役割

　医薬品卸売販売業(以下,「医薬品卸」という)は,「医薬品,医療機器等の品質,有効性及び安全性の確保等に関する法律」(以下,「医薬品医療機器等法」という)に基づき,都道府県知事の許可を受け,製薬企業が製造販売する医療用医薬品のほとんど,要指導・一般用医薬品の約半数を医療機関・薬局等に販売する(ボックス参照).日本の医薬品卸は約1万数千種類に及ぶ医療用医薬品を,北海道から沖縄まで約23万カ所の医療機関・薬局等に,迅速・確実に供給しており,世界に類のない優れた「毛細血管型」

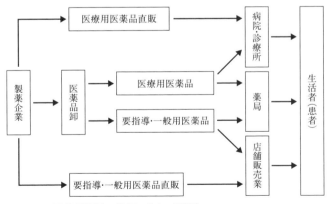

図15-1. 医薬品流通の仕組み3)を一部改編

キーワード 医薬品卸売販売業

流通モデルを確立している（図15-1参照）．海外では，偽薬の問題が深刻化しているが，日本でこの問題がほとんどないのは，日本の医薬品卸が医薬品流通管理を適切に行っていることによると考えられる．

> **ボックス**
>
> 医薬品卸売販売業の許可（医薬品医療機器等法第25条第3号）
>
> 医薬品を，薬局開設者，医薬品の製造販売業者，製造業者若しくは販売業者又は病院，診療所若しくは飼育動物診療施設の開設者その他厚生労働省令で定める者（第34条第3項において「薬局開設者等」という．）に対し，販売し，又は授与する業務を行う．

15-1-2. 医薬品卸を取り巻く状況

一般社団法人日本医薬品卸売業連合会（以下，「医薬卸連」という）は，医薬品の適正な供給を責務とする医薬品卸により組織された全国組織である．

医薬卸連によると，加盟会社数は1996年には291社あったが，急速な業界再編による吸収・合併等で，2006年134社と激減し，大手グループ企業による寡占化が進んだ．2019年3月31日現在の医薬品卸数は70社でここ数年横ばいである．従業員数は，1996年には7万3298人だったが，2006年の5万1000人から2016年以降は5万5000人前後で推移している．そのうち販売担当者であるMS（Marketing Specialist）は2020年6月1日現在1万6011人で従業員数の約30%となっている．

15-1-3. 医薬品卸の基本的機能

医薬品卸は，「物流」，「販売」，「情報」，「金融」の4つの機能を実践している（表15-1参照）．

また，医薬品は生命関連品であることから，台風，震災，新型インフルエンザ等の発生時には，国や地方自治体と協力し，医薬品の迅速かつ安定的な供給に努めている．

表15-1．医薬品卸の基本的機能

物的流通機能 （物流機能）	・仕入機能 ・保管機能 ・品揃機能 ・配送機能 ・品質管理機能	販売機能	・販売促進機能 ・販売管理機能 ・適正使用推進機能 ・コンサルティング機能
情報機能	・医薬品等に関する情報の収集および提供機能 ・顧客カテゴリーに応じた情報提供機能	金融機能	・債権，債務の管理機能

キーワード　MS（Marketing Specialist）

2011年3月に発生した東日本大震災において，医薬品卸はその社会的責任を果たし，災害医療，地域医療を支えた．

15-1-4. MS，管理薬剤師の役割

MSは，日常的に製薬企業の医薬情報担当者（MR; Medical Representative）との情報交換を行うとともに，医療機関・薬局等を訪問し，医薬品の紹介，商談，医薬品情報の提供や伝達を行う．なお，医薬品の有害事象等の安全管理情報の収集，医薬品回収情報の提供および医薬品回収も行っている．MSが提供する情報の内容は，医薬品だけでなく，医療制度・診療報酬，医療機関・薬局等の支援システム，経営のコンサルティング等幅広い．そのため，MSの配送機会を減らし，配送専任者を導入している医薬品卸もある．MSの中には，MR資格を取得している人もいる．

医薬品卸は，医薬品医療機器等法第35条で管理薬剤師の設置が義務付けられている．管理薬剤師は，薬事管理，品質管理，教育研修，安全管理業務を行うほか，医療機関・薬局等からの問い合わせの対応，MS等への情報伝達を行う．医薬品卸への問い合わせの内容は多岐にわたるため，管理薬剤師は商品知識だけでなく，医薬品医療機器等法，医療法，診療報酬，調剤報酬等の医療関連情報の知識が求められる．

15-2. 医薬品卸と医薬品情報関連法制度の変遷

1979年の薬事法改正で，医薬品卸と医薬品情報について初めて規定された．これに伴い，1970年代後半から医薬情報室，DI室等の医薬品情報を扱う部門・部署が医薬品卸各社に設置され，1980年代後半から医薬品情報誌等も刊行されるようになった．

医薬品医療機器等法第68条の2で，医薬品卸は，「医薬品等の有効性及び安全性に関する事項その他医薬品等の適正な使用のために必要な情報を収集し，検討するとともに，医療機関・薬局等の開設者，医薬品販売業者，医薬関係者に対し，これを提供するよう努めなければならない」と規定されている．

また，2001年の改正GPMSP（Good Post-Marketing Surveillance Practice，医薬品の市販後調査の実施の基準に関する省令）の施行で市販直後調査が導入され，製薬企業が市販直後調査業務を委託できる範囲に医薬品卸が規定された．

さらに，2005年の薬事法改正で，医薬品の品質保証体制の基本的な見直しが行われ，一層の安全性強化が図られた．なかでも，安全管理業務は製薬企業の必須業務となり，同時に，製薬企業が医薬品卸に委託できる製造販売後安全管理業務が規定された．これにより，医薬品卸は，医薬品等の品質，有効性および安全性に関する事項，その他医薬品の適正な使用のために必要な情報（安全管理情報）の収集，安全管理情報の解析（製薬企業の責任下で行うべき評価を含まない），安全管理情報の検討の結果に基づく必要

キーワード 管理薬剤師

な措置（添付文書改訂に際して医療機関に対する情報提供，回収に際して医療機関から該当製品の引き上げ等）の受託が可能になった（医薬品医療機器等法第 18 条第 3 項，同法施行規則第 97 条）．

15-3. 医薬品卸の情報提供

　医薬品卸では，MS による情報提供のほか，医療機関，薬局等からの問い合わせへの対応，情報誌やインターネットによる情報提供を行っている．

15-3-1. 医療用医薬品の販売情報提供活動ガイドラインと MS による情報提供

　2018 年 9 月に厚生労働省より医療用医薬品の販売情報提供活動に関するガイドライン（以下，ガイドライン）が発出された（厚生労働省　医薬・生活衛生局長通知　平成 30 年 9 月 25 日　薬生発 0925 第 1 号）．これは，近年，医療用医薬品に関する販売情報提供活動において，証拠が残りにくい行為（口頭説明等），明確な虚偽誇大とまではいえないまでも不適正使用を助長すると考えられる行為，企業側の関与が直ちに判別しにくく広告の妥当性の判断が難しいものの提供といった行為が，厚生労働省が 2017 年度から実施している広告活動監視モニターから報告され，広告または広告に類する行為を適正化することで，保健衛生の向上を図ることを目的に策定されたガイドラインである．このガイドラインは製薬企業のみならず医薬品卸にも適応され，販売情報提供活動を行う企業の責務として遵守しなくてはならない．

　ガイドラインは，「経営陣の責務」「社内体制の整備」「販売情報提供活動の資材等の適切性の確保」「販売情報提供活動に関する評価や教育等」「モニタリング等の監督指導の実施」「手順書・記録の作成・管理」「不適切な販売情報提供活動への対応」「苦情処理」「販売情報提供活動の委託先・提携先企業及び医薬品卸売販売業者」について定めており，また，「販売情報提供活動の原則」として，①効能・効果，用法・用量等の情報は，承認された範囲内のものであること，②有効性のみではなく，副作用を含む安全性等の必要な情報についても提供し，提供する情報を恣意的に選択しないこと，など満たすべき要件と，①虚偽もしくは誇大な表現または誤解を誘発させるような表現その他広告規制において禁じられている行為をすること，②承認された効能・効果，用法・用量等以外の使用方法を推奨すること（外国において承認等を得ている場合であっても同様），などしてはいけない行為について定めている．

　MS は，医療機関等を日々訪問することから受動的・能動的にかかわらず，多岐にわたる情報提供を求められるため，ガイドラインを遵守し適正な販売情報提供活動を行うことが必要となる．

キーワード　医療用医薬品の販売情報提供活動ガイドライン

15-3-2. 問い合わせの対応

　医薬品卸では，医療機関・薬局等の問い合わせに対応している．質問は，薬局，診療所からが多く，直接または MS 経由で依頼される．医療用医薬品に関する質問が多いが，要指導・一般用医薬品，医療機器，体外診断用医薬品，健康食品等多岐にわたる．質問内容は，市販・入手，代替品，薬剤識別，添付文書の内容等から医薬品医療機器等法関連，診療報酬等と幅広い．営業所の管理薬剤師や，医薬情報室，DI 室等の医薬品情報担当部門が問い合わせに対応している．調査手段には，医薬品卸各社のデータベースや製薬企業・行政等への確認，書籍・インターネットによる検索等がある．

　なお，日本医薬品卸勤務薬剤師会では，「卸 DI 実例集」を作成し，ホームページで公開している（https://www.jpwa.or.jp/kinyaku/）．

15-3-3. 情報誌，インターネット

　医薬品卸では，医薬品情報を製薬企業，厚生労働省，医薬品医療機器総合機構情報提供ホームページ（PMDA）等から入手する．入手した情報は，医薬品情報担当部門等で分析，検討の上，必要な情報を順次，MS や情報誌，医療関係者向けのインターネットサイトを通じて情報提供する．

　また，新医薬品に関する承認から収載に至る各段階での情報，同種同効薬の一覧，問い合わせが多い内容についてまとめた資料等を作成し，提供している．製薬企業は自社製品の情報提供に限られるが，医薬品卸は，前述（15-3-1.）のガイドラインに基づき医療機関・薬局等から求めがあった場合に，医薬品添付文書や医薬品インタビューフォーム等を元に公平・中立的な評価に基づく同種同効薬の一覧・比較表等を作成・提供することができ，医療機関・薬局等から高い評価を得ている．

表 15-2. 医薬品卸が提供する主な情報等

入手方法		製薬企業，厚生労働省，PMDA 等
情報分析・検討部門		医薬品情報担当部門，管理薬剤師等
提供方法		MS，情報誌，医療関係者向けインターネットサイト，メールマガジン等
提供する主な情報	適正使用情報	添付文書，使用上注意改訂のお知らせ
	製品情報	新発売，包装変更，販売中止
	薬価収載関連情報	薬価収載，部会通過，製造販売承認，経過措置，長期投与，投与制限
	作成資料	一覧表，比較表，新医薬品情報，問い合わせが多い内容のまとめ
	法規・診療報酬関連	医薬品医療機器等法・医療法の改正，診療報酬・調剤報酬改定，通知，事務連絡等
	検索システム	各種医薬品情報，相互作用

キーワード　問い合わせ，DI，インターネット

情報誌等の紙媒体を用いて情報提供を行っているが，インターネットを用いた情報提供にシフトしている医薬品卸もある．インターネットによる情報提供は，飛躍的に前進・充実しており，各種検索機能が付加されたサイトもある．なお，メールマガジンの配信を行っている医薬品卸もある（表15-2参照）．

15-4. 安全管理業務

医薬品卸は，医薬品医療機器等法第12条の2第2号に規定する製造販売後安全管理に関する業務（安全管理業務）をGVP省令（Good Vigilance Practice, 医薬品, 医薬部外品, 化粧品, 医療機器及び再生医療等製品の製造販売後安全管理の基準に関する省令）（3-3. 参照）に基づき適正かつ確実に遂行するために「安全管理業務手順書」を作成している．医薬品卸が実施する安全管理業務には，安全管理情報の収集，配付，貼付，回収，市販直後調査があり，安全管理業務担当部門の指示に基づき，営業所の責任者，管理薬剤師，MSが適正に実施する．安全管理情報とは，医薬品等の品質，有効性および安全性に関する事項その他医薬品等の適正な使用のために必要な情報をいう（15-2. 参照）．

15-4-1. 安全管理情報の収集

医療機関・薬局等から収集する安全管理情報には，「有害事象情報」，「有効性情報」，「品質情報」がある．MSは，医療機関・薬局等を日常的に訪問することから，安全管理情報をタイムリーに収集することができる．MSは，収集した情報を速やかに製薬企業のMR等に連絡するが，製薬企業から回答があった場合は，必要に応じて，医療機関・薬局等に報告する．なお，MSが収集した安全管理情報は，医薬品卸各社の安全管理業務担当部門が管理している．

〈収集する安全管理情報〉
　有害事象情報：　医薬品を使用した者に生じたあらゆる好ましくない徴候・症状に関する情報
　有効性情報：　医薬品の有効性（症状の改善，QOLの向上等）に関する情報
　品質情報：　医薬品等の変質，不具合，表示不良，異物混入等に関する情報

15-4-2. 安全管理情報の伝達

製薬企業の依頼により，医薬品の安全管理情報を，適正かつ円滑に医療機関・薬局等へ提供，伝達する業務には，「配付」「貼付」がある．

配付は，安全管理情報を納入実績のある医療機関・薬局等へ提供・伝達する業務で，原則として，納入実績のある医療機関・薬局等の医師，薬剤師に伝達する．

キーワード　安全管理業務，安全管理情報，有害事象情報，有効性情報，品質情報，配付

〈配付する安全管理情報の種類〉
　①緊急安全性情報（イエローレター）
　②安全性速報（ブルーレター）
　③改訂添付文書
　④添付文書改訂のお知らせ
　⑤その他（適正使用のお願い等）

貼付は，安全管理情報を在庫商品に貼り付ける業務である．

〈貼付する安全管理情報の種類〉
　①改訂添付文書
　②添付文書改訂に関する情報

15-4-3. 回　収

製薬企業の依頼により，医療機関・薬局等へ医薬品回収情報の伝達および回収を行い，回収製品を製薬企業に送付する業務である．

〈回収の種類〉
　①有効性および安全性の観点によるもの
　②混入した異物の種類と製品の性質によるもの
　③不良・不具合によるもの

15-4-4. 市販直後調査

市販直後調査は，新医薬品の適正使用に関する理解を促し，副作用等の被害を最小限に留めることを目的としている．市販直後調査対象の医薬品について，製薬企業との委受託契約に基づき，発売後6カ月間，当該医薬品を納入した医療機関もしくは院外処方箋を発行した医療機関（処方元医療機関）に対して実施する．

MSは，当該医療機関に対し，以下の内容のリマインド（注意喚起）を行う．

〈リマインドの実施〉
　①当該医薬品が市販直後調査の対象であり，その期間中であること．
　②当該医薬品を適正に使用願いたいこと．
　③当該医薬品と関係が疑われる重篤な副作用および感染症が発現した場合には，速やかに担当MSまたはMRに報告していただきたいこと．

〈リマインドの頻度〉
　納入後2カ月以内は，おおむね2週間に1回，納入後3カ月目以降は，おおむね1カ月に1回の頻度でリマインドを行う．

市販直後調査中に入手した有害事象は，速やかに製薬企業に報告する．市販直後調査実施中に安全性速報が発出されたこともあり，医療機関等で発生した副作用等の情報を

キーワード　貼付，回収，市販直後調査

迅速かつ正確に収集する市販直後調査は，新医薬品の安全対策として重要な制度であるといえる．

　製薬企業と医療機関・薬局等の中間に位置する医薬品卸は，医薬品情報の提供，伝達，収集に大きく関わっている．市販後安全対策で果たす医薬品卸の役割は今後もより一層増すと考えられる．

　医薬品卸の情報機能については，情報を適切に扱うことができるかどうかが，医薬品卸の位置付けにも影響する．MS は，商品知識だけでなく関連法規等についての知識を習得するための教育が必要になる．MS をはじめとする社員への教育は，管理薬剤師や医薬品情報担当部門等が実施するが，その重要性は増している．

　医薬品情報を入手する環境は充実しており，医療関係者は日々多くの情報に接することができる．その中で求められる情報を医薬品卸は的確に把握し，必要な情報を必要な医療関係者に確実に提供するよう努めなければならない．

参考文献
1) 山崎幹夫・望月眞弓・武立啓子：医薬品情報学第 3 版補訂版，東京大学出版会（2012）
2) 山崎幹夫・望月眞弓・武立啓子・堀里子：医薬品情報学第 4 版補訂版，東京大学出版会（2018）
3) 2020 年度版医薬卸連ガイド，（一社）日本医薬品卸売業連合会（2020）
4) （一社）日本医薬品卸売業連合会ホームページ（2020 年 10 月 5 日）
5) 薬制委員会編：卸連モデル安全管理業務手順書，（社）日本医薬品卸業連合会（2012）

演習問題

問 1　医薬品卸が医療機関・薬局等から収集する安全管理情報の種類を述べなさい．
問 2　医薬品卸の情報提供の主な手段を述べなさい．
問 3　医薬品卸の管理薬剤師の主な業務を述べなさい．
問 4　次の文章について正誤を答えなさい．
　　　①医薬品卸の情報提供は，医薬品医療機器等法で規定されていない．
　　　②医薬品卸は，製薬企業から市販直後調査を受託できる．
　　　③医薬品卸は，製薬企業から依頼があっても回収業務を行うことはできない．

16章 医薬品行政と医薬品情報

渡邊伸一

> **学習のポイント**
> ❶医薬品行政は,厚生労働省と医薬品医療機器総合機構(PMDA)が連携して行っている.
> ❷承認審査業務では,PMDAは,製薬企業の申請資料により承認審査を行い,新医薬品の審査経過,評価結果等を取りまとめた審査報告書を作成する.新医薬品は,薬事・食品衛生審議会において,承認の可否について審議され,最終的に,厚生労働大臣が承認する.
> ❸安全対策業務では,製薬企業および医薬関係者が副作用情報をPMDAに報告するほか,PMDAは自ら情報の収集を行っている.
> ❹PMDAが収集した安全性情報を評価し,安全対策措置案を作成した後,最終的に,厚生労働省が製薬企業に対し使用上の注意の改訂指示を行う.
> ❺PMDAは,医薬品・医療機器の安全性に関する重要な情報を電子メールによって配信するサービスであるPMDAメディナビを無料で提供している.

16-1. 医薬品行政の医薬品情報における位置付け・役割

　国は,医薬品の品質,有効性および安全性の確保や医薬品による保健衛生上の危害の発生および拡大の防止に必要な施策を策定し実施するという責務を担っており,医薬品情報を収集し,それを評価・加工するとともに,必要な情報の提供を行っている.

　医薬品行政を行う組織として,厚生労働省とは別に,法律に基づき,独立行政法人医薬品医療機器総合機構(PMDA; Pharmaceuticals and Medical Devices Agency)が設置されており,厚生労働省とPMDAが連携してこれらの業務を行っている.

　医薬品行政には,PMDAが関係している承認審査業務,安全対策業務および健康被害救済業務以外に,不良な医薬品の取締に関する業務,研究開発振興に関する業務,流通に関する業務,薬価に関する業務などがあり,それぞれの業務において,医薬品情報の収集,評価・加工および提供が行われている.

　本章では,主に,PMDAが関連している承認審査業務および安全対策業務における医薬品情報の収集,評価・加工および提供について解説する.

キーワード 独立行政法人医薬品医療機器総合機構(PMDA),承認審査業務,安全対策業務

16-2. 医薬品行政における医薬品情報の収集

16-2-1. 承認審査業務における医薬品情報の収集

　承認申請者は,「医薬品, 医療機器等の品質, 有効性及び安全性の確保等に関する法律」(以下,「医薬品医療機器等法」という) により, 承認申請書に臨床試験の試験成績に関する資料などの必要な資料を添付することとされている. このように承認申請された品目の薬理作用, 毒性, 臨床試験の結果など, 承認審査に必要な情報は, PMDA がこれらの試験を実施するのではなく, 申請者である製薬企業が試験を実施し, その結果を取りまとめて PMDA に提供している.

16-2-2. 安全対策業務における医薬品情報の収集

　製造販売業者 (製薬企業) は, 医薬品医療機器等法に基づき, 副作用に関する情報を知った場合には, PMDA に報告しなければならない. 国内で医薬品が投与された患者の副作用症例に関する情報のみではなく, 海外の副作用症例, 医薬品の副作用によりがんなどの重大な疾病や死亡が発生するおそれがあることを示す国内外の学術雑誌等に掲載された研究報告, 海外における安全性の観点からの製造の中止, ドクターレターの配布や重要な使用上の注意の改訂の措置なども報告の対象となっており, 情報の種類によって, 製薬企業が PMDA に報告しなければならない期限が定められている (表3-1 参照).

　さらに, 医師, 薬剤師などの医薬関係者は, 副作用の発生を知った場合において, 保健衛生上の危害の発生または拡大を防止するため必要があると認めるときは, その旨を PMDA に報告しなければならない. 医薬関係者からの副作用報告のうち, 重篤症例については PMDA が医療機関に対して直接照会等を行うことにより, 情報収集している. 具体的には, 医薬品による重篤な副作用と疑われる症例のうち, 医療機関等から製造販売業者への情報提供が行われていない症例などを対象 (PMDA 調査対象症例) に, 必要に応じ, PMDA が詳細調査を実施している. PMDA 調査対象症例以外の症例は, 必要に応じて, 製造販売業者が行っている.

　また, 法律に基づく制度ではないが, PMDA は, 患者およびその家族からも, インターネットおよび郵送により, 副作用報告を受け付けている.

　このように, PMDA は, 製薬企業, 医薬関係者および患者から国内外の副作用に関する情報を収集しているほか, 海外規制当局のホームページ (HP) に掲載されている公開情報や海外規制当局と直接, 情報交換することなどにより, 自ら, 医薬品の安全性に関する情報を収集している.

16-3. 医薬品行政における医薬品情報の評価・加工

16-3-1. 承認審査業務における医薬品情報の評価・加工

　新医薬品の承認審査では，申請された医薬品が法律（医薬品医療機器等法第14条2項）に規定された次に示す承認拒否事由に該当しないかを，申請者から提出された資料の情報に基づき評価，確認している．
　①申請に係る医薬品が，その申請に係る効能または効果を有すると認められないとき
　②申請に係る医薬品が，その効果または効果に比して著しく有害な作用を有することにより，医薬品として使用価値が無いと認められるとき
　③申請に係る医薬品の性状または品質が，保健衛生上著しく不適当な場合

　新医薬品の承認審査はPMDAが担当しており，複数の審査員からなる審査チームにより実施されている．審査チームは，基本的に，主に薬学の専門課程を修了した審査員が担当する品質担当，薬物動態担当および薬理担当，主に獣医学の専門課程を修了した審査員が担当する毒性担当，主に医学の専門課程を修了した審査員が担当する臨床担当ならびに主に生物統計学の専門課程を修了した生物統計担当の各担当から構成されている．この審査チームは，薬効別に置かれており，それぞれの審査チームが担当分野の新医薬品の承認審査にあたっている．

　PMDAにおいて，新医薬品の承認の可否について判断する際に，留意すべき事項として，次の①〜⑤の事項が，「新医薬品承認審査実務に関わる審査員のための留意事項」に記載され公開されている．さらに，これらの各事項への該当性を確認するにあたって考慮すべき事項も示されている（表16-1）．
　①実施された試験や提出された資料の信頼性が担保されていること

表16-1. 新医薬品承認審査にあたって考慮する事項

1) 目的とする効能・効果を鑑み開発コンセプト，データパッケージおよび試験デザインが適切か
2) 提出された資料におけるデータの信頼性が確保されているか
3) 有効性および安全性に関し，民族的要因による重大な差異はないか（海外臨床試験結果が評価資料として提出されている場合）
4) 有効性に関し，プラセボまたは他用量等に対する優越性が検証されているか
5) 有効性に関し，プラセボによる反応率が一定と推定される領域か
6) 有効性に関し，標準薬に対する非劣性／優越性が検証されているか
7) 非盲検非対照試験であっても，有効性が十分に確認されているといえるか
8) 試験間で主要な結果に矛盾がないか
9) 認められたリスクがコントロール可能か，また，ベネフィットと比較して認められたリスクが許容可能であるか
10) 申請資料で示された非臨床試験の試験成績において懸念すべき点がないか
11) 申請資料で示された有効性・安全性と同等の有効性・安全性を示す新医薬品を恒常的に生産できる品質確保の方策がとられているか

キーワード　承認拒否事由，審査チーム

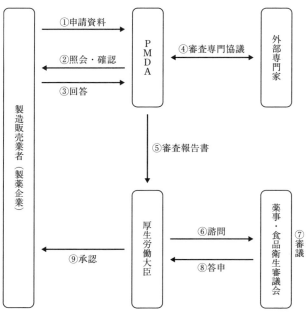

図 16-1. 新医薬品の承認審査の流れ

②適切にデザインされた臨床試験結果から，対象集団における有効性がプラセボよりも優れていると考えられること
③得られた結果に臨床的意義があると判断できること
④ベネフィットと比較して，許容できないリスクが認められていないこと
⑤品質確保の観点から，一定の有効性および安全性を有する医薬品を恒常的に供給可能であること

　PMDAでは，申請者である製薬企業が提出した資料を審査員が評価し，PMDAが照会・確認事項を製薬企業に対して発出し，製薬企業がそれに対して回答することで審査は進められる（図16-1の①～③）．PMDAが外部の専門家と，主要問題点について協議および意見の調整を行う審査専門協議も行われる（図16-1の④）．

　PMDAは，このような審査の過程で，新医薬品の審査経過，評価結果等を取りまとめた審査報告書を作成し，厚生労働省に通知する（図16-1の⑤）．新医薬品は，薬事・食品衛生審議会において，承認の可否について審議され，最終的に，厚生労働大臣が承認を与える（図16-1の⑥～⑨）．

16-3-2. 安全対策業務における医薬品情報の評価・加工

　PMDAに報告された製薬企業からの医薬品の副作用・感染症報告は，データベースに整理され，厚生労働省との情報の共有化が図られており，これらの情報は，PMDA内の担当チームでの日々の検討が行われ，PMDAは厚生労働省と毎週，評価・検討を

キーワード　審査専門協議，審査報告書

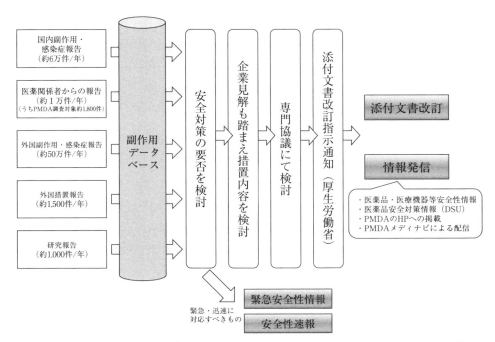

図16-2. 医薬品副作用報告等の評価・分析の流れ（医薬品医療機器総合機構令和元年度業務実績（参考資料）を一部改変）

行い，安全対策の要否を検討している．

> **ボックス**
>
> **電子診療情報の安全対策への活用**（MIHARI Project, MID-NET）
>
> 副作用報告制度では，副作用の発生しない患者の情報や，医薬品が投与されていない患者の情報を得ることができないため，PMDAでは，レセプトデータや病院情報システムデータ等の電子診療情報を用いた調査および評価手法を検討するMIHARI Projectを進めている．さらに，全国の大学病院等10拠点が保有している電子カルテなどの電子的な医療情報を収集し活用するためのMID-NETと呼ばれる医療情報データベースを構築している．これらの事業により，薬剤疫学的手法を用いた医薬品投与後の有害事象発現リスクの定量的評価，安全対策措置の影響評価などが行われている．

　医薬品の使用と死亡との関連の可能性がある場合，未知重篤症例が集積している場合，外国でも措置が実施されている場合など，二次スクリーニングで安全対策措置の検討を進めることとなった案件について，PMDAは，製薬企業に照会し，安全対策の必要性についての見解を求め，必要に応じ，製薬企業と面会を行う．
　PMDAは，提出された企業見解や，面会における企業見解を踏まえて検討を行い，

キーワード　安全対策措置

安全対策措置の内容やその妥当性について，大学や医療機関に勤務する専門家の意見を聴く専門協議を開催し，安全対策措置案を含む調査結果を取りまとめる．その調査結果は，厚生労働省に通知され，厚生労働省は，薬事・食品衛生審議会の意見を聴いて，添付文書の使用上の注意の改訂指示などの安全対策を講じる（図16-2）．

副作用報告だけでは安全対策の要否等の判断が困難な事例について，MID-NETを用いた調査が行われ，調査結果により副作用のリスクが明らかになった場合には，使用上の注意の改訂等の安全対策措置が実施されている（ボックス参照）．

標準的には，以上のような流れで，副作用情報が評価され，添付文書の使用上の注意の改訂指示が行われるが，緊急に対応すべき案件については，このような流れによらずに，PMDAおよび厚生労働省が製薬企業へ照会するなどして，必要な評価・検討を行い，厚生労働省から製薬企業に対し，緊急安全性情報（イエローレター）や安全性速報（ブルーレター）の配布の指示が行われることがある．

16-4. 医薬品行政における医薬品情報の提供

16-4-1. 承認審査業務における医薬品情報の提供

申請者である製薬企業が新医薬品の申請資料（図16-1の①）の最終版を取りまとめた「申請資料概要」，PMDAが新医薬品の審査経過，評価結果等を取りまとめた「審査報告書」（図16-1の⑤）および厚生労働省が薬事・食品衛生審議会における審議（図16-1の⑦）の結果を取りまとめた「審議結果報告書」が，PMDAのHPで提供されている．ただし，これらの資料には，個人に関する情報や，企業の競争上の利益を害するおそれのある情報などが含まれていることから，そのような情報はマスキングされている．

16-4-2. 安全対策業務における医薬品情報の提供

添付文書情報をはじめ，緊急安全性情報，安全性速報や使用上の注意の改訂に関する情報など，様々な安全性に関する情報が，承認審査関係に関する情報と同様に，PMDAのHPで提供されている（表4-11参照）．

PMDAが安全性情報を入手してから使用上の注意の改訂にいたるまでの流れは16-3-2.で説明されているが，使用上の注意の改訂にいたる前でも，PMDAが使用上の注意の改訂案の内容やその妥当性について専門協議を行う前に，評価中のリスク情報として，対象の医薬品名や副作用名がHPで公開される．

緊急安全性情報および安全性速報は，それらの配布開始後，速やかにPMDAのHP

キーワード 使用上の注意の改訂指示，緊急安全性情報（イエローレター），安全性速報（ブルーレター），申請資料概要，審査報告書，審議結果報告書，評価中のリスク情報

に掲載される．

このように，様々な安全性に関する情報がPMDAのHPに随時掲載され，提供されているが，PMDAでは，医薬品・医療機器の安全性に関する重要な情報が発出されたときに，その情報を電子メールによって配信するサービスであるPMDAメディナビ（医薬品医療機器情報配信サービス）を無料で提供している．PMDAメディナビでは，医薬品の使用上の注意の改訂指示通知，医薬品に関する評価中のリスク等情報，医療用医薬品の承認情報など，配信項目を自由に選択することができるようになっており，PMDAのHPから配信の登録を行うことができる．

演習問題

問1 医薬品医療機器総合機構が関連している医薬品行政の業務をあげなさい．
問2 医薬品行政における新医薬品の承認審査の流れを説明しなさい．
問3 医薬品行政における安全性情報の収集について説明しなさい．
問4 医薬品行政における安全性情報評価の流れを説明しなさい．
問5 医薬品行政における医薬品情報の提供について説明しなさい．
問6 PMDAメディナビ（医薬品医療機器情報配信サービス）について説明しなさい．

キーワード　PMDAメディナビ

17章 日本薬剤師会と医薬品情報

橋場 元

> **学習のポイント**
> ❶日本薬剤師会（以下，「日薬」という）は，薬剤師が自由に加入できる公益法人であり，独自の医薬品情報活動を行っている．
> ❷日薬は，独自に加工した医薬品情報を提供している．
> ❸日薬は，薬局における薬剤イベントモニタリングを実施している．
> ❹日薬は，会員に対してファクシミリ等により緊急情報を伝達するシステムを持っている．

1960-1970年代に発生したサリドマイド事件やスモン事件などの薬害事件を契機に，国は1979年，薬害防止の対策として有効性と安全性をより重視した薬事法（現 医薬品，医療機器等の品質，有効性及び安全性の確保等に関する法律）の改正を行った．

このような社会の流れに呼応して，日本薬剤師会は，同年に医薬品安全性委員会（現 調剤業務・医療安全委員会）を新設するとともに，「医療従事者，または必要に応じ一般大衆に適切な薬事情報を提供し，もって医療の向上に寄与すること」を目的として，会内に担当事務局（中央薬事情報センター）を設置し，本格的に薬事情報（医薬品情報をはじめ，地域における調剤業務遂行に必要な諸情報，災害時用医薬品の備蓄情報，中毒に対する救急情報，公衆衛生のための情報など全般）の収集・整理・提供に取り組むこととなった．

17-1. 日本薬剤師会とは

公益社団法人日本薬剤師会（以下，「日薬」という）は，「都道府県を活動区域とする薬剤師会（都道府県薬剤師会）との連携のもと，薬剤師の倫理の高揚及び学術の振興を図り，薬学及び薬業の進歩発展を図ることにより，国民の健康な生活の確保・向上に寄与すること」を目的とした公益法人であり，都道府県薬剤師会の会員をもって組織する職能団体である．1893年設立．薬剤師が任意に加入でき，2019年10月末現在で10万4493名の会員がいる．会員の職種の割合は図17-1の通りであり，薬局を中心に，病院・診療所，店舗販売業，卸売販売業，行政，教育（大学）などの勤務者も含まれる．

現在，薬剤師を取り巻く環境は目まぐるしく変化しており，日薬では，医薬分業の質的向上，かかりつけ薬局・かかりつけ薬剤師を通じた地域医療・在宅業務への貢献，医

キーワード 日本薬剤師会，中央薬事情報センター

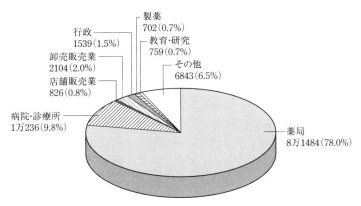

図 17-1. 日本薬剤師会の会員構成（2019 年 10 月末現在）

療保険制度への対応，薬学教育における実務実習の受け入れ体制整備，薬剤師の生涯学習，健康サポート薬局研修・高度管理医療機器継続研修など研修実施機関としての研修実施など，薬剤師の職能向上や社会的環境の整備に寄与するための種々の活動に取り組んでいる．

17-2. 日薬の医薬品情報活動

日薬では，執行部の諮問機関として各種課題に応じた委員会を設置している．医薬品情報についても，複数の委員会（薬事関連情報評価・調査企画委員会，調剤業務・医療安全委員会，医薬品情報評価検討会，薬価基準検討会など）がそれぞれ別の視点で検討を行っている．

17-2-1. 医薬品情報の評価

日薬では，中立的な立場で作成した医薬品情報を提供することを目的に，1994 年に「医薬品情報評価検討会」を新たに設置した．検討会では，医薬品添付文書の改訂内容をわかりやすく解説する「DSU 解説」を作成している．検討会は月 1 回の頻度で定期的に開催し，薬局薬剤師，病院薬剤師のほか，医師も参加し，それぞれの立場から専門的な検討を行っている．また，「薬価基準検討会」では，新たに薬価基準に収載された医薬品について解説する「新薬紹介」を，薬局薬剤師，病院薬剤師が作成している．

「DSU 解説」「新薬紹介」とも，日本薬剤師会雑誌（後述）やホームページに掲載し，会員に情報提供を行っている．

1) DSU 解説

日本製薬団体連合会が編集・発行する Drug Safety Update（DSU）は，医薬品添付

キーワード　DSU 解説

文書の「使用上の注意」の改訂部分のみのお知らせであり，改訂根拠や背景（副作用症例など）についての解説はない．簡潔にまとめられてはいるものの，一方で現場の薬剤師がその改訂内容を十分に理解できずに，重要な改訂が見落されかねない．

医薬品情報評価検討会では，DSUの中から特に医療現場の薬剤師にとって重要度の高い医薬品や調剤頻度の高い医薬品，留意すべき副作用が生じた医薬品を選択し，製薬企業から収集した情報や公表文献に基づき，改訂にいたった理由や根拠となったデータについて，独自の解説や留意すべき事項を盛り込んだ「DSU解説」を作成し提供することで，医薬品使用の有効性および安全性の確保に努めている．

2）新薬紹介

会員に新薬の情報を迅速かつ的確に提供する目的で，薬価基準に収載された新医薬品について，その特徴や第Ⅲ相試験の概要を紹介している．

17-2-2. 会員からの情報収集とその評価

1）薬剤イベントモニタリング（DEM）事業

薬局で行われている薬歴管理や服薬指導等を通して得られたイベント情報は，医薬品の安全性確保において貴重である．しかし，個々の薬局だけでは例数が限られるため，必ずしも有効に活用されてきたとはいえない．そこで，薬局で発生するイベント情報を大規模に集めようという薬剤イベントモニタリング（DEM）（ボックス参照）を，2002年度から試みている（表17-1）．

2019年度DEM事業では，調査対象医薬品として2018年に薬価収載された新薬（5品目）とそれと同じ適応を有する医薬品（あるいは類似した薬理作用を有する医薬品）を比較薬（5品目）として調査を行った．対象患者を調査対象医薬品の新規使用者に限ったことにより，新薬における新たなイベントを発見することに加え，そのイベントが比較薬に比べてどの位の頻度で起きるかの推定を行ういわゆる比較群を持つコホート研究の実施が可能になり，患者の安全な薬物治療に資することが期待される．結果，5562軒の薬局から5008名の患者に関する情報（有効回答数．薬局数には「対象患者なし」と回答した薬局も含む）が収集された．

DEM事業の結果をまとめた報告書はホームページに掲載し，情報提供している．

キーワード 新薬紹介，薬剤イベントモニタリング（DEM）事業

表 17-1. DEM 事業の概要

年　度	実　施	内　　容	対象数
2002 年度	2003 年 2 月	抗アレルギー剤の「眠気」の発現頻度調査	4 成分 6 製品
2003 年度	2004 年 2 月	A-II 受容体拮抗剤の「咳」の発現頻度調査	4 成分 4 製品
2004 年度	2005 年 2 月	プロトンポンプ阻害剤の「味覚異常」の調査	3 成分 12 製品
2005 年度	2006 年 2 月	HMG-CoA 還元酵素阻害剤による症状発現の調査	6 成分 93 製品
2006 年度	2007 年 2 月	カルシウム拮抗剤によるイベント発現の調査	3 成分 121 製品
2007 年度	2008 年 2 月	ビスホスホネート製剤によるイベント発現の調査	2 成分 8 製品
2008 年度	2009 年 2 月	超短時間型睡眠導入剤のイベント発現等の調査	3 成分 20 製品
2009 年度	2010 年 2 月	吸入ステロイドのイベント発現等の調査	5 成分 26 製品
2010 年度	2011 年 2 月	SU 剤による低血糖のイベント発現の調査	7 成分 118 製品
2011 年度	2012 年 2 月	DPP-4 阻害剤のイベント発現の調査	4 成分 6 製品
2012 年度	2013 年 2 月	抗血栓薬のイベント発現の調査	7 成分 66 製品
2013 年度	2014 年 2 月	頻尿・過活動膀胱治療剤の調査	8 成分 56 製品
2014 年度	未実施		
2015 年度	2015 年 9 月	SGLT2 阻害剤の調査	6 成分 7 製品
2016 年度	2016 年 7 月	NSAIDs 等の皮膚用外用剤	15 成分 280 製品
2017 年度	2017 年 11-12 月	新　薬	12 成分 12 製品
2018 年度	2018 年 8-9 月	新　薬	11 成分 11 製品
2019 年度	2020 年 2 月	新薬と比較薬	10 成分

ボックス

DEM

日薬が全国の会員が従事する薬局に呼びかけて行う，薬剤使用に伴って患者に生じたイベントの全国一斉調査を，日薬 DEM（Drug Event Monitoring, 薬剤イベントモニタリング）と称している．毎年異なる対象薬剤を決め，調査を実施している．この調査には，現在のところ全国の約 10% の薬局が自主的に参加しており，その解析結果は薬局において薬剤師の収集するイベント情報がエビデンスになりうることを示唆している．DEM は，薬局薬剤師が医薬品の安全性向上に積極的に参画する活動であり，その成果は医薬分業の社会的有用性を示す意義を併せ持つ．

17-2-3. 医薬品情報の提供手段

1) 冊子体

インターネットや電子メールなど，情報提供手段が多様化している現在にあっても，刊行物や冊子体による情報提供は依然として重要なものである．その中で，会誌である日本薬剤師会雑誌は現在でも，日薬から会員への重要な情報提供手段となっている．

①日本薬剤師会雑誌（以下，「日薬誌」という）：　日薬の実施した事業や調査の報告

キーワード　日本薬剤師会雑誌

や，厚生労働省などから日薬に宛てられた重要な通知を掲載しており，会員にとって有用な医薬品情報源となる．その他，医薬品・医療機器等安全性情報，緊急安全性情報，後発医薬品品質情報などの公的な情報のほか，前掲の「DSU解説」や「新薬紹介」も含んでいる．なお，2019年からは冊子体とは別に，ホームページで電子書籍版を公開している．

②日薬情報おまとめ便：　現在，薬局には製薬・医療機器メーカーなどにより個別に，安全性情報，回収情報，製剤情報，新製品の発売情報等々，膨大な情報が郵送で届けられており，薬局での開封〜確認〜情報の取捨選択が非常に煩雑になっている．これらを解消するため，日薬では2013年12月より，製薬・医療機器メーカーなどから会員が従事する薬局に送付される情報を月に1-2回程度，まとめて印刷〜封入〜発送するサービスとして「日薬情報おまとめ便」を開始している．

2）ファクシミリ

日薬誌や日薬情報おまとめ便といった冊子体は発行頻度が限られるため，情報提供に一定のタイムラグ・間隔が生じてしまう．それを補完するため，ファクシミリや後述のインターネットを利用した情報提供を行っている．

なお，インターネットには，ファクシミリより多くの情報を瞬時にペーパーレスで届けることができるといった利点がある．一方でファクシミリには，限られた分量に情報を集約することで受け手が容易に内容を理解することができるといった利点，薬局などに紙媒体を掲示して情報共有を図ることができるといった利便性もある．

日薬ニュースは，会員の所属する施設に対し，日薬から直接ファクシミリでタイムリーな情報を提供しようというシステムである．通常，定期的に月に1回，業界の重要な動きや日薬の活動を伝達している．そのほか，緊急情報を会員施設に提供すべき際にはこのシステムを使っている．また，緊急安全性情報，重篤な副作用情報，回収情報などの業務上重要なものについては，当該製薬企業に本システムの利用を許可して情報提供を行っている．

3）インターネット

薬価基準収載医薬品情報，アンチ・ドーピングに関する情報，要指導・一般用医薬品販売制度情報，各種関係法令・通知改正情報，文献書誌情報データベース，学術大会・研修会情報，前述の「日薬誌」をホームページで提供するほか，薬剤師が地域などで薬事・公衆衛生などを啓発するために利用できる動画についても掲載している．

また，日薬では全会員に個別の「インターネット利用ID」を発行しており，会員はパソコン・スマートフォンなどに設定することで日薬からの会員向けの情報にアクセスできる．

キーワード　日薬情報おまとめ便，日薬ニュース

17-3. 都道府県薬剤師会とネットワーク

　都道府県薬剤師会は，日薬とは独立した社団法人であり，お互いに連携し役割分担して活動している．都道府県薬剤師会と日薬は，インターネットを利用した文書管理ネットワークを構築しており，現在，日薬からの通知は原則としてすべて，電子データとして提供している．

　日薬における中央薬事情報センターと同様，すべての都道府県薬剤師会にも医薬品情報を主に扱う部署（薬事情報センター）が設置されている．日薬と47都道府県薬剤師会の薬事情報センターはメーリングリストで随時情報の共有を行っている．

参考文献
1) Annual Report of JPA：日本薬剤師会の現況 2018-2019
2) 日本薬剤師会：令和元年度日薬DEM事業の概要報告．日本薬剤師会ホームページ

演習問題

問1　日本薬剤師会の役割を説明しなさい．
問2　日本薬剤師会が独自に作成している医薬品情報はどのようなものがあるか説明しなさい．
問3　日本薬剤師会が実施する「薬剤イベントモニタリング」とはどのようなものか説明しなさい．
問4　日本薬剤師会が行っている情報提供の手段について説明しなさい．

キーワード　都道府県薬剤師会

18章 情報センター（情報機関）と医薬品情報

榊原統子

> **学習のポイント**
> ❶ 主な医薬品情報提供機関の1つとして情報センターが挙げられる．
> ❷ 常に公正な立場で，正確かつ利用しやすい医薬品情報を迅速に提供・普及させることが公的な情報センターの役割である．
> ❸ 情報センターは二次資料および三次資料の作成と提供を担うことが多い．
> ❹ 情報センターの特徴と提供している情報の種類を把握し，医薬品の適正使用に利用・活用することが重要である．

18-1. 情報センターの役割と使命

　医薬品の適正使用に不可欠な医薬品情報は主に次の機関から提供されている．行政機関，情報センター，製薬企業，卸販売業，日本薬剤師会や日本病院薬剤師会などの職能団体である．

　ここでは情報センターの役割と使命について述べる．情報センターは医薬品の市販前・市販後の薬事関連情報，ならびに医薬品についての研究論文（医薬文献情報），学会における研究発表（学会演題情報）などを，公正な立場で客観的に整理，分析，加工し，二次資料および三次資料として提供することを担っている．

　情報センターの役割として重要なことは，行政機関からの通達および関連情報や医薬文献・学会演題情報を含む一次資料から作成した二次および三次資料を，常に正確にかつ迅速に提供することである．さらにこの情報を必要に応じて広く普及させることも情報センターの使命の1つである．

18-2. 情報センターの概要

　情報センターと一口にいっても，医薬品の専門的な情報センターであるもの，業務の一部に医薬品情報提供事業を行っている機関など，様々である．情報ニーズの多様化，情報内容の高度化が進んでくると，ある特定の情報センターですべてをカバーすることは至難である．一方，それぞれの情報センターが同じような二次，三次資料を扱い，提供しても無駄であり意味がない．また，同一の資料でも異なった観点から分析し，加工

キーワード　情報センター（情報機関）

した情報が望まれることもある．また，リスク管理の面から若干の重複は必要な場合がある．しかし，できるだけそれぞれが特色のある情報センターであることが望まれる．ここでは，公益法人など公的要素を持つ主な情報センターに焦点をあてて紹介する．それぞれのサービス内容については資料として章末の表 18-1 にまとめた．本章では情報センターの設立目的，性格，医薬品情報提供を中心とした特徴について，公的機関として設立された年次順に概要を説明する．

1) 一般財団法人医薬品医療機器レギュラトリーサイエンス財団（旧日本公定書協会）
（PMRJ; Pharmaceutical and Medical Device Regulatory Science Society of Japan）

PMRJ は 1956 年に日本薬局方の編纂支援と普及を目的として設立された財団法人である．2011 年 6 月より現在の名称に改めた．医薬品などに関する調査研究，日本薬局方およびその他の医薬品などの規格・基準の普及，日本薬局方標準品などの頒布などの事業でよく知られている．最近では，レギュラトリーサイエンス担当者（開発・市販後安全対策・品質・メディカルアフェアーズ・医療機器など）の育成・レベルアップのための各種研修会を開催している．さらに，財団内に JMO（Japanese Maintenance Organization）が設置され，MedDRA（Medical Dictionary for Regulatory Activities）の日本語版である MedDRA/J のメンテナンス・提供事業を行っている．MedDRA は日米 EU 3 極による医薬品規制調和国際会議（ICH）での合意に基づき，医薬品に関連する国際間の情報交換を迅速かつ的確に行うための国際的に共通する用語集のことで，正確な医薬品情報を作成，発信するための基本となるものである（19 章参照）．

2) 国立研究開発法人科学技術振興機構（JST; Japan Science and Technology Agency）

JST は 1957 年に日本科学技術情報センターとして設立，1996 年に新技術事業団との統合により科学技術振興事業団となった．2003 年の独立行政法人化に伴い，独立行政法人科学技術振興機構と名称を変更し，さらに 2015 年から現在の名称となった．歴史的にも我が国の科学技術振興の上で中心的役割を果たしており，医薬品を含む科学技術全般にまたがる情報の総合センター的役割を担っている．

医薬品情報を含む科学技術文献情報提供事業としては，1958 年に科学技術文献速報を創刊し，1976 年には検索専門家向けのオンライン情報検索サービス「JOIS」を開始した．2006 年 4 月よりエンドユーザ向けの「JDream（JST Document Retrieval System for Academic and Medical fields）」と「JOIS」を統合して「JDreamII」のサービスを開始した．現在は JDreamIII として株式会社ジー・サーチに継承されて提供されている（JST は現在もデータ作成を担っている）．最近の JST 自体の事業としては科学技術イノベーション創出に向けた取り組みが主体となり，データベースコンテンツサービスを中心に科学技術情報連携・流通促進事業として実施している．文献検索に関連し

キーワード　医薬品医療機器レギュラトリーサイエンス財団，科学技術振興機構

たサービスとしては科学技術総合リンクセンター（J-GLOBAL），国内の団体が発行する電子ジャーナルの登載および検索・閲覧ができる科学技術情報発信・流通総合システム（J-STAGE）などを提供している．

3) 一般財団法人日本医薬情報センター（JAPIC; Japan Pharmaceutical Information Center）

　JAPIC は 1970 年日本製薬工業協会加盟有志 25 社により任意団体として発足し，1972 年に当時の厚生省管轄の財団法人になった．その後，2006 年に成立した公益法人制度改革関連三法の施行に伴い，2012 年 4 月より一般財団法人に移行した．設立当初から，製薬企業と医療機関の架け橋をモットーに，安全性および有効性を中心とした医薬品情報の提供を行っている．1974 年には日本で初めて「医療薬日本医薬品集」を発刊し，1978 年には「一般用医薬品集」を発刊した．

　国内医薬品の安全管理情報収集支援のため，国内の学会報告・文献報告そのほか研究報告に関する情報を収集・加工し，「医薬文献・学会情報速報サービス」として提供している．そのサービス提供後のデータは公開データベースでの情報提供も行っており，「JAPICDOC」，「iyakuSearch」など，JAPIC が提供する医薬品情報データベースとして幅広く認知され，利用されている．

　添付文書情報の収集も行っており，医療用医薬品添付文書は XML のほか，販売名・会社名・YJ コードなどの基本的情報を抽出した「医薬品名称データ」，添付文書記載の効能効果とこれに対応する標準病名を関連付けた「医薬品と対応病名データ」，添付文書記載情報を抽出した「禁忌データ」「相互作用データ」「用法・用量データ」などに加工し，提供している．また，一般用医薬品添付文書のデータも提供している．こうして収集した添付文書情報を集約したものを，「JAPIC 医療用医薬品集」「JAPIC 一般用医薬品集」として書籍化し，発刊している．またデータ検索機能を持つ CD-ROM としても発刊している．

4) 一般財団法人国際医学情報センター（IMIC; International Medical Information Center）

　IMIC は 1972 年に当時の文部省と厚生省の認可を受け，財団法人として設立された．当センターは慶應義塾大学医学情報センターの情報提供部門が母体となって発展したものであり，特に医学，医療領域の情報専門機関として知られている．国内における医学および関連分野の情報機関のほか，海外の各医療情報機関とも連繋してネットワークを組んでいる点が特色である．医薬品情報データベース提供事業としては，「SELIMIC（国内医薬品安全性情報速報）」を提供している．

キーワード　日本医薬情報センター，国際医学情報センター

5) 一般財団法人医療情報システム開発センター（MEDIS-DC; Medical Information System Development Center）

　MEDIS-DC は 1974 年当時の通産省および厚生省の許可を受け傘下で財団法人として設立された．特に，医療業務の合理化促進のため，医療情報システム化の推進役の役割を果たし，我が国の医療分野における IT 化の中心的存在である．最近では電子カルテを中心とした医療情報システムの普及の推進に向け，セキュリティの確保，標準化の推進，システム導入にあたっての支援事業を展開している．直接，医薬品情報そのものの入手・加工を取り扱うのではないが，情報を使いやすくするための情報発信・受信形態のシステム開発の専門センターである．システムに搭載されるものは医薬品情報であるので，双方のコンビネーションが重要である．情報流通のための各種医療関連情報のコード化，標準化作業も手がけており，病名，医薬品名などの標準マスターが提供されている．医薬品情報データベース（JAMES）として添付文書情報を提供している．

6) 公益財団法人日本中毒情報センター（JPIC; Japan Poison Information Center）

　日本中毒情報センターは，日本救急医学会が中心になり 1986 年に設立された．化学物質や動植物の成分によって起こる急性中毒について，その毒性，症状，治療に必要な情報提供と収集した情報の整備，解析を行う情報センターである．特に，緊急時の「中毒 110 番」として，専用電話回線を設置した電話相談のサービスは特徴的である．この「中毒 110 番」での情報提供を通じて，トキシコヴィジランスとしての機能を果たしている．情報提供に利用するための資料として基盤情報（製品情報，天然物情報，一般情報），医師向けの中毒情報（オリジナルファイル），薬剤師・保健師・看護師向けの手引きファイル，治療情報（初期治療方法，解毒剤情報，分析機関情報）を整備している．医薬品を含む化学物質，動植物による急性中毒に関する情報センターとして重要な役割を果たしている．

7) 一般社団法人くすりの適正使用協議会（RAD-AR; Risk/benefit Assessment of Drugs-Analysis and Response）

　くすりの適正使用協議会（旧称：日本 RAD-AR 協議会）は，1989 年に国内の主要な研究開発志向の製薬企業により創立され，2015 年に一般社団法人となった．創立時より，医薬品が本質的に持っているリスク（好ましくない作用）とベネフィット（効能・効果や経済的便益など）を科学的に検証し分析を行うための手法として薬剤疫学の活用・普及に努めるとともに，患者・一般を対象とした医薬品の適正使用の実現に向けた情報の提供・啓発を進めている．2020 年からは，「誰もが健康な生活を実現するため，信頼できる情報をもとに判断し，行動できる社会を目指す」をビジョンに掲げ，公益性のある情報提供の機能を発展させ，医療用医薬品の患者向け説明書「くすりのしおり®」

キーワード　医療情報システム開発センター，日本中毒情報センター，くすりの適正使用協議会

を基軸とする科学的根拠のある「医薬品情報プラットフォーム」の構築に取り組んでいる．

8) 特定非営利活動法人医学中央雑誌刊行会（医中誌）（JAMAS; Japan Medical Abstracts Society）

「医中誌」の名前でよく知られる医学中央雑誌刊行会は 1903 年に創立された．100 周年を迎える 1 年前の 2002 年に特定非営利活動法人（NPO 法人）となった．情報センターの名称こそついていないが，「医中誌」は医学論文の二次資料としては最も古い歴史を有しており，医学文献の網羅性は高いとの定評がある．収録文献は国内で定期的に刊行されている医学，歯学，薬学，看護学，獣医学および関連領域の収載誌（のべ約 7500 誌）から採択され，収録数は 1400 万件を超える．「医学中央雑誌」冊子形態での情報提供，CD-ROM での提供を経て，現在は医中誌 Web，医中誌パーソナル Web での提供を行っている．最近では各種オンラインジャーナルや MEDLINE などほかのデータベースへの論文単位でのリンクにも力をいれている．

18-3. 情報センターが扱っている主な医薬品情報

ここでは情報センターが扱っているサービスや資料の中で，医療関係者や薬学生が医薬品情報を取得する際に必要な情報源および利用可能な無料サービスを中心に紹介する．ここで紹介する医薬品情報源の中には薬事関連情報，医薬文献情報や学会演題情報などの二次資料，医薬品集などの三次資料，さらには医薬品情報を活用するための用語集，辞書，ガイドブックなどが含まれる．

なお，提供媒体としては，紙媒体（冊子など）と電子媒体（インターネットなど）がある．表 18-1 にはそれぞれを示した．

表 18-1. 情報センターが扱っている主な医薬品情報（2020 年 10 月現在）
一般財団法人医薬品医療機器レギュラトリーサイエンス財団（PMRJ）（https://www.pmrj.jp/）

主なサービス	内　容（概　要）	①形態②更新頻度③課金の有無
医薬品医療機器レギュラトリーサイエンス	医薬品や医療機器に関する研究開発，承認審査，安全性報告，およびレギュラトリーサイエンスの視点からの記事等を掲載した機関誌．「医薬品研究」から 2010 年に名称変更した．	①書籍 ②月刊 ③有料
日本薬局方・同追補，同フォーラム	「日本薬局方」の普及版およびその英文版の編集を行っている． 「日本薬局方フォーラム」は日本薬局方の主な改正点など日本薬局方の内容に関わる情報を内外に提供し，合理性・科学的妥当性を高める目的で出	①書籍 ② 1 回／5 年，5 年間の中で追補 2 回，「日本薬局方フォーラム」は季刊

キーワード　医学中央雑誌刊行会（医中誌）

主なサービス	内　容（概　要）	①形態②更新頻度③課金の有無
	版している．	③有料
日本薬局方技術情報（JPTI）	日本薬局方の規格，試験方法等の解釈および試験操作上の技術的留意事項をまとめたもの．	①書籍②1回／5年③有料
医療用医薬品品質情報集（オレンジブック）・同総合版	厚生労働省医薬食品局審査管理課が，医療用医薬品の品質再評価の結果等を取りまとめたもの．No.1からNo.31まで．同総合版はNo.1からNo.29までの内容がまとめられている．	①書籍，オレンジブック総合版は書籍とデータ②No.31以降は発刊していない③有料
薬害教育関連刊行物	我が国で発生した薬害についての教育資材を作成提供している．主なものは「薬害教育映像シリーズ」，「知っておきたい薬害の教訓—再発防止を願う被害者からの声」（書籍），「知っておきたい薬害の知識—薬による健康被害を防ぐために」（書籍）．「薬害教育映像シリーズ」（動画）はサリドマイド事件など全13タイトルがDVD版とライセンス版で発行されている．HPで予告編が視聴できる．	①書籍③有料
MedDRA/J（ICH国際医薬用語集日本語版）	MedDRAの英語版とそれに対応する日本語が対になった医学用語集．JMOのHP上から検索ツールが公開されている．利用料が発生するが，アカデミアや非営利機関は安価で利用できる．	①データ②原則年2回（3月，9月）③有料

国立研究開発法人科学技術振興機構（JST）（https://www.jst.go.jp/）

主なサービス	内　容（概　要）	①形態②更新頻度③課金の有無
JDreamIII	科学技術や医学・薬学領域の国内文献を網羅的に，さらに海外文献についても検索できるデータベース．コンテンツとして「JSTPlus」（医学を含む科学技術文献情報），「JMEDPLus」（国内発行の医薬，歯学，看護，生物科学，獣医学に関する文献情報），「JCHEM」（化学物質の体系名，慣用名，商品名，治験番号，分子式など）や「MEDLINE」，「JSTChina」（中国国内発行の科学技術資料からの情報），「JAPICDOC」（日本医薬情報センターが作成・提供している医薬文献情報）等が収録されている．医学系ファイルの「JMEDPLus」は医中誌Webとともに国内発行の学協会誌からのデータを収録する日本で最大のデータベースである．「JST科学技術用語シソーラス」を中心に検索語が索引されている．	①データ②コンテンツにより異なる．MEDLINEの毎週更新のほかは1-4回／月③有料
J-STAGE	科学技術情報発信・流通総合システム．日本国内の団体が発行する電子ジャーナルを公開するプラットフォーム．最新の論文や過去に発表された論文の書誌情報，全文PDF，全文HTML（一部）を検索・閲覧できる．	①データ②随時（資料の発行機関によって新着論文が随時公開される）③資料によって異なる．IDまたはIPアドレスによ

主なサービス	内　容（概　要）	①形態②更新頻度③課金の有無
		る認証付きの資料や，購入が必要な記事以外は，無料で閲覧・ダウンロードが可能
J-GLOBAL	科学技術総合リンクセンター．研究者，文献，特許，研究機関，研究課題，科学技術用語，化学物質，遺伝子，資料，研究資源にわたる様々な科学技術に関する基本的な情報を整理したサービス．	①リンク集 ②基本情報ごとに更新頻度が異なる．最も情報量の多い文献情報は毎週更新 ③無料

一般財団法人日本医薬情報センター（JAPIC）（https://www.japic.or.jp/）

主なサービス	内　容（概　要）	①形態②更新頻度③課金の有無
iyakuSearch	医薬品情報データベース．検索結果書誌データ表示までは無料．コンテンツとしては「医薬文献情報」（1983年から収録），「学会演題情報」（1993年から収録），「JAPIC Daily Mail DB」（JDM，国内外の規制措置情報，2004年から収録），「医療用・一般用医薬品添付文書情報」，「医薬品類似名称検索」，「臨床試験情報」（医薬品に関する臨床研究・治験の概要と結果），「日本の新薬」（新薬承認審査報告書情報），「効能効果の対応標準病名」，「Where」（医歯薬学系学会抄録の全文検索）がある．医薬文献情報は「J-STAGE」ともリンクしている．JAPIC の HP からアクセスすることができる．	①データ ②コンテンツによって異なる．JDM の毎日更新のほかは1回／週～1回／月 ③無料（JDM，Where，医薬文献情報の抄録は有料）
JAPICDOC	（株）ジー・サーチの JDreamⅢ のコンテンツの1つとして提供している医薬文献情報データベース．詳細な検索機能を持つ．iyakuSearch の「医薬文献情報」と収録年が異なり，1979年から収載している．	①データ ②1回／月 ③有料
JAPIC 医薬品情報データベース	（株）日本経済新聞社の「日経テレコン」で提供．iyakuSearch のコンテンツの中から「医薬文献情報」「学会演題情報」「医療用・一般用医薬品添付文書情報」「日本の新薬」「学会開催情報」と「承認品目情報」を提供．	①データ ②1回／月 ③有料
JAPIC Pharma Report 海外医薬情報速報	海外の主要な医学雑誌（NEJM, Lancet, JAMA, BMJ など）および副作用資料からの重要な安全性・有効性情報の書誌事項を JAPIC の HP から提供している．	①データ（PDF） ②1回／月 ③無料
医薬品情報ナビ	JAPIC の HP から提供している海外の添付文書・医薬品集・文献情報・患者向け情報などへのリンク集．国内の製薬企業 HP へのリンクも行っている．	①リンク集 ②随時 ③無料
医療用医薬品集	薬価基準収載医薬品を含む医療用医薬品として承認され，市場にある医薬品の添付文書情報を収録した書籍．約2300成分を収載し，アルファベッ	①書籍，CD-ROM ②1回／年 ③有料

主なサービス	内　　容（概　要）	①形態②更新頻度③課金の有無
	ト，薬効群別索引とともに薬剤識別コード一覧がついている．最新情報にアップデートが可能な更新情報メールサービス（無料）も提供している．医療用・一般用医薬品添付文書情報，医療用薬識別コード情報などを収載した CD-ROM を添付.	
一般用医薬品集	日本で市販されている配置販売薬を含む約 1 万 1000 製品の一般用医薬品添付文書を基に薬効群別に編集した医薬品集.	①書籍②1 回／年③有料
重篤副作用疾患別対応マニュアル	厚生労働省の重篤副作用疾患総合対策事業として作成され，厚生労働省，PMDA の HP で公開されたマニュアルをまとめて冊子化したもの．2019 年 3 月に新規マニュアル・改訂マニュアルを収載した「改訂新版 重篤副作用疾患別対応マニュアル」を発刊した．	①書籍（1-5 集，改訂新版 1 集）③有料
JAPIC AERS	米国 FDA が公開する有害事象自発報告データ FAERS と PMDA が公開する JADER のシグナル検出をはじめとする代行分析サービス.	①データ②随時③有料
添付文書データ	医療用医薬品添付文書データ，一般用医薬品添付文書データ，添付文書の効能効果とこれに対応する標準病名を関連付けた「医薬品と対応病名データ」「禁忌」「相互作用」「用法・用量」など各添付文書からデータ加工を行い提供している．	①データ②1 回／月（医療用医薬品添付文書データは月 2 回，月 4 回も可）③有料

一般財団法人国際医学情報センター（IMIC）（https://www.imic.or.jp/）

主なサービス	内　　容（概　要）	①形態②更新頻度③課金の有無
MMWR 抄訳	米国 CDC（疾病予防管理センター）発行の疫学週報 MMWR（Morbidity and Mortality Weekly Report）を抄訳し提供している．	①データ②1 回／週③無料
がん info	米国国立がん研究所（NCI; National Cancer Institute）のがん情報（PDQ®）の患者向け情報を翻訳し HP から提供している．	①データ③無料
学会情報データベース	国内の医学・薬学分野の学会・研究会の開催案内，会議録，学会・研究会総覧の 3 つのデータベースを提供している．	①データ③無料
せりみっく広場	SELIMIC（有料の国内医薬品安全性情報速報）に収録されたデータを元に，医療関係者や一般の方にくすりの安全性に関する情報を提供している．	①データ②1 回／月③無料
今月の症例	SELIMIC に新たに収録された医薬品の副作用情報のうち，注目すべき，典型的な，あるいはまれな副作用の文献情報を抄録とともに提供している．	①データ②1 回／月③無料

一般財団法人医療情報システム開発センター（MEDIS-DC）（https://www.medis.or.jp/）

主なサービス	内　　容（概　要）	①形態②更新頻度③課金の有無
医薬品情報データベース（JAMES）	医療用医薬品の添付文書を情報源とする医薬品情報をテキストベースで電子化して提供している．	①データ②1 回／月③有料

主なサービス	内　容（概　要）	①形態②更新頻度③課金の有無
院外処方せんのための一般名処方マスター HOT-MedQ（MedQ）	医薬品 HOT コードマスターに対応した，院外処方せんのための一般名処方マスター．	①データ ②1回／月 ③有料
各種標準マスター・インデックス	医療情報の交換に必要な各種標準マスターを提供している．医薬品 HOT コード，病名，歯科病名，臨床検査，歯科手術・処置，医療機器データベースなど．	①データ ③無料
クリティカルパス・ライブラリー	全国の医療機関のクリティカルパスおよび，地域連携クリティカルパスを閲覧，ダウンロードできる．	①データ ③無料

公益財団法人日本中毒情報センター（JPIC）（https://www.j-poison-ic.or.jp/）

保健師・薬剤師・看護師向け中毒情報データベース：家庭用品，自然毒	家庭用品，自然毒による急性中毒について，医療従事者が市民に対応するためのデータベース．	①データ ③無料（詳細な情報は有料）
中毒110番	化学物質や動植物の毒などによって起こる急性中毒について，実際に事故が発生している場合に限定し情報提供している．対象は家庭用品，医薬品，農業用品，自然毒，工業用品など．	

一般社団法人くすりの適正使用協議会（RAD-AR）（https://www.rad-ar.or.jp/）

主なサービス	内　容（概　要）	①形態②更新頻度③課金の有無
くすりのしおり	医療用医薬品の患者向け説明書「くすりのしおり®」を検索閲覧できる．日本語1万6500，英語版1万が掲載されている（2020年7月時点）．添付文書の閲覧はJAPICのiyakuSearchにリンクされている．	①データ ②毎日 ③無料

特定非営利活動法人医学中央雑誌刊行会（医中誌）（JAMAS）（https://www.jamas.or.jp/）

医中誌 Web，医中誌パーソナル Web	100年余の歴史のある国内医学文献情報のインターネット検索サービス（現在はインターネットサービスのみ）．対象は国内発行の医学・歯学・薬学・看護学および関連分野の約7500誌から1400万件以上の論文情報を収載．検索語はNLM（米国国立図書館）のシソーラスMeSH（Medical Subject Headings）に準拠した「医学用語シソーラス」に基づき索引，オンラインジャーナルやOPACなどの図書館システムともリンクしている．	①データ ②2回／月 ③有料

演習問題

問1　情報センターの役割と使命について述べなさい．
問2　国内で公的機関として設立された情報センターにはどのようなものがあるか列挙しなさ

い.

問 3 国内の情報センターが扱っている医薬文献情報に関する二次資料にはどのようなものがあるか列挙しなさい.

問 4 それぞれの用語について説明しなさい.
   1) J-STAGE 2) JDreamIII 3) iyakuSearch
   4) くすりのしおり 5) 医中誌 Web

19章 医薬品情報と国際化

富永俊義

> **学習のポイント**
> ❶医薬品製造・流通等の国際化に伴い，医薬品情報の国際的共有は必然である．
> ❷ICH，PIC/S，海外副作用報告制度等の国際的な情報共有を促進するメカニズムについて理解する．

19-1. 医薬品の国際化と医薬品情報

　かつて，医薬品の製造から消費までは，一国内で完結するのが普通だった．しかし現在は，単一の医薬品が，数十カ国からときには100を超える国で同時に使用されることもある．医薬品の原末や添加物の合成から最終的な製剤化までの諸工程が，1つの国内で行われることは現在ではむしろまれで，これらは複数国にまたがって行われるのが普通である．最終製品を出荷する工場は各国内にあることが通常だが，そこで行われるのはラベル貼りと包装だけということもまれではない．また，医薬品の臨床試験（治験）には数カ国から10を超える国（の施設）が参加することが多い．

　このような医薬品の研究，開発，製造，流通，消費のグローバル化に伴い，医薬品情報の国際的な伝達・共有の必要も高まっている．本章では，特に重要な次の情報に関して解説する．

①医薬品の開発過程で行われる試験で得られる情報（2章も参照）．
②製造販売承認申請のため，あるいは副作用を報告するため医薬品規制当局に提出される情報（16章も参照）．
③医薬品規制当局が得た医薬品情報．例として副作用事例，査察等結果，規制措置（添付文書改訂を命じたこと，医薬品の回収措置を講じたことなど）など．

19-2. 情報の共有と国際的ハーモナイゼーション

　より意味のある情報をより効率的に国際的に共有するには，①情報の内容（観察項目等）を揃え，②共通の用語を用い，そして③情報を記述するのに用いるフォーマットを揃える必要がある．これらは，関連する医薬品規制（法令やガイドライン）を関係国で共通（調和）させなければ実現できない．情報共有を促進するための国際的な規制調和（ハーモナイゼーション，harmonization）を以下に概説する．

19-2-1. 規制当局に提出する情報のハーモナイゼーション

1) 承認申請資料

　製薬企業が，ある医薬品を複数国で販売しようと計画する場合，それぞれの国の規制当局から製造販売承認を得なければならないが，そのためには，その医薬品の品質，有効性，安全性を証明するデータを添付して承認申請することになる．この際，たとえば国Aの保健当局が，25℃，湿度60%で錠剤を6カ月間放置したときに生じる分解物の量で医薬品の安定性を判断し，国Bでは30℃，70%，8カ月を要求したとすれば，同じ目的の試験を異なる条件で二度行わなければならないという非効率を生じる．同様にその成分の毒性を調べる動物実験の条件が異なれば，非効率のみならず，使用される（したがって屠殺される）動物の数も2倍になり，動物倫理上も問題である．治験に関わる患者の負担，コストや時間を考慮すれば，同じ目的の治験を，複数国でそれぞれ行うことはできるだけ避けるべきである．

　情報共有による効率化によって，優れた医薬品を患者により早く届けることが可能になる．提出すべきデータ（情報）に関する各国の要求をできるだけ一致させる（調和させる）ことは公衆衛生上の価値を持つ．

　医薬品の品質，安全性，有効性を立証するために規制当局が要求するデータをハーモナイズしているのがICH（International Council for Harmonisation of Technical Requirements for Pharmaceuticals for Human Use）である（ボックス参照）．各国当局が，ICHが公表しているガイドラインに沿ったデータを求めることによって，申請データのハーモナイズと国際的な共通利用が実現している．

　上の例でいえば，ICHのQ1ガイドライン（安定性試験ガイドライン）（1993年に初版）で，それまで各国でまちまちだった長期保存試験の条件が，25℃±2℃／60%RH（relatine humidity，相対湿度）±5%RH または 30℃±2℃／65%RH±5%RH，期間は12カ月と定められ，この条件で取得したデータの提出を日米EUの医薬品規制当局（日本は厚生労働省および医薬品医療機器総合機構（PMDA），米国は米国食品医薬品庁（US FDA），欧州は欧州医薬品庁（EMA））が求めることとなった．現在ではこのガイドラインは日米EU以外の当局も採用しているから，製薬企業はこの条件で行った試験結果を，世界のほとんどの国で承認申請をするのに用いることができる．

2) 安全性情報の報告

　治験中や市販後において観察された個々の副作用（有害事象）症例の情報は，医師等から規制当局や製薬企業に対してなされるほか，製薬企業から規制当局に連絡され，また規制当局間で共有され，治験中であれば，臨床試験依頼者（スポンサー）から治験参加医師や治験審査委員会（IRB）へ連絡される．規制当局からWHO国際医薬品モニタ

キーワード　規制調和（ハーモナイゼーション），ICH

> **ボックス**
>
> ## ICHとは
>
> ICH（医薬品規制調和国際会議）は，1990年に創設され，2020年8月現在，医薬品規制当局（日，米，EU，スイス，カナダ，ブラジル，シンガポール，韓国，中国，台湾，トルコ）と製薬産業団体（日，米，EU他）を正規メンバーとし，これにWHO他がオブザーバーとして参加している．ICHは，創設以来，承認申請に添付すべき資料の要件を科学の観点からハーモナイズし，これをガイドラインとして公表している．医薬品の品質，安全性，有効性を立証するために規制当局が要求するデータは多岐・多項目にわたり，ICHは，2020年8月現在，すでに70以上の調和ガイドラインを公表している．各国当局が，これらガイドラインに沿ったデータを求めることによって，申請データは国際的に共通利用されている．
>
> 主たるICHガイドライン
>
> 品質領域
> Q1A 安定性試験ガイドライン
> Q6A 新医薬品の規格および試験方法の設定
> Q6B 生物薬品（バイオテクノロジー応用医薬品／生物起源由来医薬品）の規格および試験方法の設定
> Q7 原薬GMPのガイドライン
>
> 安全性領域
> S1A 医薬品におけるがん原性試験の必要性に関するガイダンス
> S4 医薬品毒性試験法ガイドライン（[1] 単回投与毒性試験，[2] 反復投与毒性試験）
> S6 バイオテクノロジー応用医薬品の非臨床における安全性評価
>
> 有効性領域
> E2A 治験中に得られる安全性情報の取り扱いについて
> E5 外国臨床データを受け入れる際に考慮すべき民族的要因についての指針
> E6 臨床試験の実施の基準（GCP）
> E9 臨床試験のための統計的原則
> E17 国際共同治験
>
> 複合領域
> M1 ICH国際医薬用語集
> M2 医薬品規制情報の伝送に関する電子的標準
> M4 CTD（コモンテクニカルドキュメント）

リングセンターに対して連絡されることもある．ときには重大な副作用禍の予防にも繋がるこのような情報が，判断に必要十分な要素を含み，国境を越えた関係者の間で誤解なく共有される仕組みを作る意義はきわめて大きい．

また，製薬企業は，その個々の製品について，一定期間ごとに世界中で得られた安全性情報（安全性は，その有効性との対比において理解されるべきなので，より正確には

表 19-1. 製薬企業が緊急に当局に報告すべき情報
(ICH E2D ガイドラインより抜粋)

2. 被疑薬
- 報告された商品名
- 一般名
- バッチ番号／ロット番号
- 被疑薬が処方または投与された適応症
- 剤形および含量
- 1 日投与量（mg, ml, mg/kg 等単位を明記すること）および用法
- 投与経路
- 投与開始日時
- 投与中止日時または投与期間

4. 副作用の詳細（入手可能なすべての情報）
- 発現部位と重症度を含めた副作用の詳細記述
- 当該副作用を重篤と判断した基準
- 報告された徴候，症状の詳細当該副作用の具体的な診断名
- 副作用の発現日時
- 副作用の消失日時または持続期間
- 投与中止および再投与に関する情報
- 関連する診断検査結果および臨床検査値
- 診療の状況（病院，外来診療，在宅医療，療養施設等）
- 転帰（回復状況または後遺症に関する情報）
- 致命的な転帰については死亡診断書等に記載された死因
- 該当する剖検所見またはほかの死後の所見
- 副作用／有害事象に対する製品の因果関係

ベネフィット・リスクバランス）を要約して，規制当局に報告することとされている．多国籍製薬企業が複数国で同一製品を販売している場合，この報告は各国当局に提出しなければならないから，要求される報告項目が各国で異なった場合には，いちいち国別に作り変えねばならないし．また同じ報告を受け取った日本の規制当局の担当者と米国の担当者が対策を協議する場合に，片方が知っていることをもう片方が知らなくては議論にならない．このように報告項目，その項目のもとに何を説明すべきかが統一されていることが必要である．

ICH は，申請資料に関わるガイドラインのみならず，個別症例安全性報告（ICSR, 3 章参照）や定期的ベネフィット・リスク評価報告（PBRER, 3 章参照）のデータ項目についても調和ガイドラインを作成している．

個別症例安全性報告のデータ項目は，ICH の E2B ガイドラインに定められている．特に重篤かつ使用上の注意から予測できない副作用症例については，製薬企業は緊急に（知り得てから 15 日以内）報告することが求められているが，その項目は ICH の E2D ガイドラインが定めている．報告事項は多岐にわたるが，E2D ガイドラインで重要とされるデータ項目のうち，「2.被疑薬」および「4.副作用の詳細」のみを抜粋しても，

キーワード 個別症例安全性報告，定期的ベネフィット・リスク評価報告

表19-1のように相当量の情報である．数十カ国で販売されている医薬品に関して，どこか1カ国で添付文書に記載されていない（したがって予測されない），重篤な（死にいたる，あるいは生命を脅かすような），そして因果関係が否定しきれない有害事象を示す患者が1例出ただけでも，膨大な情報量を含む報告が数十カ国間で（電子的に）飛び交うことになる．

製薬企業は，製造する個々の医薬品について，開発段階から集積した安全性情報を元に企業中核安全性情報（CCSI; Company Core Safety Information）をまとめている．ある医薬品を複数国で販売する際，CCSIは各国で用いる添付文書の中の「使用上の注意」の記載の基準となる．CCSIに適応症，効能・効果，用法・用量などが加わったものが，企業中核データシート（CCDS; Company Core Data Sheet）である．CCDSは各国の添付文書を作成する際の基準となる．

19-2-2. 情報を記載する用語のハーモナイゼーション

承認申請データや副作用等の報告に用いられる臨床データ，特に症状，徴候，疾患を記載する際，同じ疾病や症状を異なる表現で表してデータを格納すると，必要な情報の把握，集約，共有が困難になる．たとえば，「悪心」という症状を示す語として「悪心」のほかに「むかつき」，「吐き気」，「嘔気」がそれぞれ使われ，集計や分析の際にそれぞれが異なるものと認識されてしまうと，正確に「悪心」という症状を示した症例数をカウントできない．これに翻訳の問題が絡むとさらに厄介であって，外国から「Feeling Queasy（吐き気）」という症状を呈した症例が報告されてきたときに，これを「悪心（nausea）」のことと理解し，我が国で「むかつき」や「嘔気」を呈した患者と転帰を比較する必要が生じたりする．

このような問題を解決するために，まず同一言語内で，上の例でいえば，「むかつき」，「吐き気」，「嘔気」はすべて「悪心」という概念に集約する階層構造を持つ用語集の作成と使用が不可欠である．製薬企業等が，各国当局に副作用症例を報告する際に，世界で統一された用語集の各国言語翻訳版を用いるようにすれば，その情報が各国で誤解なく共有される．

実際には，下に述べるMedDRAという用語集では，症状の名称はすべてコード化されて，番号が振られている．「悪心」の番号は10028813である．あるいは，その症状はqueasyと称されるかもしれず，あるいはBrechreiz（独語）と呼ばれているかもしれないが，どの国の報告であっても，10028813を呈した患者として捕捉される．

ICHが作成した医学用語集であるMedDRA（Medical Dictionary for Regulatory Activities）は10カ国語以上に翻訳され国際的に広く用いられ，副作用情報等の共有に役立っている．日本語版はMedDRA/Jと呼ばれている．医学の進歩とともに用語も変わるので，用語集は常にメンテナンスされている．

キーワード　MedDRA，MedDRA/J

19-2-3. 規制当局に資料を報告する際の様式（フォーマット）のハーモナイゼーション

上に「何を」「どのような用語で」報告するかに関するハーモナイゼーションについて述べた．これに加えて「どう」報告するか，あるいは情報の各項目をどう配列するかをスタンダード化すれば，その情報の分析や比較がさらに容易になる．さらにこれを電子的に送るフォーマットがあれば，その共有の効率は飛躍的に高まる．

承認申請添付資料のフォーマットとしては，ICH の M4 ガイドラインであるコモンテクニカルドキュメント（CTD; Common Technical Document, 2 章参照）が使われている．また，それを電子化したものが，当初 ICH，現在は ISO（International Organization for Standardization）と HL7（Health Level 7）という団体で作成されている．

個別症例安全性報告については，紙での報告では CIOMS（Council for International Organizations of Medical Sciences，3 章ボックス参照）フォーマット等が使われており，電子的なフォーマットは ICH および ISO/HL7 で作成されたものが用いられている．

19-3. 規制当局間の情報共有の努力

医薬品規制当局が行ういろいろな規制行為に関する情報を，規制当局間で共有することも進んでいる．たとえば，医薬品の製造は GMP（Good Manufacturing Practice，医薬品の製造・品質管理基準）に従って行うことがどの国でも義務付けられており，これを確保するために，規制当局は工場や本社に立ち入ってこれをチェックする（GMP 査察）．医薬品の製造・流通のグローバル化に伴い，1 つの工場が複数国で販売される医薬品（その原末や中間製品）を製造するケースが増えると，その工場に複数国の規制当局が査察に入ることになる．外国に査察官を派遣するコストや，査察を受け入れる工場が同じ製品の同じ工程に関して説明を繰り返す手間を考えれば，他国当局の査察結果（査察報告書）を共有して，重複した査察はできるだけ避けるのが合理的である．

査察結果の共有を有効に行うには，まず各国の GMP がハーモナイズされていなければならず，また査察を行う当局の査察官の能力が一定水準以上で，違反を間違いなく発見できると他国の当局が信頼していることが必要である．

GMP については，国際的にハーモナイズされた GMP を ICH と PIC/S（Pharmaceutical Inspection Convention and Pharmaceutical Inspection Co-operation Scheme）が公表している（ボックス参照）．PIC/S は，各国査察官のトレーニングや査察報告書の共有促進に努力している．同様に GLP（Good Laboratory Practice）査察については，OECD（経済協力開発機構）がこのような機能を果たしている．

査察結果のほかにも，医薬品の承認審査や安全対策のために，規制当局間で種々の情報交換が行われている．これら情報は多くの場合，企業秘密や規制上の秘密を含むので，

キーワード　CTD, PIC/S

当局間で守秘協定を結んだ上で共有される．日本当局を例に取ると，2020年8月現在，厚生労働省とPMDAは，米国，欧州を含む15の国・地域の医薬品規制当局と守秘協定を結んでいる．

> **ボックス**
>
> **PIC/Sとは**
>
> PIC/Sは，医薬品分野での調和されたGMP基準および査察当局の品質システムの国際的な開発・実施・保守を目標とした査察当局間の協力の枠組み．日本の規制当局は2014年7月1日に加盟承認された．2020年8月現在52カ国の規制当局が参加．

19-4. 規制当局の公開情報発信の努力

各国規制当局は，国内の一般人向け，また医療関係者，地方公共団体向けに，種々の規制情報を公表している．情報の一部は，英語やその他の言語に翻訳され，外国向けに発信されている．たとえばPMDAの英文ホームページには，主要な新医薬品の審査報告書の英訳版が掲載されている．英語を母語とする米国の当局であるFDAのホームページ上の膨大な医薬品に関する情報（英語）は，米国の医薬品政策に関する国際的な理解の促進に大きく貢献している．

> **ボックス**
>
> **情報と判断**
>
> 本章では国際的に共有される医薬品情報につき，カバーすべき項目や様式等のハーモナイゼーションを論じた．ここで注意してほしいのは，複数の規制当局が規制判断を行うとき，同じ情報に基づくからといって，それぞれが同じ判断を下すとは限らないということである．同じ承認申請資料を複数国の当局が得た場合でも，その国の公衆衛生の状況や人口・疾病構造によって医薬品のベネフィットとリスクの評価は変わるので最終判断は異なり得る．同様に，他国当局によるGMP査察報告書を得ても，それをもってその工場をGMP適合とみなすか，不適合とみなすか，あるいは自ら再査察をするか，の判断は，その当局自らが行わなければならない．各国の規制当局は，自国民の公衆衛生に責任を負うから，他者の判断を鵜呑みにはできないのは当然である．さらに，国際的に利用される医薬品の添付文書は，各国でその内容に差はなくなっている（少なくとも重要な副作用情報などについては）が，患者の生命に責任を有する医療関係者がその医薬品をどう使用するかは，彼らの判断に任される．すなわちハーモナイズされるのは情報であって判断ではない．

演習問題

問1 医薬品の国際化に伴い，国際的な伝達，共有の点から重要と考えられる情報についてあげなさい．

問2 情報をより効率的に国際的に共有するために必要と考えられる事項をあげなさい．

問3 医薬品情報の共有を促進するために，世界の製薬企業（業界）や規制当局が行っていることを列挙しなさい．

問4 以下の用語を説明しなさい．
   1）ICH 2）PIC/S 3）MedDRA 4）MedDRA/J
   5）国際医薬品規制調和 6）個別症例安全性報告
   7）定期的ベネフィット・リスク評価報告 8）CTD

第3部 規則・制度

20 医薬品情報に関わる法制度　赤羽根秀宜

20章 医薬品情報に関わる法制度

赤羽根秀宣

> **学習のポイント**
> ❶医薬品の製造販売業の許可や医薬品の承認においては，様々な法制度や基準が定められている．
> ❷医薬品の製造販売業者，医薬関係者においては，情報の収集，提供等を行うことによって，医薬品の品質，有効性，安全性の確保，保健衛生上の危害の発生，拡大の防止に努めなければならない．
> ❸情報を取得・利用・提供するにあたっては，個人情報保護や著作権等への配慮が必要である．

20-1. 医薬品の製造販売承認に関する法制度

20-1-1. 製造販売業の許可

　業として医薬品の製造販売をしようとする者は，医薬品の製造販売業の許可を受けなければならない（医薬品，医療機器等の品質，有効性及び安全性の確保等に関する法律（以下，「医薬品医療機器等法」という）第12条）．製造販売業の許可基準には，医薬品，医薬部外品，化粧品及び再生医療等製品の品質管理の基準に関する省令（GQP（Good Quality Practice）省令），医薬品，医薬部外品，化粧品，医療機器及び再生医療等製品の製造販売後安全管理の基準に関する省令（GVP（Good Vigilance Practice）省令）等がある（医薬品医療機器等法第12条の2）．医薬品の販売後は，承認前には判明していなかった副作用等が発見されることがあるため，GVP省令において，医薬品の品質，有効性，安全性に関する事項，適正な使用のために必要な情報の収集等，安全確保のための規定がされている．

20-1-2. 医薬品の承認

　医薬品の製造販売をしようとする者は，原則として，品目ごとに厚生労働大臣の承認を受けなければならない（医薬品医療機器等法第14条第1項）．この承認においては，医薬品の安全性に関する非臨床試験の実施の基準に関する省令（GLP（Good Laboratory Practice）省令）や，医薬品の臨床試験の実施の基準に関する省令（GCP（Good Clinical Practice）省令）が規定されており，これらの省令等に従って試験を実施し資

キーワード 医薬品の承認，GQP，GVP，GLP，GCP

表 20-1. GCP 省令において定められている情報の取り扱いに関する主な規定

副作用等の収集の手順書の作成	第 4 条第 1 項　第 15 条の 2 第 1 項
必要な情報の収集及び提供	第 20 条第 1 項　第 26 条の 6 第 1 項
重要な情報を知った場合の治験実施計画書及び治験薬概要計画書の改訂	第 20 条の 4　第 26 条の 6 第 4 項
重篤な有害事象の報告及び通知	第 48 条第 2 項第 3 項
意思に影響を与えるものと認める情報の被験者への提供等	第 54 条第 1 項

料を整えて申請をしなければならない（医薬品医療機器等法第 14 条第 3 項）．GCP 省令は，被験者の人権の保護，安全の保持，福祉の向上や，治験の科学的な質，および成績の信頼性を確保するために規定されており，治験について倫理的，科学的観点から審議を行う治験審査委員会の設置のほか，副作用等収集の手順書作成，被験薬の安全性等について重要な情報を知ったときの治験薬概要書の改訂等が定められている（表 20-1）．

医薬品の申請においては，効能効果が認められない場合，効能効果等に比べて著しく有害な作用がある場合，医薬品として不適当な場合に該当するとき等には，承認されない（医薬品医療機器等法第 14 条第 2 項）．

なお，2019 年の医薬品医療機器等法の改正によって，これまで通知に基づいて行われていた「先駆け審査指定制度」「条件付き早期承認制度」が法制化された（14 章ボックス参照）．

また，承認のための治験等以外の研究においても，科学的妥当性や倫理的配慮が必要であるため，「臨床研究法」においては，臨床研究の実施の手続や，臨床研究に関する資金等の提供に関する情報の公表の制度等が定められており，その他，人を対象とする医学研究に関する倫理指針，ヒトゲノム・遺伝子解析研究に関する倫理指針等の指針も定められている．

20-1-3. 後発医薬品

後発医薬品は，すでに承認を与えられている新薬の特許期間および再審査期間の終了後に販売が承認され，有効成分，分量，用法・用量，効能・効果等が原則先発医薬品と同じとされる医薬品である．申請においては，通常，規格および試験法，安定性試験，生物学的同等性試験の試験結果の提出が義務付けられ，先発医薬品と同等の品質，生物学的同等性が確保されている場合に製造販売承認がされる．

キーワード　先駆け審査指定制度，条件付き早期承認制度，臨床研究法

20-2. 医薬品の製造販売承認後の法制度

20-2-1. 再審査制度

　新医薬品の承認時に評価検討される資料においては，症例数や使用期間に限りがあるため，製造販売後（以下，「市販後」という）に未知の副作用が発現する場合がある．また，治験では，患者の症状，年齢，合併症，併用薬等がコントロールされているが，実際の医療現場ではそうではなく使用方法が異なることもあり，承認時において，有効性，安全性等をすべて確認するには限度がある．そのため，承認後においても，製造販売業者に対し製造販売後調査等が義務付けられている．

　医薬品については，新医薬品等において，承認後一定期間の経過後に当該医薬品の品質，有効性，安全性等を確認するために再審査制度が定められている（医薬品医療機器等法第14条の4）．なお，再審査期間中は，市販後の調査により得られた結果の報告を，通常，承認から2年間は半年ごと，その後は1年ごとに行わなければならない（安全性定期報告．医薬品医療機器等法施行規則第63条）．

20-2-2. 再評価制度

　承認された医薬品においても，年月の経過とともに，より効果や安全性の高い薬が発売され，現在においては存在価値がなくなることや，現在の評価基準では有用性が認められなくなることがある．そのため，すでに承認されている医薬品について，現時点の医学，薬学等の学問水準に照らして，品質，有効性，安全性等を確認する制度として再評価制度が定められている（医薬品医療機器等法第14条の6）．

20-2-3. GPSP

　再審査および再評価においては，製造販売後安全管理のために定めるGVPとは別に，医薬品の製造販売後の調査及び試験の実施の基準に関する省令（GPSP; Good Post-Marketing Study Practice）が適用される．なお，GPSPは，医療情報データベース利用に関する改正が行われ，2018年4月より施行される．

20-2-4. 副作用・感染症報告制度

　医薬品の製造販売業者は，承認を受けた医薬品について，医薬品の安全対策の確保のために，副作用や感染症の発生等で厚生労働省令において報告が必要とされる範囲の事実を知ったときは，その旨を，内容に応じて15日以内または30日以内に厚生労働大臣（委託がされている場合には医薬品医療機器総合機構（PMDA））に報告しなければならない（医薬品医療機器等法第68条の10第1項）．

（キーワード）　再審査制度，再評価制度，GPSP，副作用・感染症報告制度

また，病院や薬局の開設者，医師，薬剤師等の医療関係者も，医薬品の副作用等が疑われる健康被害を知った場合において，保健衛生上の危害の発生又は拡大を防止するため必要があると認めるときは，その報告が義務付けられている（医薬品医療機器等法第68条の10第2項）．

　さらに，PMDAでは，患者からも試行的に医薬品の副作用情報を収集してきたが，2019年3月より正式に実施している．

20-2-5. 医薬品リスク管理計画（RMP; Risk Management Plan）

　医薬品の安全性の確保のためには，開発の段階から市販後まで常にリスクを管理することが重要である．そのため，医薬品の製造販売業者等には，常に医薬品の適正使用を図り，ベネフィットとリスクのバランスを適正に維持するため，安全性，有効性に関わる情報収集，リスクの最小化を図るための活動，その結果に基づく評価および必要な措置を講ずるために，医薬品リスク管理計画書等の作成を義務付けている．この医薬品リスク管理計画は，2013年から策定が求められ，承認時の条件とされている．

20-2-6. 医薬関係者等の情報の共有

　医薬品の製造販売業者等は，医薬品の有効性，安全性，その他適正な使用のために必要な情報を収集，検討し，薬局，病院等の開設者，医師，薬剤師等の医薬関係者に対し，提供するよう努めなければならない（医薬品医療機器等法第68条の2第1項）．

　医薬品の製造販売業者等や病院，薬局等の開設者は，相互間の情報交換を行うこと等によって，医薬品等の品質，有効性，安全性の確保，保健衛生上の危害の発生および拡大の防止に努めなければならない（医薬品医療機器等法第1条の4）．

　医師，薬剤師等の医薬関係者は，医薬品等の有効性，安全性，適正な使用に関する知識と理解を深め，使用の対象者等に対し，適正な使用にかかる正確かつ適切な情報の提供に努めなければならない（医薬品医療機器等法第1条の5第1項）．また，薬局において調剤等の業務に従事する薬剤師は，患者等の医薬品等の使用に関する情報を他の医療提供施設の医師や薬剤師等に提供することにより，医療提供施設相互間の業務の連携の推進に努めなければならない（医薬品医療機器等法第1条の5第2項）．薬局開設者は，薬局において薬剤師によるこの情報の提供が円滑になされるよう配慮しなければならない（医薬品医療機器等法第1条の5第3項）．

　薬局，病院等の開設者，医薬関係者は，相互の密接な連携の下に製造販売業者等から提供される情報の活用，必要な情報の収集，検討，利用を行うことに努めなければならず（医薬品医療機器等法第68条の2第3項），製造販売業者等が行う情報の収集に協力するよう努めなければならない（医薬品医療機器等法第68条の2第2項）．

キーワード　医薬品リスク管理計画

20-2-7. 薬剤師による服薬指導および継続的な服薬状況の把握

薬剤師は，調剤した薬剤の適正な使用のため，調剤したときは，患者または現にその看護にあたっている者に対し，必要な情報を提供し，および必要な薬学的知見に基づく指導を行わなければならない（薬剤師法第25条の2第1項）．また，2019年の薬剤師法の改正によって，調剤した薬剤の適正な使用のため必要があると認める場合には，患者の当該薬剤の使用の状況を継続的かつ的確に把握するとともに，患者等に対し，必要な情報を提供し，及び必要な薬学的知見に基づく指導を行わなければならない義務が追加された（薬剤師法第25条の2第2項）．

薬局開設者も，調剤された薬剤の授与等をする場合，薬剤師に，対面により書面等を用いて，必要な情報の提供および，必要な薬学的知見に基づく指導を行わせなければならず（医薬品医療機器等法第9条の3第1項），この情報提供等の際に，患者等の年齢，ほかの医薬品の使用状況等を確認させなければならない（医薬品医療機器等法第9条の3第2項）．また，2019年の医薬品医療機器等法の改正によって，薬局開設者は，調剤された薬剤の適正な使用のため必要がある場合には，薬剤師に，薬剤の使用の状況を継続的かつ的確に把握させるとともに，必要な情報を提供させ，又は必要な薬学的知見に基づく指導を行わせなければならない，とされた（医薬品医療機器等法第9条の3第5項）．これらの情報提供及び指導等については記録が義務付けられている（医薬品医療機器等法第9条の3第5項）．

20-2-8. 国民の責務

国民においても，医薬品等を適正に使用するとともに，有効性，安全性に関する知識と理解を深めるよう努めなければならない（医薬品医療機器等法第1条の6）．

20-3. 医薬品の広告

何人も，医薬品の名称，製造方法，効能，効果，性能に関して虚偽または誇大な記事を広告してはならない（医薬品医療機器等法第66条第1項）．また，効能・効果，性能について，医師等が保証したものと誤解されるおそれがある記事を広告することはできない（医薬品医療機器等法第66条第1項，第2項）．

抗がん剤等のうち，医師等の指導の下に使用されなければ危害を生ずるおそれが特に大きいものについては，医薬関係者以外の一般人を対象とする広告方法を制限する等，適正使用確保のための措置がとられることがある（医薬品医療機器等法第67条第1項）．

承認前の医薬品の広告は禁止されている（医薬品医療機器等法第68条）．

なお，2019年の医薬品医療機器等法の改正によって，虚偽・誇大広告による販売に

キーワード　薬剤師による服薬指導および継続的な服薬状況の把握

対して課徴金制度の創設がされた．

20-4. 患者情報の利用

医薬品や患者の情報は，収集するだけではなく，その情報を有効かつ適切に利用することが必要である．しかし，患者情報等の利用においては，プライバシーへの配慮が必要であり，特に情報を公表する場合においては，個人を特定できない形にするなどの措置が要求される．また，他者の論文等を利用する際には著作権等への配慮が求められる．

20-4-1. 個人情報の保護に関する法律

近年のIT化の影響により，大量の個人情報が取り扱われるようになった．このような情報化社会においては，勝手に情報を取得され利用されてしまうおそれがあるため，プライバシー保護の要請が高くなった．そこで，ルールを定める必要性に迫られ，1980年世界的にOECD（経済協力開発機構）が個人情報保護に関するガイドラインを出し，「OECD 8原則」（表20-2）が定められた．これを反映した形で日本でも個人情報の保護に関する法律（個人情報保護法）が制定された．

一般的には，個人情報保護法は，「自己に関する情報の流通をコントロールできる権利」（自己情報コントロール権）を保護することを目的としていると言われている．

そのため，個人情報保護法においては，情報の収集の際に利用目的を明示することとし，目的外利用は原則禁止されている（個人情報保護法第15条，第16条）．また，第三者への情報提供は原則同意がない限り許されない（個人情報保護法第23条）．ただし，情報の有用性の観点から，

①法令に基づく場合．

表20-2. 個人情報に関するOECD 8原則

1）収集制限の原則： 個人データの収集は，適法・公正な方法によらなければならない．また，個人に通知または同意を得て収集されるべきである．
2）データ内容の原則： 収集するデータは，利用目的に沿ったものでなければならない．また，正確・完全・最新のものにしておかなければならない．
3）目的明確化の原則： 収集目的を明確にし，データ利用は収集目的に合致しなければならない．
4）利用制限の原則： 収集したデータを目的以外に利用してはならない．ただし，同意がある場合や法律の規定による場合は除かれる．
5）安全保護の原則： データは，紛失，破壊，不当アクセスなどに対して，安全保護措置により保護されなければならない．
6）公開の原則： データの運用方法や方針などについては公開しなければならない．
7）個人参加の原則： 個人は，データに関して，自己のデータの所在および内容を確認でき，確認できない場合や内容が異なる場合には異議申立等をする権利を有する．
8）責任の原則： データの管理者は1）～7）までの原則を実施するための責任がある．

キーワード 個人情報の保護に関する法律

②人の生命，身体または財産の保護のために必要がある場合であって，本人の同意を得ることが困難であるとき．
③公衆衛生の向上または児童の健全な育成の推進のために特に必要がある場合であって，本人の同意を得ることが困難であるとき．
④国の機関もしくは地方公共団体またはその委託を受けた者が法令の定める事務を遂行することに対して協力する必要がある場合であって，本人の同意を得ることにより当該事務の遂行に支障を及ぼすおそれがあるとき．

については，目的外利用および同意のない第三者提供が可能とされている．研究等で第三者に患者の情報を開示提供するにあたっては，事前の同意の取得または個人を特定できない情報にする等の措置が必要になる．

また，病院や薬局等が有している情報（カルテや薬歴等）を本人が確認したい場合には，原則開示しなければならない（個人情報保護法28条）．

なお，病歴等は，通常の情報よりも特別な配慮が求められる要配慮個人情報（病歴等）とされている（個人情報保護法第2条第3項）．

「大学その他の学術研究を目的とする機関若しくは団体又はそれらに属する者」が「学術研究の用に供する目的」で利用する場合には，個人情報の取り扱いの規定の適用が除外される（個人情報保護法第76条第1項）．

20-4-2. 院内掲示等による同意

個人情報保護法においては，原則，利用目的や第三者提供について，同意を得ない限り情報を利用できない．これは病院薬局等でも同様であるが，個人情報保護委員会，厚生労働省の示す「医療・介護関係事業者における個人情報の適切な取扱いのためのガイダンス」において，医療の提供に必要な情報の利用，第三者提供については，利用目的等を院内掲示等しておくことで，黙示の同意があったものとして取り扱われることとされている．

なお，匿名加工を行い，復元できないようにした匿名加工情報（個人情報保護法第2項第9項）は，一定の条件のもと本人の同意なくして第三者に提供等できる．

20-4-3. 守秘義務

医師，薬剤師等には，守秘義務が課せられており，業務上取り扱ったことについて知り得た秘密は，正当な理由がない限り，漏らすことはできない（秘密漏示罪．刑法第134条）．

守秘義務が課せられる理由は，職業上人の秘密に接する機会が多いこと，患者が個人的な秘密を告知しなければ治療などのサービスを受けることが困難であるからと考えられている．そのため，医療従事者において，この守秘義務が徹底できていなければ，信

キーワード　守秘義務

表 20-3. 引用の要件

1) 引用する資料等はすでに公表されているものであること
2) 「公正な慣行」に合致すること
3) 報道，批評，研究などのための「正当な範囲内」であること
4) 引用部分とそれ以外の部分の「主従関係」が明確であること
5) カギ括弧などにより「引用部分」が明確になっていること
6) 引用を行う必然性があること
7) 出所の明示が必要なこと（複製以外はその慣行があるとき）

（文化庁：著作権なるほど質問箱　https://pf.bunka.go.jp/chosaku/chosakuken/naruhodo/answer.asp?Q_ID=0000581）

頼を失い，患者からの情報の取得ができず，適切な治療ができなくなる可能性がある．医療従事者において，最低限守らなくてはならない重要な義務である．

秘密漏示罪は，親告罪とされている（刑法135条）．

20-5. 著作権

研究結果等を第三者に発表するような場合，他者の論文等を使用する場合もある．しかし，著作権が認められる論文等のコピー（複製）は，原則，著作権者の許可がなければすることはできないため，注意が必要である．ただし，例外的に，私的利用のための複製（著作権法30条），引用（著作権法32条，表20-3），学校における複製（著作権法35条）等，許可を得ずに使用できる場合が定められている．

演習問題

問1　医薬品の製造販売承認における法制度について説明しなさい．
問2　医薬品承認後の安全対策について説明しなさい．
問3　個人情報に関するOECD 8原則の内容について説明しなさい．
問4　患者情報の利用における留意点について説明しなさい．
問5　他人の著作物を引用する際の要件を述べなさい．

演習問題解答

1章
問1 治験.製薬企業の判断では変更することはできない.
問2 医薬品添付文書,医薬品インタビューフォーム,新医薬品の使用上の注意.

3章
問8
GQP＝医薬品,医薬部外品,化粧品及び再生医療等製品の品質管理の基準
GCP＝医薬品の臨床試験の実施の基準
GVP＝医薬品,医薬部外品,化粧品,医療機器及び再生医療等製品の製造販売後安全管理の基準
GPSP＝医薬品の製造販売後の調査及び試験の実施の基準

4章
問4 添付文書の冒頭に,赤字,赤枠で記載され,添付文書の右肩に赤帯で付与される.
問6 「併用禁忌」は赤枠内に記載され,併用薬の一般名称と代表的な販売名が記載される.
問7 「幼児」の年齢区分の目安は,1歳以上,7歳未満である.

8章
問5 ①線形回帰分析,②数量化Ⅰ類,③ロジスティック回帰分析,④数量化Ⅱ類
問6

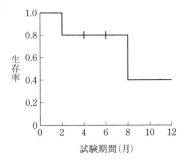

11章
問3 1.0×5年＋0.75×8年＋0.3×7年＝13.1QALY
問4 (180万円－150万円)／(0.9－0.85)＝600万円／QALY
問5 600万円＞500万円なので,採用は推奨されない.

15章
問1 有害事象情報,有効性情報,品質情報
問2 MS,情報誌,インターネット
問3 薬事管理,品質管理,教育研修,安全管理業務,医療機関・薬局等からの問い合わせの対応,MS等への情報伝達
問4 ①誤；努力義務とされている.②正.③誤；回収業務を行うことができる.

和文索引

ア 行

アウトカム 132, 159, 175
アダプティブデザイン 147
アドヒアランス 85
アルゴリズム 31, 143
安全管理業務 222
安全管理情報 209, 219, 222
安全管理責任者 24, 209
安全性監視計画 34
安全性検討事項(SS) 32
安全性情報 29, 249
安全性速報(ブルーレター) 33, 62, 213, 223, 230
安全性定期報告 22, 260
安全対策業務 225
安全対策措置 229
安定性試験 14
イエローレター→緊急安全性情報
医学中央雑誌刊行会(JAMAS) 66, 242
閾値 174
育薬 34, 108
異質性 170
一次資料 35, 65, 81, 99, 186
医中誌Web 37, 60, 66, 242, 246
5つのToos 5, 21
一般使用成績調査 26, 27, 31, 207
一般名 4, 46
一般用医薬品 48, 102, 202
一包化調剤 203
医薬卸連 218
医薬情報担当者(MR) 186, 209, 219
医薬品安全性監視 204
医薬品安全対策情報(DSU) 62, 214
医薬品, 医薬部外品, 化粧品, 医療機器及び再生医療等製品の製造販売後安全管理の基準(GVP) 24, 34, 209, 222, 258
医薬品, 医薬部外品, 化粧品及び再生医療等製品の品質管理の基準(GQP) 24, 34, 209, 258
医薬品医療機器総合機構(PMDA) 5, 6, 11, 23, 32, 34, 59, 61, 68, 79, 185, 209, 225, 249
医薬品・医療機器等安全性情報 62
——報告制度 23, 188
医薬品, 医療機器等の品質, 有効性及び安全性の確保等に関する法律→医薬品医療機器等法

医薬品医療機器等法 2, 10, 187, 209, 217, 226, 258
医薬品医療機器レギュラトリーサイエンス財団(PMRJ) 239
医薬品インタビューフォーム(IF) 5, 33, 49, 61, 185, 214
——作成の手引き 52
医薬品卸 217
医薬品卸売販売業 217
医薬品規制調和国際会議(ICH) 13, 17, 29, 249, 250
医薬品採用 103
医薬品集 54
医薬品使用実態研究 143
医薬品情報管理 184
医薬品情報業務の進め方2018 184
医薬品情報源 35
医薬品情報室 6, 108
医薬品情報の加工 96
医薬品情報の再構築 103
医薬品制度改正検討部会 32
医薬品適正使用情報 62
医薬品添付文書 5, 38, 61, 185
——の改訂 99
——の届け出 212
医薬品等総括製造販売責任者 209
医薬品に関する評価中のリスク等の情報 62
医薬品の安全性に関する非臨床試験の実施の基準(GLP) 16, 206, 253, 258
医薬品の基本情報 3
医薬品の研究開発 8
医薬品の市販後調査の実施の基準(GPMSP) 219
医薬品の承認 258
医薬品の製造販売後の調査及び試験の実施の基準(GPSP) 24, 34, 207, 260
医薬品の製造・品質管理基準(GMP) 253
医薬品の適正使用 3, 96
——のサイクル 3
医薬品の臨床試験の実施の基準(GCP) 10, 28, 206, 207, 258
医薬品副作用・感染症症例票 29
医薬品副作用被害救済制度 49
医薬品リスク管理計画(RMP) 12, 22, 32, 61, 185, 209, 215, 260

医薬分業　232
　　──率　194
医療安全　96
　　──情報　63
医療技術評価　173
医療経済評価　173
医療情報システム開発センター（MEDIS-DC）　241
医療用医薬品製品情報概要　33, 63, 214
医療用医薬品添付文書　33, 39, 61, 211
医療用医薬品の販売情報提供活動に関するガイドライン　187, 209, 210, 220
因果関係　30, 143
インシデント　102
　　──・アクシデント事例　98
インターネット　221, 236
インデックス　65
院内掲示等による同意　264
インパクトファクター　93
引用　97, 265
エスティマンド　146
エビデンス　157
　　──レベル　162
エンドポイント　84, 148, 159
欧州医薬品庁（EMA）　79, 249
横断的研究　139
横紋筋融解症　198
お薬教室　101
お薬手帳　102, 197
オッズ　125
　　──比　126, 134
オープンアクセス　186
卸DI実例集　221
オンライン服薬指導　196

カ 行

回帰係数　124
外国からの情報　26
回収　223
　　──情報　62
外的妥当性　83, 85, 162
ガイドライン　37, 67, 187, 206, 209, 215, 220
介入研究　27, 82, 131, 145
科学技術振興機構（JST）　66, 239
かかりつけ薬剤師　195, 232
　　──指導料・包括管理料　195
かかりつけ薬局　195, 232
確率分布関数　116
仮説検定　114
学会抄録　81
学校薬剤師　101
カプラン・マイヤー（生存）曲線　126
カプラン・マイヤー法　164

過量投与　43
観察研究　27, 83, 131, 137
観察バイアス　82
患者アウトカム研究　179
患者向医薬品ガイド　61, 214
感染症報告　23, 26
管理薬剤師　219
規格　4
機関リポジトリ　67
疑義照会　100, 199
企業中核安全性情報（CCSI）　252
企業中核データシート（CCDS）　252
記述的研究　131
規制区分　40
規制調和　248
基礎研究　20
期待値　121
既知・未知　30
帰無仮説　114, 124
吸収速度定数　105
寄与危険　134
禁煙指導　101
禁忌　40, 203
緊急安全性情報（イエローレター）　33, 62, 187, 212, 223, 230
偶然誤差　82, 134
区間推定　116
くすりのしおり　61, 215, 241, 246
くすりの適正使用協議会（RAD-AR）　61, 241
クロスオーバー試験　18
傾向スコア　141
傾向分析　138
警告　40
系統誤差　134
ケースコホート研究　142
ケースコントロール研究　139, 160
決定樹モデル　180
研究デザイン　160, 162
健康サポート薬局　203
健康食品　102, 202
健康の維持・増進　101
検索エンジン　65
検査値　100, 198
検出力　83
検証試験　151
検証的試験　16
原著論文　35, 81
厚生労働省　6, 11, 59, 61, 225, 249
公知申請情報　63
公的医療・介護費支払者　179
公的医療費支払者　178
効能・効果　4, 11, 41
後発医薬品　18, 103, 201, 259

交絡　135
　　──因子　136
国際医学情報センター（IMIC）　240
国民の責務　262
コクラン共同計画　67, 167
国立情報学研究所（NII）　60, 66
個人情報保護　97, 263
固定（母数）効果モデル　168
個別症例安全性報告（ICSR）　29, 251
コホート研究　83, 141, 160
コモンテクニカルドキュメント（CTD）　13, 206, 253
根拠に基づく医療（EBM）　157
コントラクトMR　209

サ 行

剤形　4
　　──変更　201
再現率　79
再審査制度　22, 260
最適使用推進ガイドライン　185, 215, 216
再評価制度　23, 260
最頻値　112
先駆け審査指定制度　207, 208, 259
サリドマイド薬害事件　138
三次資料　36, 53, 65, 67, 94
サンフォード感染症治療ガイド　59
残薬調整　203
ジェネリック医薬品　18
　　──の品質等に関する情報　63
シグナル検出　31
試験実施計画書　146
自己情報コントロール権　263
事実検索　68
システマティックレビュー　37, 160, 167
シソーラス　73
疾患予防　101
実態調査　143
質調整生存年（QALY）　176
質的変数　110
自発報告　26
市販後　12, 20, 205, 207
　　──安全管理体制　24
　　──安全対策　12
　　──調査　20
市販直後調査　26, 209, 223
死亡　30
　　──費用　178
重回帰分析　124
従属変数　124
重篤性　30
重篤副作用疾患別対応マニュアル　57, 63, 185
重要な潜在的リスク　32

重要な特定されたリスク　32
重要な不足情報　34
出版バイアス　168, 170
受動的な情報提供　98, 100, 101
守秘義務　264
主要エンドポイント　85, 148
順序尺度　111
障害　30
条件付き早期承認制度　207, 208, 259
症候群　200
使用状況の調査・評価　190
使用上の注意　4, 212
　　──（等）改訂のお知らせ　33, 214
　　──の改訂　31, 62, 230
使用成績調査　26, 27, 207
使用成績比較調査　26, 28, 31, 207
承認拒否事由　227
承認条件　45
承認審査　11
　　──業務　225
承認申請資料　12, 206, 249
商品名　4
情報センター（情報機関）　238
情報伝達　212
情報バイアス　135
症例集積　138
　　──報告　83
症例対照研究　83, 139, 160
症例報告　83, 137
除外基準　83, 146
処方箋　198
新医薬品承認審査実務に関わる審査員のための留意事項　227
新医薬品の5つの課題　5
新医薬品の「使用上の注意」の解説　5, 33, 63
審議結果報告書　230
審査専門協議　228
審査チーム　227
審査報告書　61, 185, 228, 230
申請資料概要　62, 185, 230
真のアウトカム　159
真のエンドポイント　84, 148
信頼区間　114, 154
数量化Ⅰ類　125
数量化Ⅱ類　125
ステム　46
正確性　135
正規分布　113, 116
生産性費用　178
製造承認制度　24
製造販売業　258
　　──三役　24
　　──者　24, 205, 226

製造販売後（市販後）　12, 20, 205
　　――調査（PMS）　21, 191
　　――調査等管理責任者　207
　　――データベース調査　26, 28, 32, 207
　　――臨床試験　26, 28, 32, 207
製造販売承認制度　24
生存時間分析　126
精度　135
製品ライフサイクル　34
生物学的同等性試験　18, 104
生物由来製品　23
製薬企業　6, 205, 226
絶対リスク（AR）　133
　　――減少（ARR）　133, 165
説明変数　124
セルフメディケーション　102
線形回帰分析　124
選択基準　83, 146
選択バイアス　135, 150
先発医薬品　103
専門協議　230
総括製造販売責任者　24
相関係数　123
相互作用　42
相対リスク（RR）　134
　　――減少（RRR）　134, 165
増分費用対効果比（ICER）　174
遡及検索　70
組成・性状　40

タ 行

第Ⅰ相　10, 16
第Ⅱ相　10, 16
第Ⅲ相　10, 16
第一種の過誤　83, 115
対応のあるt検定　120
第二種の過誤　83, 115
代用エンドポイント　84, 148
代用のアウトカム　159
対立仮説　114, 124
ターゲット探索　9
多重比較法　121
妥当性　135
単位　4
単回帰分析　124
探索研究　9
探索的試験　16
断面研究　138
地域包括ケアシステム　203
逐次検索　70
治験　5, 10, 16, 20
中央値　112
中央薬事情報センター　232

中間解析　153
中毒110番　241, 246
著作権　97, 265
治療必要数（NNT）　86, 134, 165
追跡率　84
定期的安全性最新情報（PSUR）　22
定期的ベネフィット・リスク評価報告（PBRER）
　　22, 26, 251
適応外使用　199
適応症　199
適応による交絡　136
適格条件　146
適合率　79
適正使用情報　34
適正使用のサイクル　3
適用上の注意　43
データベース　65, 67
データマイニング　31
電子お薬手帳　197
電子化CTD　206
電子薬歴　204
点推定　116
添付文書→医薬品添付文書
問い合わせ　221
同種同効薬　103
統制語　73
同等性　152
東邦大学・医中誌診療ガイドライン情報データベース　56, 67
毒性試験　10, 15
ドクターレター　26
特定使用成績調査　26, 28, 31, 207
特定の背景を有する患者に関する注意　41
特定臨床研究　26, 208
独立行政法人医薬品医療機器総合機構→医薬品医療機器総合機構
独立変数　124
都道府県薬剤師会　237
取扱い上の注意　44
トレースレポート　100

ナ 行

内的妥当性　82, 161
二項分布　117
二次資料　36, 65
21世紀の医薬品のあり方に関する懇談会　3
二重盲検　161
　　――化　82
日薬　232
　　――情報おまとめ便　236
　　――ニュース　236
日本医師会臨床試験登録システム　69
日本医薬情報センター（JAPIC）　66, 69, 240

日本医薬品集　54, 240
日本中毒情報センター（JPIC）　241
日本標準商品分類番号　40, 46
日本薬剤師会　59, 204, 232
　　　──雑誌　235
妊婦　45, 57
ネステッドケースコントロール研究　142
能動的な情報提供　98, 100, 101
ノンパラメトリックな検定　118

ハ 行

バイアス　82, 135, 161
バイオ医薬品　19
バイオ後続品　19
配布　222
ハイリスク薬　101
曝露　132
外れ値　112
発生率　133
発生割合　132
ハーモナイゼーション　248
パラメトリックな検定　118
被引用率　93
批判的吟味　81, 161
皮膚透過性　106
秘密漏示罪　265
費用　175, 177
　　　──効果分析（CEA）　175
　　　──効用分析（CUA）　175
　　　──最小化分析（CMA）　175
　　　──便益分析（CBA）　175
評価中のリスク情報　230
標準誤差　114
標準偏差　113
標準マスター　241
標本　111
非臨床試験　5, 15, 20, 108
非臨床評価　10
非劣性　151
　　　──試験　16, 151
品質管理　24
品質情報　222
品質保証責任者　24, 209
ファクシミリ　236
ファーマコヴィジランス　204, 209
ファンネルプロット　168
フォレストプロット　169
副作用　29, 42, 200, 226, 249
　　　──・感染症自発報告　26
　　　──・感染症報告制度　23, 260
　　　──発現頻度　31
　　　──判定アルゴリズム　143
副次的エンドポイント　85, 148

物理化学的情報　4
プライバシー　263
ブリッジング試験　17
ブルーレター→安全性速報
プレアボイド　191
プロトコール　17, 146
文献・学会情報　26
文献検索　70
分散　113
分析感度　152
分析的研究　131
分析の立場　178
平均値　112
平均費用対効果比　174
米国国立医学図書館（NLM）　60, 66
米国国立衛生研究所（NIH）　68
米国食品医薬品庁（US FDA）　60, 79, 249
ベネフィット・リスクバランス　3
偏回帰係数　124
変動係数　113
ポアソン分布　117
放出速度定数　105
包装　45
保健機能食品　102
母集団　111

マ 行

マッピング機能　73, 75
マルコフモデル　180
無作為化　16, 149, 161
　　　──比較（臨床）試験（RCT）　82, 160, 161
名義尺度　110
名称　4, 40, 46
メタアナリシス　37, 82, 160, 166
メディカルアフェアーズ　187, 211
メディカルサイエンスリエゾン　187, 211
メディカルライティング　206
メルクマニュアル　56
盲検化　16, 150, 161
網羅的検索　74
目的変数　124
モデル分析　179
モバイル情報端末　103
問題の定式化　158

ヤ 行

薬害肝炎検討会　32
薬害スモン事件　138
薬学研究者　108
薬学的知見に基づく指導　262
薬剤イベントモニタリング（DEM）事業　204, 234
薬剤疫学　137
薬剤経済学　173

薬剤師法第25条の2　194
薬剤情報提供書　102
薬剤服用歴　195
　　──管理指導料　195
薬事委員会　190
薬事情報センター　237
薬事・食品衛生審議会　228
薬物相互作用　26
薬物動態　43
　　──学的情報　4
　　──試験　10, 15
薬物有害反応（ADR）　29
薬理学的情報　4
薬理試験　10, 15
薬歴　195
薬効分類名　40
薬効薬理　44
有意水準　115, 124
優越性　151
　　──試験　16, 151
有害事象（AE）　29, 249
　　──情報　222
有効性情報　222
有効成分に関する理化学的知見　44
有効率　31
要指導・一般用医薬品　48, 102, 202
　　──添付文書　48, 61, 203
用法・用量　4, 11, 41
予測性　30

ラ行

ランダム（変量）効果モデル　168
利益相反　86, 193
罹患費用　178
リスク最小化計画　34
リスク比（RR）　134
率比（RR）　134
リード化合物　9
流通管理　188
量的変数　110
臨床開発　10
臨床研究法　26, 208, 259
臨床検査結果に及ぼす影響　43
臨床検査値　198
臨床試験　10, 16, 20, 68, 108, 145
臨床成績　44
臨床的有意　85
臨床薬理試験　16
連続尺度　111
ログランク検定　128
ロジスティック回帰分析　125
論理演算子　73

ワ行

ワクチン接種を受ける人へのガイド　61
ワシントンマニュアル　55
割付けバイアス　82

欧文索引

ACP Journal Club　159
ADR（Adverse Drug Reaction）　29
AE（Adverse Event）　29
AHFS-Drug Information　55
Applied Therapeutics　56
AR（Absolute Risk）　133
ARR（Absolute Risk Reduction）　133, 165

Bonferroni の近似　121
British National Formulary　55

CBA（Cost-Benefit Analysis）　175
CCDS（Company Core Data Sheet）　252
CCSI（Company Core Safety Information）　252
CDC（Center for Disease Control and Prevention）　60
CEA（Cost-Effectiveness Analysis）　175
CiNii　60, 66
CIOMS（Council for International Organizations of Medical Sciences）　29, 30, 253
Clinical Evidence　159
ClinicalTrials.gov　68
CMA（Cost-Minimization Analysis）　175
Cochrane Reviews　167
Cox 比例ハザードモデル　164
CRA（Clinical Research Associate）　206
CRC（Clinical Research Coordinator）　206
CRO（Contract Research Organization）　206, 209
CSO（Contract Sales Organization）　209
CTD（Common Technical Document）　13, 206, 253
CUA（Cost-Utility Analysis）　175

DEM（Drug Event Monitoring）事業　204, 234
DI 室　108, 221
DRUGDEX　55, 67
Drug in Pregnancy and Lactation　58
Drug Interaction Facts　57
DSU（Drug Safety Update）　62, 214
　――解説　233
Dunnett の方法　121

E2B ガイドライン　29

E2B-M2 仕様　29
EBM（Evidence-based Medicine）　157
eCTD　14, 206
EMA　79, 249
EMBASE　37, 66, 168
Entry Terms　75

F 分布　117
FAS（Full Analysis Set）　154
FDA（Food and Drug Administration）　60, 79, 249
Fisher の直接確率法　123

GCP（Good Clinical Practice）　10, 28, 206, 207, 258
GLP（Good Laboratory Practice）　16, 206, 253, 258
GMP（Good Manufacturing Practice）　253
GPMSP（Good Post-Marketing Surveillance Practice）　219
GPSP（Good Post-marketing Study Practice）　24, 34, 207, 260
GQP（Good Quality Practice）　24, 34, 209, 258
GRADE システム　163
GS1 コード　212, 215
GVP（Good Vigilance Practice）　24, 34, 209, 222, 258

ICER（Incremental Cost/Effectiveness Ratio）　174
ICH（International Council for Harmonisation of Technical Requirements for Pharmaceuticals for Human Use）　13, 17, 22, 29, 249, 250
ICSR（Individual Case Safety Report）　29, 251
ICT（Information and Communication Technology）　100
IF（Interview Form）　49
IMIC（International Medical Information Center）　240
INN（International Non-proprietary Name）　46
IRDB（Institutional Repositories DataBase）　67
ITT 解析（Intention-To-Treat analysis）　85, 154, 161
iyakuSearch　66, 240, 244

JAMAS(Japan Medical Abstracts Society) 242
JAMES 241, 245
JAN(Japanese Accepted Name) 4, 46
JAPIC(Japan Pharmaceutical Information Center) 66, 69, 240
JapicCTI 69
JAPICDOC 240
JDreamIII 37, 66, 239, 243
J-GLOBAL 240, 244
JMEDPlus 66
JMO(Japanese Maintenance Organization) 239
JPIC(Japan Poison Information Center) 241
jRCT 56, 69
JST(Japan Science and Technology Agency) 66, 239
J-STAGE 66, 240, 243

LactMed 58

Martindale: The Complete Drug Reference 55
MedDRA(Medical Dictionary for Regulatory Activities) 29, 239, 252
　　──用語選択考慮事項(MeDRA Term Selection: Points to Consider) 29
MedDRA/J 239, 243, 252
Medications & Mother's Milk 58
MEDIS-DC(The Medical Information System Development Center) 241
MEDLINE 37, 66, 68, 168
MedWatch 29, 79
MeSH 74
Meyler's Side Effects of Drugs 57
MID-NET 28
Minds 37, 56, 167
　　──ガイドラインライブラリ 67
MR(Medical Representative) 186, 209, 211, 219
MS(Marketing Specialist) 187, 218

Naranjo スケール 143
NGC(National Guideline Clearinghouse) 67
NIH(National Institute of Health) 68
NII(National Institute of Informatics) 60, 66
NLM(National Library of Medicine) 60, 66
NNT(Number Needed to Treat) 85, 134, 165

OECD 8 原則 263

p 値 115, 125
PBRER(Periodic Benefit-Risk Evaluation Report) 22, 26, 251
PECO 77, 158
Per-Protocol 解析 85, 161
PDR(PRESCRIBERS' DIGITAL REFERENCE) 55
PICO 77, 158
PIC/S(Pharmaceutical Inspection Convention and Pharmaceutical Inspection Co-operation Scheme) 253
PMDA(Pharmaceuticals and Medical Devices Agency) 5, 6, 11, 23, 32, 34, 59, 61, 68, 79, 185, 209, 225, 249
　　──メディナビ 185, 200, 231
PMRJ(Pharmaceutical and Medical Device Regulatory Science Society of Japan) 239
PMS(Post Marketing Surveillance) 21, 191
PPS(Per Protocol Set) 154
PROBE 法 162
PSUR(Periodic Safety Update Reports) 22
PubMed 36, 60, 66, 68, 74, 167
　　──Advanced Search Builder 75

QALY(Quality Adjusted Life Year) 176
QOL(Quality of Life) 175

RAD-AR(Risk/benefit Assessment of Drugs-Analysis and Response) 241
RCT(Randomized Controlled Trial) 82
RMP(Risk Management Plan) 12, 22, 32, 61, 185, 209, 215, 260
RR(Rate Ratio) 134
RR(Relative Risk) 134
RR(Risk Ratio) 134
RRR(Relative Risk Reduction) 134, 165

SDI(Selective Dissemination of Information) 70
SELIMIC 240
SS(Safety Specification) 32
Stockley's Drug Interactions 57
Subheadings 78

t 検定 114
The Cochrane Library 37, 67, 160, 168
Tukey の方法 121

UMC(Uppsala Monitoring Centre) 143
UMIN-CTR 69
UpToDate 56, 67, 159
US FDA 60, 249

WHO(World Health Organization) 143
Wilcoxon 順位和検定 119
Wilcoxon の符号付順位検定 120

χ^2 検定 121
χ^2 分布 117

執筆者一覧 (五十音順)

赤羽根 秀宜	中外合同法律事務所
浅田 和広	大原薬品工業(株)安全管理部
浅野 貴代	東邦薬品(株)薬事情報部
出石 啓治	いずし薬局
井上 彰	(一財)日本医薬情報センター
大島 新司	城西大学薬学部
小野 俊介	東京大学大学院薬学系研究科
加藤 裕久	湘南医療大学薬学部
熊野 伸策	元旭化成ファーマ(株)
榊原 統子	(一財)日本医薬情報センター
坂巻 弘之	神奈川県立保健福祉大学大学院ヘルスイノベーション研究科
佐藤 嗣道	東京理科大学薬学部
澤田 康文	東京大学大学院薬学系研究科
冨田 隆志	広島大学病院薬剤部
富永 俊義	日本OTC医薬品協会
成川 衛	北里大学薬学部
橋口 正行	東京慈恵会医科大学臨床薬理学講座
橋場 元	(公社)日本薬剤師会
武立 啓子	元昭和薬科大学教授
堀 里子	慶應義塾大学薬学部
松浦 聡	(株)メディパルホールディングス
真野 泰成	東京理科大学薬学部
望月 眞弓	慶應義塾大学名誉教授
山崎 幹夫	千葉大学名誉教授,元新潟薬科大学学長
山村 重雄	城西国際大学薬学部
若林 進	杏林大学医学部付属病院薬剤部
渡邊 伸一	帝京平成大学薬学部

監修者

山崎 幹夫（やまざき みきお） 千葉大学名誉教授，元新潟薬科大学学長

編者

望月 眞弓（もちづき まゆみ） 慶應義塾大学名誉教授
武立 啓子（ぶたつ けいこ） 元昭和薬科大学教授
堀 里子（ほり さとこ） 慶應義塾大学薬学部教授

医薬品情報学［第 5 版］

1996 年 12 月 16 日	初　版
1998 年 7 月 25 日	第 2 版
2005 年 9 月 21 日	第 3 版
2012 年 3 月 15 日	第 3 版補訂版
2016 年 3 月 24 日	第 4 版
2018 年 3 月 15 日	第 4 版補訂版
2021 年 3 月 5 日	第 5 版
2022 年 2 月 15 日	第 5 版第 2 刷

［検印廃止］

監修者　山崎 幹夫

編　者　望月 眞弓
　　　　武立 啓子
　　　　堀 里子

発行所　一般財団法人　東京大学出版会
　　　　代表者　吉見俊哉
　　　　153-0041 東京都目黒区駒場 4-5-29
　　　　電話 03-6407-1069　Fax 03-6407-1991
　　　　振替 00160-6-59964
　　　　http://www.utp.or.jp/

印刷所　株式会社三秀舎
製本所　誠製本株式会社

© 2021 Mikio Yamazaki *et al.*
ISBN 978-4-13-062422-0　Printed in Japan

JCOPY　〈出版者著作権管理機構 委託出版物〉
本書の無断複製は著作権法上での例外を除き禁じられています．複製される場合は，そのつど事前に，出版者著作権管理機構（電話 03-5244-5088，FAX 03-5244-5089, e-mail: info@jcopy.or.jp）の許諾を得てください．

澤田康文
薬を育てる 薬を学ぶ — 四六判・224頁・2000円

モックリー=ローゼン，グリムス 編／加藤・木村 総監訳／木村・岸 監訳
アカデミア創薬の実践ガイド — A5判・272頁・3800円
スタンフォード大学SPARKによるトランスレーショナルリサーチ

佐久間昭 著／五所・酒井・佐藤・竹内 編
新版 薬効評価 — A5判・416頁・5200円

神里彩子・武藤香織 編
医学・生命科学の研究倫理ハンドブック — A5判・192頁・2400円

田宮菜奈子・小林廉毅 編
ヘルスサービスリサーチ入門 — A5判・272頁・3500円
生活と調和した医療のために

川上憲人・橋本英樹・近藤尚己 編
社会と健康 健康格差解消に向けた統合科学的アプローチ — A5判・344頁・3800円

デビッド・ホスマー，スタンリー・レメショウ，スーザン・メイ 著／五所正彦 監訳
生存時間解析入門 原書第2版 — A5判・440頁・5000円

橋本英樹・泉田信行 編
医療経済学講義 補訂版 — A5判・344頁・3200円

東京大学高齢社会総合研究機構 編
地域包括ケアのすすめ — A5判・288頁・3500円
在宅医療推進のための多職種連携の試み

JST社会技術研究開発センター・秋山弘子 編著
高齢社会のアクションリサーチ — B5判・224頁・2800円
新たなコミュニティ創りをめざして

ピーターJホッテズ 著／北潔 監訳／BTスリングスビー・鹿角契 訳
顧みられない熱帯病 グローバルヘルスへの挑戦 — A5判・336頁・4200円

ここに表示された価格は本体価格です．ご購入の際には消費税が加算されますのでご諒承ください．